HISTOIRE D'UN PAYSAN

PAYSAN

Tome IV

Erckmann-Chatrian

Copyright pour le texte et la couverture © 2023 Culturea
Edition : Culturea (culurea.fr), 34 Hérault
Contact : infos@culturea.fr
Impression : BOD, Norderstedt (Allemagne)
ISBN :9791041833191
Date de publication : juillet 2023
Mise en page et maquettage : https://reedsy.com/
Cet ouvrage a été composé avec la police Bauer Bodoni
Tous droits réservés pour tous pays.

Quatrième partie

1794-1795
Le citoyen Bonaparte

I

Je vous ai raconté notre campagne de Vendée, ce que les Vendéens eux-mêmes appellent la grande guerre. Nous avions exterminé la mauvaise race sur les deux rives de la Loire, mais les trois quarts d'entre nous avaient laissé leurs os en route. Tout ce qu'on a vu depuis n'est rien auprès d'un acharnement pareil.

Le restant des Vendéens, après l'affaire de Savenay, s'était sauvé dans les marais le long de la côte, où le dernier de leurs chefs, le fameux Charette, tenait encore. Cette espèce de finaud ne voulait pas livrer de batailles rangées ; il pillait, autour de ses marais, les fermes et les villages, emmenant bœufs, vaches, foin, paille, tout ce qu'il pouvait happer ; les malheureux paysans, réduits à n'avoir ni feu, ni lieu, finissaient toujours par le rejoindre, et la guerre civile continuait.

La 18e demi-brigade et les autres troupes cantonnées aux environ de Nantes, d'Ancenis et d'Angers, fournissaient de forts détachements, pour tâcher d'entourer et de prendre ce chef de bandes ; mais à l'approche de nos colonnes il se retirait précipitamment, et d'aller le suivre à travers les saules, les joncs, les aunes et autres plantations touffues, où les Vendéens nous attendaient en embuscade, on pense bien que nous n'étions pas si bêtes : ils nous auraient tous détruits en détail.

Voilà notre existence aux mois de janvier et février 1794. Et maintenant je vais marcher plus vite ; je me fais vieux, j'ai encore plusieurs années à vous raconter jusqu'à la fin de notre république, et je ne veux rien oublier, surtout de ce que j'ai vu moi-même.

C'est dans une de nos expéditions contre Charette que je retombai malade. Il pleuvait tous les jours ; nous couchions dans l'eau ; les Vendéens coupaient souvent nos convois, nous manquions de tout ; mes crachements de sang, par la souffrance, les privations, les marches forcées, recommencèrent plus fort ; il fallut m'envoyer à Nantes, avec un convoi de blessés.

À Nantes, le médecin en chef ne me donna pas seulement quinze jours à vivre ; les blessés du combat de Colombin encombraient les salles, les escaliers, les corridors ; je demandai à retourner au pays.

– Tu veux revoir ton pays, mon garçon ? me dit le major en riant ; c'est bon, ton congé va bientôt venir !

Et huit ou dix jours après il m'apportait déjà mon congé définitif, comme hors de service ; un autre avait de la place dans mon lit.

Il s'est passé depuis des années et des années, le major qui m'avait condamné n'a plus mal aux dents, j'en suis sûr, et moi je suis toujours là ! Que cela serve de leçon aux malades et aux vieillards que les médecins condamnent ; ils vivront peut-être plus longtemps qu'eux ; je ne suis pas le seul qui puisse leur servir d'exemple.

Enfin, ayant mon congé dans ma poche, et cent livres en assignats, que Marguerite m'avait envoyés bien vite, en apprenant par mes lettres que j'étais malade à l'hôpital de Nantes, je ramassai mon courage et je pris le chemin du pays. C'était en mars, au temps de la plus grande terreur et de la plus effrayante famine. Il ne faut pas croire que le temps était mauvais ; au contraire, l'année se présentait bien, tout verdissait et fleurissait, les poiriers, les pruniers, les abricotiers étaient déjà blancs et roses avant la fin d'avril. On aurait béni l'Éternel, s'il avait été possible de rentrer la moitié des récoltes qu'on voyait en herbe ; mais elles étaient encore sous terre, il fallait attendre des semaines et des mois pour les avoir.

Je pourrais vous peindre tout le long de la Loire les villages abandonnés, les églises fermées, les files de prisonniers qu'on emmenait ; l'épouvante des gens qui n'osaient vous regarder ; les commissaires civils, avec leur écharpe et leurs hommes, le dénonciateur derrière, en train de faire la visite ; les gendarmes et même les citoyens qui vous demandaient votre feuille de route à chaque pas.

Les hébertistes, qui voulaient abolir l'Être suprême, venaient d'être guillotinés ; on cherchait de tous les côtés leurs complices, et naturellement plus d'un frémissait car on ne voulait plus d'ivrognes, plus de débauchés, plus d'êtres éhontés qui renient la justice et l'humanité ; on ne parlait plus que de Robespierre et du règne de la vertu.

Moi je me traînais d'étape en étape, tout pâle et maigre, comme un malheureux qui n'a plus que le souffle. Quelquefois les paysans que je rencontrais, tournant la tête, avaient l'air de se dire en eux-mêmes :

« Celui-là n'a pas besoin de s'inquiéter, il ne fera pas de vieux os ! »

Dans les environs d'Orléans, l'idée me vint d'aller voir Chauvel à Paris ; c'était une idée de malade qui se raccroche à toutes les branches. Je me figurais que les médecins de Paris en savaient plus que les barbiers, les vétérinaires et les arracheurs de dents qu'on avait envoyés dans nos bataillons en 92 ; et puis Paris c'était tout : c'est de là que partaient les décrets, les ordres aux armées, les gazettes et les grandes nouvelles ; je voulais voir Paris avant de mourir, et vers le commencement d'avril j'arrivai dans ses environs.

Quant à vous peindre comme Marguerite et Chauvel cette grande ville, ce mouvement au loin, ces faubourgs, ces barrières, ces courriers qui vont et viennent, ces grandes rues encombrées de monde, ces files de misérables en guenilles, enfin ce bourdonnement de cris, de voitures, qui monte et descend comme un orage, vous devez bien comprendre que je n'en suis pas capable ; d'autant plus que j'ai passé là dans un temps extraordinaire, seul, malade, sans savoir, au milieu de cette confusion, ce qu'il fallait regarder, ni même de quel côté je venais d'entrer et de quel côté j'allais sortir.

Tout ce qui me revient, c'est que je descendais une grande rue qui n'en finissait pas, et que cela dura plus d'une heure ; ceux auxquels je demandais la rue du Bouloi me répondaient tous :

– Toujours devant vous !

Je croyais perdre la tête.

Il pouvait être cinq heures et la nuit venait, lorsque, à la fin des fins, au bout de cette rue, en face d'un vieux pont couvert de grosses guérites en pierres de taille, je vis la Seine, de vieilles maisons à perte de vue penchées au bord, une grande église noire sans clocher par-dessus, et d'autres bâtisses innombrables. Le soleil se couchait justement, tous ces vieux toits étaient rouges. Comme je regardais cela, me demandant de quel côté tourner, quelque chose d'épouvantable passa devant moi, quelque chose d'horrible et qui me fait encore bouillonner mon vieux sang après tant d'années.

J'avais déjà passé le pont ; et voilà qu'au milieu d'une foule de canailles, – qui criaient, dansaient, roulaient les uns sur les autres, en levant leurs sales casquettes et leurs bâtons, – voilà qu'entre deux forts piquets de gendarmes à cheval, s'avancent lentement trois voitures pleines de condamnés. Dans la première de ces voitures, à longues échelles peintes en rouge, deux hommes se tenaient debout, en bras de chemise, la poitrine et le cou nus, les mains liées sur le dos. Tous les autres condamnés étaient assis sur des bancs à l'intérieur et regardaient devant eux d'un air d'abattement et les joues longues ; mais de ces deux-là, l'un, fort, large des épaules, la tête grosse, les yeux enfoncés et comme remplis de sang, riait en serrant ses lèvres, on aurait dit un lion entouré de misérables chiens qui gueulent et s'excitent pour tomber dessus ; il les regardait d'un air de mépris, ses grosses joues pendantes tremblaient de dégoût. L'autre plus grand, sec et pâle, voulait parler ; il bégayait en écumant, l'indignation le possédait.

Ces choses sont peintes devant moi ; je les verrai jusqu'à ma dernière heure.

Et pendant que les chevaux, les sabres, les échelles rouges et la race abominable s'éloignaient, piaffant, grinçant et criant : « À mort les corrompus !... À mort les traîtres !... Ça ira !... Dansons la carmagnole !... À toi, Camille !... À toi, Danton !... Ha ! ha ! ha !... Vive le règne de la vertu ! Vive Robespierre ! » pendant que cette espèce de mauvais rêve s'en allait à travers la foule innombrable, penchée aux fenêtres, aux balcons, rangée le long de la rivière, voilà que la deuxième voiture arrive, aussi pleine que la première, et plus loin la troisième. Je me souvins en même temps que Chauvel était l'ami de Danton, et je frémis en moi-même ; s'il avait été là, malgré tout j'aurais tiré mon sabre pour tomber sur la canaille et me faire tuer, mais je ne le vis pas ; je reconnus seulement notre général Westermann dans le nombre : le vainqueur de Châtillon, du Mans, de Savenay. Il s'y trouvait, lui, les mains attachées sur le dos, tout sombre et la tête penchée.

La même abomination de cris, de chants et d'éclats de rire suivait ces deux dernières voitures.

Ce n'est pas l'idée de la mort qui peut faire trembler de pareils hommes, mais la colère de voir l'ingratitude du peuple, qui les laisse insulter et traîner à la guillotine par des mouchards. Ces mouchards ont sali notre révolution ; ils se disaient sans-culottes et vivaient à leur aise dans la police, pendant que le peuple, ouvriers et paysans, souffrait toutes les misères ; ils restaient à Paris pour souffleter les victimes, pendant que nous autres, par centaines de mille, nous défendions la patrie et versions notre sang à la frontière.

Enfin je partis de là dans l'épouvante. Je voyais déjà notre république perdue, cette manière de se guillotiner les uns les autres ne pouvait pas durer longtemps ; ce n'est pas en coupant le cou aux gens qu'on prouve au peuple qu'ils avaient tort.

À quelques cents pas plus loin, je finis par trouver la maison où demeurait Chauvel. Il faisait nuit. J'entrai dans la petite allée sombre ; en bas, à gauche, demeurait un tailleur, au fond d'une niche que sa table remplissait tout entière. C'était un vieux, le nez rouge jusqu'aux oreilles. Je lui demandai le représentant du peuple Chauvel. Aussitôt cet homme, avec de grosses besicles, me regarda des pieds à la tête ; ensuite il décroisa ses jambes cagneuses et me dit :

– Attends, citoyen, je vais le chercher.

Il sortit, et cinq ou six minutes après, il revenait, amenant un gros homme court, le chapeau retroussé, une grosse cocarde devant, et l'écharpe tricolore autour du ventre. Deux ou trois sans-culottes le suivaient.

– Tenez, le voilà, dit le tailleur, c'est lui qui demande Chauvel.

L'autre, un commissaire civil sans doute, commença par me demander qui j'étais, d'où je venais. Je lui répondis que Chauvel le saurait bien.

– Au nom de la loi, me cria cet homme, je te demande tes papiers !... Vas-tu te dépêcher, oui ou non ?

Les sans-culottes alors entrèrent dans la niche. Je ne pouvais plus me remuer ; de tous les côtés dans la petite allée, j'entendais des gens marcher, descendre des escaliers, et je voyais cette espèce me regarder dans l'ombre avec des yeux de rats ; c'est pourquoi tout pâle de colère, je jetai ma feuille de route et mon congé sur la table. Le commissaire les prit et les mit dans sa poche en me disant :

– Arrive ! – Et vous autres, attention, qu'on ouvre l'œil !

Le tailleur paraissait content ; il croyait déjà tenir la prime de cinquante livres : j'aurais voulu l'étrangler.

Il fallut sortir. Cinquante pas plus loin, dans une grande salle carrée où des citoyens montaient la garde, on examina mes papiers.

Quant à vous dire toutes les questions que me fit le commissaire sur mon engagement, sur ma route, sur mon changement de direction et la manière dont j'avais connu Chauvel, c'est impossible depuis le temps. Cela dura plus d'une demi-heure. À la fin il reconnut pourtant que mes papiers étaient en règle et me dit, en posant dessus son cachet, que Chauvel était en mission à l'armée des Alpes. Alors la colère me prit ; je lui criai :

– Ne pouviez-vous pas me dire cela tout de suite ? tas de...

Mais je retins ma langue ; et le commissaire, me regardant d'un air de mépris, s'écria :

– Tout de suite ! Il fallait te dire cela tout de suite ! Ah çà ! dis donc, imbécile, est-ce que tu crois que la république raconte ses secrets au premier venu ? Est-ce que tu ne pouvais pas être un espion de Cobourg ou de Pitt ? Est-ce que tu portes ton certificat de civisme peint sur ta figure ?

Cet homme paraissait furieux ; s'il avait fait un signe aux sectionnaires, attentifs autour de nous, avec leurs piques, j'étais arrêté. J'eus assez de bon sens pour garder le silence ; et lui, vexé de n'avoir pas fait une bonne prise, me montra la porte en disant :

– Tu es libre ; mais tâche de ne pas être toujours aussi bête, ça te jouerait un mauvais tour.

Je sortis bien vite et je remontai la rue. Tous ces sans-culottes me regardaient encore de travers.

Durant les deux jours que je restai à Paris, le même spectacle me suivit : partout les gens ne voyaient que des suspects, le premier venu pouvait vous arrêter ; on passait sans oser se regarder les uns les autres. Et ce n'était pas sans cause : les trahisons avaient donné le branle ; la disette poussait les misérables à chercher de quoi vivre, ils dénonçaient les gens, pour avoir la prime ! Un mal avait amené l'autre ; nous étions en pleine terreur, et cette terreur épouvantable venait des Lafayette, des Dumouriez, de tous ceux qui, dans le temps, avaient livré nos places, essayé d'entraîner leurs armées contre la nation et porté les paysans à détruire la république. Les grands maux font les grands remèdes, il ne faut pas s'en étonner.

Une fois hors des griffes du commissaire, en remontant la vieille rue sombre, je finis par trouver une de ces auberges où les mendiants et les pauvres diables de mon espèce logeaient à quelques sous la nuit. C'est ce qu'il me fallait ; car avec mon vieux sac, mon vieux chapeau, mes pauvres habits de Vendée, tout usés, déchirés et rapiécés, on n'aurait pas voulu me recevoir ailleurs. J'entrai donc dans ce cabaret borgne, et la vieille qui se trouvait derrière le comptoir, au milieu d'un tas de sans-culottes qui buvaient, fumaient et jouaient aux cartes, cette vieille comprit tout de suite ce que je voulais. Elle me conduisit en haut de sa baraque, moyennant une corde qui servait de rampe ; il fallut payer d'avance, et puis m'étendre sur une paillasse, d'où les puces, les punaises et autres vermines me chassèrent bientôt. Je m'étendis alors sur le plancher, la tête sur mon sac, comme en plein champ ; et, malgré les mauvaises odeurs, les cris d'ivrognes, le passage des rondes en bas dans la rue ; malgré le manque d'air dans ce recoin, sous les tuiles, et les jurements abominables de ceux qui trébuchaient dans l'escalier, je dormis jusqu'au matin.

L'idée que Danton, Camille Desmoulins, Westermann et les meilleurs patriotes étaient morts ; que leurs têtes coupées reposaient l'une sur l'autre avec leurs corps, dans le sang, me réveilla bien deux ou trois fois ; mon cœur se serrait ; je bénissais le ciel de savoir Chauvel en mission à l'armée, et je me rendormais à force de fatigue.

Le lendemain d'assez bonne heure, je descendis ; j'aurais pu m'en aller tout de suite, ma dépense était payée, mais autant rester là, puisqu'on y mangeait à bon marché. Je m'assis donc tout seul, et je déjeunai tranquillement avec un morceau de pain, du fromage, un demi-litre de vin. Cela me coûta deux livres dix sous en assignats ; il me restait soixante-quinze livres.

Je voulais voir la Convention nationale avant de retourner au pays. Depuis trois mois que nous avions couru le Bocage et le Marais, nous ne connaissions plus les nouvelles ; les fédérés parisiens avaient presque tous péri ; eux seuls s'inquiétaient des grandes batailles de la Convention, des Jacobins et des Cordeliers ;

après eux on n'avait plus songé qu'au service. La mort de Danton, de Camille Desmoulins et de tous ces patriotes qui les premiers avaient soutenu la république, me paraissait quelque chose de terrible ; il fallait donc que les royalistes eussent pris le dessus ! voilà les idées qui me passaient par la tête ; et sur les huit heures, ayant payé ce que je devais à la vieille, je laissai chez elle mon sac, en la prévenant que je reviendrais le prendre.

Tout ce que Marguerite m'avait écrit autrefois sur Paris, sur les cris des marchands, les files de malheureux à la porte des boulangeries, les disputes au marché pour s'arracher ce que les campagnards apportaient, je le vis alors, et c'était devenu pire. On chantait de nouvelles chansons ; on criait partout les journaux qui parlaient de la mort des corrompus.

Je me souviens avoir traversé d'abord une grande cour plantée de vieux arbres, – le palais du ci-devant duc d'Orléans, – et d'avoir vu beaucoup de gens assis dehors, en train de boire et de lire les gazettes ; ils riaient, ils se saluaient comme si rien ne s'était passé. Plus loin, sur l'enseigne d'une salle en plein air, qui me rappela celle que Chauvel avait établie chez nous pour la commodité des patriotes, ayant lu : « Cabinet de lecture », j'entrai hardiment et je m'assis parmi des quantités de citoyens, qui ne tournèrent pas même la tête ; là je lus le *Moniteur* tout entier, et d'autres gazettes racontant le procès des dantonistes, ce qui ne me coûta que deux sous.

Le Comité de salut public avait fait arrêter les dantonistes, soi-disant pour avoir conspiré contre le peuple français, en voulant rétablir la monarchie, détruire la représentation nationale et le gouvernement républicain.

On les avait empêchés de parler ; on avait refusé de faire venir les témoins qu'ils demandaient ; et comme ils s'indignaient ; comme Danton parlait du peuple et que le peuple s'indignait avec lui, Saint-Just et Billaud-Varennes, représentant le Comité de salut public devant le tribunal révolutionnaire, avaient couru dire à la Convention que les accusés se révoltaient, qu'ils insultaient la justice, et que si la révolte gagnait le dehors, tout était perdu.

Ces malheureux ne parlaient pas des justes réclamations de Danton, de la liste des témoins qu'il demandait et qu'il fallait entendre, selon la loi !

Saint-Just dit qu'un décret seul pouvait arrêter la révolte. Et cette grande Convention nationale, tremblant alors devant le Comité de salut public, dont Robespierre, Saint-Just et Couthon s'étaient rendus maîtres, cette Convention, qui tenait tête à toute l'Europe, avait décrété que le président du tribunal révolutionnaire devait employer tous les moyens pour forcer les accusés de respecter la tranquillité publique, et même, s'il le fallait, aller jusqu'à les mettre hors la loi !

C'est tout ce que Robespierre voulait.

Le lendemain, sans entendre les témoins, ni l'accusateur public, ni les défenseurs, ni le président, les jurés assassins décidèrent qu'ils en savaient assez ; ils déclarèrent Danton et ses amis coupables d'avoir voulu renverser la république, et les juges leur appliquèrent la peine de mort.

Je n'ai pas besoin de vous rappeler les paroles de Danton, de Camille Desmoulins et des autres dantonistes ; elles sont dans tous les livres qui parlent de la république. Danton avait dit : « Mon nom est inscrit au panthéon de l'histoire ! » Il avait raison ; ce nom est inscrit tout en haut et celui de ses assassins en bas ; Danton les écrase ! C'est le premier, le plus grand et le plus fort des hommes de la Révolution ; il avait du cœur et du bon sens, ses ennemis n'en avaient pas ; ils ont perdu la république, et lui l'avait sauvée. Tant qu'un honnête homme vivra parmi nous, Camille Desmoulins aura des amis qui plaindront son sort ; tant qu'il restera chez nous des braves, le nom de Westermann sera respecté. Mais je dis là des choses que tout le monde sait ; il vaut mieux continuer tranquillement et ne pas s'emporter.

Après avoir lu cela, les yeux troubles, je me rendis à la Convention ; je n'eus qu'à demander au premier venu, il me dit :

– C'est là-bas.

Autant que je me rappelle, c'était une grande bâtisse, donnant sur un jardin, l'escalier sous une voûte et la lumière venant d'en haut. Chacun pouvait y monter, mais il fallait arriver de bonne heure, pour avoir de la place dans les balcons à l'intérieur, garnis de drapeaux tricolores et de couronnes en peinture. Je trouvai tout de suite une place sur le devant de ces balcons. On était assis comme aux orgues d'une église, les bras sur la balustrade. Je voyais tous les bancs en bas, en demi-cercle, les uns au-dessus des autres, jusque près du mur, la tribune en face. On montait à la tribune par des escaliers sur les côtés. Tout était en bois de chêne et bien travaillé. Les représentants arrivaient à la file se mettre dans leurs bancs, les uns à gauche, les autres à droite, en haut, en bas, dans le milieu, ce qui prit bien une heure. Nos balcons aussi se remplissaient de gens du peuple en bonnet rouge à petite cocarde, quelques-uns avaient des piques. On parlait, cela faisait un grand bourdonnement sous cette voûte.

À mesure que les représentants arrivaient, les gens autour de moi disaient :

– Ça, c'est un tel !

– Ce gros homme, c'est Legendre.

– Celui-ci, que les serviteurs officieux apportent sur sa chaise, c'est Couthon.

– Voici Billaud, Robert Lindet, Grégoire, Barrère, Saint-Just.

Ainsi de suite.

Lorsqu'on parla de Saint-Just, je me penchai pour le voir ; il était petit et blond, très beau de figure et bien habillé, mais raide et orgueilleux. En pensant à ce qu'il venait de faire, j'aurais souhaité lui parler dans un coin.

On appelait ces gens « les vertueux ! » mais nous autres, nous étions bien aussi vertueux qu'eux, je pense, dans les tranchées de Mayence, sur les redoutes et dans les boues de la Vendée, sans pain, sans souliers, sans habits. Je trouve, moi, que le peuple est bien bête de donner d'aussi beaux noms à des orgueilleux pareils, et puis de les adorer comme des êtres extraordinaires. L'esprit de bassesse fait toute cette admiration ; et d'appeler « vertueux » des scélérats qui se débarrassent des plus grands citoyens, parce qu'ils gênent leur ambition et leur despotisme, c'est trop fort.

Presque aussitôt après Robespierre entra ; de tous les côtés, dans les balcons, on disait :

– C'est lui !... c'est le vertueux Robespierre... l'incorruptible, etc., etc.

Je regardai cet homme ; il traversait la grande salle, et montait le petit escalier en face, un rouleau de papier dans la main, des lunettes vertes sur le nez. Auprès des autres représentants, presque

11/208

tous en habit noir, vous auriez dit un mirliflore : il était frisé, peigné ; il avait une cravate blanche, un gilet blanc, un jabot, des manchettes ; on voyait que cet homme se soignait et se regardait au miroir comme une jeune fille. J'en étais étonné. Mais quand il se retourna et s'assit en déroulant ses papiers, sans avoir l'air de rien entendre, et que je le vis espionner en dessous et derrière ses lunettes ceux de la salle, de tous les côtés, alors l'idée me vint qu'il ressemblait aux renards, les plus fins et les plus propres des animaux, qui se peignent, qui se lèchent et s'arrangent jusqu'au bout des ongles. Je me dis en moi-même :

« Toi, tu n'aurais jamais ma confiance, quand tu serais encore mille fois plus vertueux. »

Il était à peine assis, que le président Tallien, un beau jeune homme, la figure ronde, cria :

– Citoyens représentants, la séance est ouverte !

Je me souviens maintenant que tous ces gens étaient pâles ; ils parlaient fort, ils criaient, ils disaient de grands mots ; mais aussitôt après leurs joues pendaient, tout devenait triste. Chacun pensait sans doute à ce qui s'était passé la veille, et peut-être encore plus à ce qui pourrait se passer le lendemain.

Une chose qui les mit tous en fureur, ce fut de voir arriver au commencement de la séance un pétitionnaire, un boucher ou peut-être un marchand de bétail, trapu, carré, que les serviteurs officieux firent avancer jusqu'auprès des bancs, et qui déclara qu'il venait offrir à la nation quinze cents livres, pour entretenir et bien graisser la guillotine. Il voulait encore parler, mais on ne le laissa pas finir ; tous criaient :

– Videz la barre ! Videz la barre !

Et les serviteurs officieux le mirent dehors.

Pendant ce spectacle, Robespierre avait l'air d'écrire et de ne rien entendre ; mais comme le pétitionnaire s'en allait, il cria de sa place :

– Le Comité de surveillance aura l'œil sur cet homme, il importe d'examiner sa conduite.

C'est tout ce qu'il dit jusqu'au soir. Sa voix était claire ; on l'entendait par-dessus tous les cris et les bourdonnements de la salle.

Aussitôt après, plus de vingt jeunes gens, des enfants de quinze à seize ans, arrivèrent en uniforme ; c'étaient les élèves de l'école de musique. Ils s'avancèrent sans gêne, et le plus grand d'entre eux se mit à lire une pétition, pour faire empoigner, juger et guillotiner leurs professeurs, menaçant que si la Convention ne leur accordait pas la liberté de faire ce qu'ils voudraient après les classes, tous quitteraient leur école.

L'indignation recommença contre ces mauvais sujets. Le président Tallien leur dit avec force qu'ils étaient indignes d'être les élèves de la patrie, étant beaucoup trop bornés pour comprendre les devoirs de républicains ; et puis il leur ordonna de sortir.

Cela causa d'abord une dispute entre deux représentants : l'un demandait de faire inscrire au bulletin les paroles insolentes de ces polissons, l'autre disait que ces jeunes citoyens étaient encore des enfants, incapables d'écrire une pétition semblable, et qu'il fallait seulement rechercher les auteurs du scandale.

On adopta ce qu'il demandait.

Ensuite on lut les propositions du Comité des finances et celles du Comité de la guerre ; la Convention, sur ces propositions, rendit deux décrets, l'un pour fixer le prix des transports par eau sur la Saône et le Rhône, en changeant le tarif des messageries de 1790 ; l'autre pour embrigader et compléter les bataillons de la formation d'Orléans, tirés des armées du Nord et des Ardennes, et les faire considérer comme d'ancienne formation.

Toutes ces choses m'intéressaient, je voyais la manière de voter nos lois, et je reconnaissais que cela se faisait avec ordre.

On vota d'autres lois encore en ce jour, sur le remboursement des offices de la maison de Louis XVI, car avant 89, toutes les places se vendaient et s'achetaient ; la république ayant aboli ces places, voulait rendre l'argent qu'elles avaient coûté ; c'était juste.

Par ce même décret, elle accorda des secours et pensions à tous les anciens serviteurs à gages du ci-devant roi, qui par vieillesse ne pouvaient plus vivre de leur travail. Ainsi la république s'est montrée plus juste et plus probe que les autres gouvernements.

Mais ce qui me rendit bien autrement attentif, c'est quand le citoyen Couthon se mit à parler au nom du Comité de salut public. Vous auriez cru de loin une vieille femme, avec ses fanfreluches et sa perruque poudrée. Il parlait de sa place, étant cul-de-jatte, et ne pouvant monter l'escalier de la tribune. Voici ce qu'il dit ; cela donnait à penser en ce temps de terreur horrible.

Il dit qu'un décret avait été rendu la veille par la Convention, pour forcer chacun de ses membres à faire connaître la profession qu'il exerçait avant la Révolution, la fortune qu'il avait, et les moyens par lesquels cette fortune avait pu s'augmenter. Plus d'un, je crois, serait embarrassé de rendre un pareil compte aujourd'hui. Il dit que ce décret ayant été renvoyé pour les détails au Comité de salut public, le Comité s'en était occupé tout de suite ; mais qu'il avait pensé que cet objet était le commencement de bien d'autres mesures générales sur l'épurement de la morale publique, et que, pour cette raison, il n'avait encore rien arrêté ; que cela viendrait ; que le Comité ferait un rapport sur l'influence morale du gouvernement révolutionnaire, ensuite un autre rapport sur le but de la guerre aux tyrans de l'Europe ; un autre encore sur les fonctions des représentants en mission, soit aux armées, soit dans les départements, en vue de les mieux tenir sous la main du gouvernement ; enfin, un rapport au projet de fête à l'Être suprême tous les dix ans.

La salle était pleine d'enthousiasme en l'écoutant, et de temps en temps Robespierre, qui ne finissait pas d'écrire, baissait la tête, comme pour dire :

« C'est ça !... c'est bien ça ! »

Après ce discours, on lut à l'Assemblée la liste des prises faites par notre marine sur les Anglais et les Hollandais, ce qui dura jusqu'à huit heures du soir.

Le pauvre Legendre, qui seul entre tous avait osé défendre son ami Danton à la Convention, voyant que l'épuration n'était pas encore finie, vint dire d'un air de satisfaction, que le conseil général de la commune de Havre-Marat avait envoyé plusieurs adresses à la Convention, pour la remercier de son énergie contre les conspirateurs ; qu'on avait oublié d'en parler, mais que lui se faisait un devoir de la féliciter d'un si beau sentiment. Il regardait Robespierre de côté, mais cet homme vertueux, penché sur son pupitre, n'avait pas l'air de l'entendre ; il ne baissa pas la tête une seule fois. Pauvre Legendre ! il dut passer une bien mauvaise nuit.

Alors la séance fut levée. Tous les gens des balcons sortirent par les escaliers, les représentants par la grande porte en bas, et moi je suivis la foule, rêvant à toutes ces choses.

Ah ! quel bonheur de retourner à la maison, et que j'étais las de ces vertus extraordinaires de gens qui veulent avoir tout sous la main : représentants, généraux, soldats, comités et clubs : qui vous arrangent tout, mettent de l'ordre en tout, et font guillotiner sans pitié les hommes de cœur qui veulent un peu de miséricorde et de liberté. Je voyais bien où ces mesures devaient aboutir ! Robespierre était le maître, restait à savoir si cela durerait, car la guillotine luisait pour tout le monde.

II

Le lendemain 7 avril 1794, je quittai Paris ; j'en avais assez vu.

Quand un homme seul fait trembler tous les autres ; quand, sur ses rapports, on est regardé comme coupable, que les preuves, les témoins, les défenseurs ne sont plus que des formalités ; que les juges et les jurés sont choisis pour envoyer ceux qui les gênent à la guillotine, cela dit tout !

Je m'en allai bien triste et bien malade, tout blanc de poussière, car il faisait chaud.

Tout le long de la route des postes vous arrêtaient, visitaient vos papiers, mettaient leur visa dessus. Robespierre n'avait confiance que dans la police ; presque tous les juges de district, les administrateurs, les représentants en mission, les maires, et jusqu'aux gardes champêtres, étaient de sa police ; cela faisait en quelque sorte une nation de mouchards, qui se payait et vivait sur les paysans, les ouvriers, les travailleurs de toute sorte. On comprend combien de pareilles avanies, qui se renouvelaient à chaque bourgade, indignaient les voyageurs.

Le huit ou neuvième jour, après avoir passé Châlons, je me traînais un soir sur la route de Vitry-le-Français ; la sueur me tombait goutte à goutte du front, et je m'écriais en moi-même : « Faut-il donc tant souffrir en ce monde, avant d'arriver au cimetière ! Faut-il que tantôt une espèce de gueux et tantôt une autre roule en voiture et se goberge comme des princes, pendant que les honnêtes gens périssent lentement de fatigue et de misère ! »

J'avais fini par m'asseoir sur un tas de pierres, regardant au loin, bien loin, un petit village au bout de la route ; le soleil descendait ; j'avais faim et soif, et je me demandais si j'aurais encore le courage d'aller jusque-là. Comme j'étais ainsi découragé, tout à coup le roulement d'une voiture sur la route me fit tourner la tête, et je vis s'approcher au trot une de ces charrettes de la campagne, – tressées d'osier, – en forme de grande corbeille, un vieux bonhomme en large chapeau de paille et carmagnole de drap gris assis devant. À mesure qu'il s'approchait, je reconnaissais qu'il avait une bonne figure, de gros yeux bleu clair, de bonnes lèvres, la perruque à la cadogan dans son sac, qu'on appelait crapaud ; il me regardait aussi, et me cria le premier :

– Tu es las, citoyen ! monte donc à côté de moi, ça te reposera de la route.

J'étais étonné et même attendri.

– J'allais te demander ce service, citoyen, lui dis-je en me levant, pendant qu'il s'arrêtait et me tendait la main. Je n'en peux plus !

– Ça se voit, fit-il. Tu viens de loin ?

– J'arrive de la Vendée. Je suis malade et hors de service ; la marche me fatigue, je crache le sang. Pourvu que j'arrive au pays pour mourir, c'est tout ce que je demande.

La charrette s'était remise à trotter ; lui, me regardant alors, s'écria comme touché :

– Bah ! bah ! jeune homme, qu'est-ce que cela signifie ? Tu n'as donc pas de courage ? Quand on est jeune, il ne faut jamais se désespérer. Je te dis, moi, qu'il ne te faut que du repos, une bonne nourriture, du bon vin, et tout se remettra. Crois-moi ! Hue Grisette !

Je ne répondis rien ; quelques instants après il me demanda :

– Tu as passé par Paris, citoyen ?

– Oui, lui dis-je, et cela m'a rendu plus malade ; j'ai vu là des choses qui m'ont arraché le cœur, j'en suis abattu.

– Quoi donc ? fit-il en me regardant.

– J'ai vu guillotiner les meilleurs patriotes : Danton, Camille Desmoulins, mon général Westermann, et tous les braves gens qui nous avaient sauvés. Si je n'étais pas tellement malade, et si je valais la peine d'être guillotiné, je n'oserais pas parler comme je le fais ; mais qu'on vienne m'empoigner, je m'en moque, les scélérats ne me tiendront pas longtemps : c'est de l'abominable canaille !

En parlant, la colère et la fatigue me faisaient cracher le sang à pleine bouche. Je pensais :

« Tout est perdu !... Tant pis !... Si c'est un robespierriste, qu'il me dénonce ! »

Lui, voyant cela, se tut un instant ; il était devenu tout pâle, et ses gros yeux étaient comme enflés de larmes ; mais il ne me dit pourtant rien, m'engageant seulement à me contenir. Alors je lui racontai ce que j'avais vu, dans les détails ; les tas de soi-disant sans-culottes qui couraient derrière les voitures, criant : « À bas, les corrompus ! » et le reste.

Nous approchions du village, un pauvre village : les maisons plates, affaissées sous les lourdes tuiles creuses, les fumiers et les hangars dans un état de misère. Il en existait pourtant une assez belle et mieux bâtie, avec de petits jardins sur les côtés, devant laquelle la voiture s'arrêta.

Je descendis en remerciant ce brave homme, et je prenais mon sac à la courroie, lorsqu'il me dit :

– Bah ! tu vas rester ici, citoyen, tu ne trouverais pas de bouchon au village.

En même temps une grande femme sèche sortit de la maison, avec un de ces anciens chapeaux de paille en forme de cornet ; le vieux encore sur la charrette, lui cria :

– Ce jeune homme est de la maison pour ce soir ; c'est un brave garçon, nous allons vider bouteille ensemble ; et pour le reste, comme on dit, à la fortune du pot !

Je voulais refuser, mais lui, me prenant par l'épaule et me poussant doucement dans la salle, disait :

– Bah ! bah ! c'est entendu... tu me feras plaisir, et à ma femme, à ma fille, à ma sœur. Henriette, prends le sac du citoyen ; qu'on lui prépare un bon lit ; le temps de dételer, de mettre le cheval à l'écurie et j'arrive.

Il fallut bien faire ce qu'il voulait ; pour dire vrai, je n'en étais pas fâché, car cette maison me paraissait la meilleure de l'endroit ; et la grande salle en bas, la table ronde au milieu, avec un rouleau de paille pour nappe, les assiettes, les gobelets, la bouteille autour, me rappelaient le bon temps des Trois-Pigeons.

La femme, elle, m'ayant regardé d'un air d'étonnement, me conduisit dans une petite chambre derrière, la fenêtre sur un verger, et me dit :

– Mettez-vous à votre aise, Monsieur.

Depuis longtemps je n'avais plus entendu les gens se parler poliment ; j'en fus un peu surpris. Elle s'était retirée. Je sortis de mon misérable sac ce qui me restait de mieux, je me lavai avec du savon dans une grande écuelle, je changeai de souliers, enfin je fis ce que je pus, et je rentrai bientôt dans la salle. La soupière était déjà sur la table. Une autre femme et une jeune fille de seize à dix-sept ans, très jolie, se trouvaient là, causant avec le maître de la maison.

– Allons, assieds-toi, me dit le citoyen. Je sors pousser les volets.

Je m'assis avec les dames ; il revint et me servit le premier une bonne assiette de soupe aux légumes, comme je n'en avais pas senti de pareille depuis deux ans ; ensuite nous eûmes un bon morceau de veau rôti, de la salade, une corbeille de noix, avec du pain et du vin excellent. Cette famille devait être la plus riche du pays. Tout en mangeant, le citoyen Lami, – voilà que son nom me revient. Oui, c'est Lami qu'il s'appelait ; cela remonte à 94. Que de choses se sont passées depuis ! – Ce citoyen donc raconta ce que j'avais vu et l'indignation que ce spectacle m'avait causée. C'était vers la fin du souper. Tout à coup, l'une des dames se leva, le tablier sur les yeux, et sortit en sanglotant, et quelques instants après les deux autres la suivirent. Alors il me dit :

– Citoyen, ma sœur est mariée à Arcis-sur-Aube ; c'est une amie de la famille Danton. Elle est revenue de là depuis trois jours ; et nous tous nous connaissons cette famille, nous lui sommes attachés ; j'ai moi-même eu bien des rapports avec Georges Danton ; vous pensez si cela nous touche.

Il ne me tutoyait plus, et je vis qu'il était prêt à fondre en larmes.

– Ah ! quel malheur, fit-il, quel horrible malheur !

Et tout à coup il sortit aussi. Je restai seul plus d'un grand quart d'heure, le cœur gros. Je n'entendais rien ; et puis ils revinrent ensemble, les yeux rouges ; on voyait qu'ils avaient pleuré. Le citoyen, en rapportant une bouteille de vieux vin ; il me dit en la débouchant :

– Nous allons boire au salut de la république !... À la punition des traîtres !...

En même temps il remplit mon verre et le sien et nous bûmes. Les femmes ayant repris leur place, la sœur du citoyen Lami, qu'on appelait Manon, raconta qu'un mois avant, Danton était encore chez sa mère, à Arcis-sur-Aube ; qu'il se promenait dans une grande salle donnant sur la place, les portes et les fenêtres ouvertes ; que chacun pouvait aller le voir, lui serrer la main, lui demander un conseil ; ouvriers, bourgeois, paysans, il recevait tout le monde, disant au premier venu ce qu'il pensait, sans méfiance ; qu'il avait souvent amené des amis : Camille Desmoulins et sa jeune femme, la sienne et ses deux enfants, quelquefois son beau-père et sa belle-mère Charpentier ; ils redescendaient tous chez la mère de Danton, mariée en secondes noces avec le citoyen Recordain, marchand à Arcis-sur-Aube. On ne connaissait pas de plus honnêtes gens et de plus aimés dans tous le pays.

Je voyais, d'après ce que cette pauvre femme me racontait, que Danton s'était perdu lui-même par sa trop grande confiance ; car on peut bien penser qu'un homme de police comme Robespierre, qui dans le Comité de salut public ne s'inquiétait que de la police, des espionnages, des dénonciations et des conspirations, – qu'il inventait souvent lui-même, – on peut bien penser qu'un pareil être avait toujours trois ou quatre de ses mouchards autour de Danton, pour lui rapporter ses paroles, ses indignations et ses menaces.

J'avais lu dans les gazettes que Danton s'était engraissé pendant sa mission en Belgique, et je demandai naturellement à cette personne, si Danton était riche. Elle me répondit que la famille Danton était aisée avant comme après la Révolution ; qu'on ne l'avait pas vue depuis dans un état meilleur ou pire. C'est ce que je savais d'avance ; un homme comme Chauvel avait l'œil beaucoup trop fin, il méprisait lui-même beaucoup trop l'argent pour s'associer avec des filous.

Voilà tout ce qui me revient de ces choses ; et depuis j'ai toujours été convaincu que Robespierre, Saint-Just, Couthon et toute cette race d'ambitieux sans cœur, avaient couvert de boue la tombe de ce grand homme ; qu'ils l'avaient calomnié bassement, chose du reste assez facile à voir, puisque, s'ils avaient eu des preuves après la mort des dantonistes, les gens de police qui couvraient la France les auraient affichées partout. Et je suis sûr aussi que le seul crime de Westermann, à leurs yeux, était d'avoir été reconnu par Danton, à l'armée du Nord, comme un véritable homme de guerre, et tout de suite élevé par lui du grade de simple commandant à celui de général, en Vendée. Westermann, un des premiers citoyens à l'attaque du château des Tuileries, le 10 août, pouvait soulever le peuple en faveur de la justice et venger ses amis. Le plus simple était de s'en débarrasser, malgré ses services et son patriotisme : c'est ce que ces êtres vertueux avaient fait.

Enfin j'ai dit ce que je pense sur tout cela.

Les honnêtes gens chez qui j'étais me retinrent jusqu'au lendemain à midi : je déjeunai, je dînai chez eux, et puis le citoyen attela sa charrette et me conduisit lui-même jusqu'à Vitry-le-Français. Jamais je n'ai trouvé d'homme pareil ; aussi je m'en souviens et je dis à mes enfants de s'en souvenir. Il s'appelait Lami, Jean-Pierre Lami. C'était un vrai patriote, et qui me rendit courage, en m'assurant que ma fin n'arriverait pas encore ; que j'en reviendrais pour sûr. Il me dit cela d'un air tellement simple et naturel, que je repris confiance. Du reste, il ne voulut pas recevoir un sou, et même il fallut encore, à l'entrée de Vitry-le-Français, vider ensemble une bouteille de vin, que ce brave homme paya de sa poche. Après cela il m'embrassa comme une vieille connaissance et me souhaita un bon voyage.

Étant donc parti de là plus courageux, je suivis le conseil du citoyen Lami, de prendre à chaque repas une chopine de bon vin, même s'il était cher, en calculant sur ma bourse, bien entendu, parce qu'il me restait encore huit ou dix jours de route, dans l'état où je me trouvais. L'idée de la mort m'avait quitté ; je songeais à Marguerite, à mon père, à maître Jean, et je me disais :

« Courage, Michel, ils t'attendent ! »

Je revoyais le pays, j'entendais les cris des amis :

« Le voilà !... c'est lui !... »

Au lieu de me laisser abattre, de m'appuyer sur mon bâton, le dos courbé, je me redressais, j'allongeais le pas. Et la vue du pays désolé, les plaintes des paysans taxés au maximum, la publication de ces taxes dans chaque district, l'enlèvement des grains, les disputes à la porte des boutiques, l'arrivée des commissaires de subsistances, des gendarmes nationaux, toutes ces choses que je rencontrais à chaque bourgade, et la demande qu'on me faisait de mes papiers, les interrogatoires en règle des aubergistes chaque soir avant de vous donner un lit, ces mille ennuis de la route ne me faisaient plus rien.

J'avais aussi le bonheur de rencontrer quelquefois la carriole d'un paysan et de monter dessus pour deux ou trois sous ; les petites villes et les villages défilaient après Vitry-le-Français : Bar-le-Duc, Commercy, Toul, Nancy, Lunéville... Ah ! c'est encore la vue des montagnes qui me remua le cœur, ces vieilles montagnes bleues qui seront encore là quand nous n'y serons plus depuis des siècles, que nos enfants et nos petits-enfants verront après nous, et salueront comme nous les avons saluées en revenant de la terre étrangère : les hauteurs du Dagsbourg, où l'on a bâti depuis une petite chapelle blanche, et plus loin à droite, le Donon, qui seul conservait sa grande traînée de neige au-dessus des bois. Enfin j'approchais de chez nous ; il faisait un temps superbe.

Ce jour-là, j'étais parti de Sarrebourg à quatre heures du matin, et vers neuf heures je descendais la côte de Mittelbronn ; je revoyais les Maisons-Rouges, les Baraques d'en haut et du Bois-de-Chênes, et la ligne des remparts. Vingt minutes après je passais la porte de France. Ai-je besoin de vous peindre nos embrassades, notre attendrissement ; les larmes de Marguerite en me voyant si faible et pensant que j'avais traversé toute la France dans cet état, pour la retrouver ; la désolation d'Étienne et celle du vieux père qui vint aussitôt, car le brave homme avait apporté des paniers à vendre sur le marché ? Ces choses, quand j'y songe, me touchent encore.

À peine assis dans la bibliothèque, après avoir tant souffert et tant eu de force pendant la route, je me sentis comme épuisé. Je serrais mon père dans mes bras, lorsque les crachements de sang me reprirent d'une façon terrible, et, pour la première fois depuis le combat de Port-Saint-Père, je tombai sans connaissance. On me crut mort. C'est dans le lit de Chauvel, vers le soir, que je m'éveillai, si faible qu'il ne me restait plus que le souffle. Marguerite était penchée sur moi et pleurait à chaudes larmes. Je lui pris la tête dans mes mains et je l'embrassai en criant :

– J'ai bien fait, n'est-ce pas, de me dépêcher pour te voir encore ?

Le père, lui, n'avait pu rester, étant trop désolé. Pourtant M. le docteur Steinbrenner, alors un jeune homme, mais déjà plein de bon sens, avait dit que je n'étais pas en danger de mort, qu'il ne me fallait que du repos et de la tranquillité. Il avait seulement recommandé de ne laisser entrer aucun patriote, parce qu'ils n'auraient pas manqué de me demander des nouvelles.

C'est dans ce temps que je reconnus tout l'amour de Marguerite, et que je compris combien j'étais heureux. Jamais personne n'a reçu les mêmes soins que moi ; jour et nuit Marguerite me veillait et me soignait ; elle ne s'inquiétait plus de leur commerce.

Je me remis lentement. Au bout de trois semaines Steinbrenner déclara que j'étais sauvé, mais qu'il avait eu peur bien des fois de me voir passer d'une minute à l'autre. Que voulez-vous ? on trompe les malades pour leur bien, et je trouve qu'on n'a pas tort ; les trois quarts perdraient courage s'ils connaissaient leur état. Enfin j'étais hors de danger, et seulement alors Steinbrenner permit de me donner un peu de nourriture. Tous les matins Nicole venait de l'auberge des Trois-Pigeons, avec un petit panier au bras, demander de mes nouvelles ; c'est maître Jean qui l'envoyait. En cette année 94, le sucre se vendait trente-deux sous un denier la livre, et la viande, on ne pouvait en avoir, même avec de l'argent. Ah ! brave maître Jean, vous m'avez traité comme votre propre fils ; dans tous les malheurs de la vie, vous m'avez tendu la main ; vous étiez l'honnêteté, la bonté même ; que les hommes comme vous sont rares, et quel long souvenir ils laissent dans le cœur de ceux qui les ont connus ! Nicole passait par la cuisine et je ne manquais de rien. Marguerite, en voyant mon bon appétit, me souriait. Maître Jean et les patriotes Élof Collin, Létumier, Raphaël Manque venaient aussi me serrer la main.

C'est principalement après les grandes maladies qu'on se réjouit de vivre, et qu'on revoit les choses en beau ; moi, tout m'attendrissait et me faisait pleurer comme un enfant ; rien que la lumière du jour à travers les rideaux me donnait des éblouissements ; et que Marguerite me paraissait belle alors, avec ses cheveux noirs, son teint pâle, ses dents blanches ! Ô Dieu ! quand j'y pense, je rattrape mes vingt ans !

Au bout d'un mois, j'avais repris mes forces ; j'aurais pu facilement m'en aller aux Baraques, mais l'idée de voir ma mère ne me plaisait pas trop, je savais d'avance comment elle me recevrait ! Toute la ville parlait déjà de mon mariage avec Marguerite ; ma mère avait commencé de terribles disputes avec mon père sur ce chapitre ; elle criait :

– Je ne veux pas d'une hérétique !

Et mon père, indigné, lui répondait :

– Et moi j'en veux ! La loi ne demande que mon consentement, et je le donne avec ma bénédiction. Crie, fais des esclandres, le maître, c'est moi !

Ces choses, je ne les ai sues que par la suite ; mon bon père nous les cachait.

Mais à cette heure je vais vous raconter notre mariage, ce qui vous fera plus de plaisir, j'en suis sûr, que le siège de Mayence ou la débâcle de Coron, car on aime mieux voir les gens heureux que misérables.

Vous saurez donc que, vers la fin du mois de mai, comme j'étais sur pied, bien remis et rhabillé par Marguerite, parce que je n'avais pas le sou, je ne vous le cache pas, j'en suis même fier ; elle pouvait dire : « Michel est à moi depuis le cordon de sa perruque jusqu'à la semelle de ses souliers ! » en ce temps donc, Marguerite et moi nous écrivîmes tous les deux au père Chauvel, à l'armée des Alpes, pour lui raconter ce qui s'était passé et lui demander son consentement. Il nous l'envoya tout de suite, disant que son seul regret était de ne pas être à Phalsbourg, mais qu'il approuvait tout et chargeait son ami Jean Leroux de le remplacer comme père au mariage.

Il fit aussi d'autres invitations à la noce, car cet homme de bon sens, même au milieu des plus grandes affaires, voyait ce qui se passait au loin et n'oubliait rien dans des occasions pareilles. Notre mariage fut arrêté pour le 3 messidor an II de la république, ou, si vous aimez mieux, pour le 21 juin 1794. C'était au temps de la plus grande disette. Tout le monde sait que, dans les temps ordinaires, le mois de juin est difficile à passer ; la récolte des grains se fait en juillet et en août. Qu'on se figure l'état du pays après 93 ; tout était consommé depuis longtemps, et l'on ne pouvait encore rien récolter. Il n'arrivait plus rien au marché, les pauvres gens allaient, comme avant la révolution, faucher les orties, et s'en nourrissaient, en les cuisant avec un peu de sel.

Mon Dieu ! qu'est-ce que je puis encore vous dire ? Malgré la rigueur du temps, malgré le ravage du pays par les Allemands et la cherté des vivres ; malgré les listes d'anciens constituants, d'anciens présidents, d'anciens juges, d'anciens fermiers généraux, – les complices de Louis Capet, de Lafayette et de Dumouriez, – qu'on menait à guillotine, malgré tout, la noce fut joyeuse. Le festin dura jusqu'à neuf heures du soir ; on battait la retraite lorsque les amis partirent, riant et chantant, se souhaitant bonne nuit ; on n'aurait pas cru que nous étions en pleine terreur. Mon père, maître Jean, dame Catherine, reprirent le chemin des Baraques ; mon frère Étienne ferma la boutique et monta se coucher ; Marguerite et moi nous restâmes seuls ensemble, les plus heureux du monde.

Ainsi se passa mon mariage, et naturellement ce fut le plus beau jour de ma vie.

Maître Jean m'avait prévenu que l'ouvrage ne manquerait pas aux Baraques, et que je pourrais reprendre mon vieux marteau quand cela me conviendrait ; il m'avait aussi fait entendre que j'aurais bientôt sa forge et qu'il irait surveiller lui-même sa ferme de Pickeholz.

J'étais donc débarrassé de toute inquiétude sur l'avenir, sachant que mes trois livres m'attendaient tous les jours. Les choses prirent pourtant une autre tournure que je ne pensais. Le lendemain matin, comme Étienne, Marguerite et moi, nous déjeunions dans notre petite bibliothèque, avec un restant de lard, des noix et un verre de vin, – nos trois almanachs pendus aux vitres sur la rue des Capucins, un paquet de gazettes à droite, la grosse cruche d'encre à gauche, enfin au milieu de notre fonds de boutique, tout heureux de vivre pour la première fois en famille, – au moment de remettre ma grosse veste de forgeron, je racontai les belles promesses que m'avait faites le parrain, pensant réjouir tout le monde. Marguerite, en petite camisole blanche du matin, m'écoutait d'un air tranquille, et, tout à coup, élevant sa voix claire, elle me répondit :

– C'est très bien, Michel. Que maître Jean aille soigner sa ferme de Pickeholz et quitte sa forge, ça le regarde ; mais nous autres, nous devons songer à nos propres affaires.

– Hé ! ma bonne Marguerite, lui dis-je, qu'est-ce que je pourrais faire ici, les bras croisés ? N'est-ce pas assez que tu m'aies rhabillé de fond en comble, veux-tu donc encore me nourrir ?

– Non, non, ce n'est pas ce que je veux, dit-elle. Étienne, j'entends aller la sonnette, va voir ce que les gens demandent ; il faut que je cause avec ton frère.

Étienne sortit, et Marguerite, assise auprès de moi, devant le petit bureau de son père, m'expliqua que nous allions étendre notre commerce, vendre des épiceries : poivre, sel, café, etc. ; que nous achèterions tout de première main, chez les Simonis de Strasbourg, et que cela nous rapporterait bien plus que les livres et les gazettes, parce que le monde, avant de s'instruire, songe d'abord à manger.

– Sans doute, sans doute, lui dis-je, c'est une fameuse idée ; seulement il faudrait avoir de l'argent.

– Nous en avons un peu, dit-elle ; à force d'économie, j'ai pu mettre quatre cent cinquante livres de côté ; mais c'est encore la moindre des choses : le nom de Chauvel est connu de toute l'Alsace et la Lorraine, partout on le respecte ; si nous voulons avoir des marchandises à crédit, nous en aurons.

Quand j'entendis parler de crédit, les cheveux m'en dressèrent sur la tête ; je revis devant moi le vieil usurier Robin qui toquait à la vitre ; mon pauvre père en route pour la corvée, et la mère qui criait : « Ah ! gueuse de chèvre ! gueuse de chèvre !... elle nous fera tous périr ! » J'en eus froid dans le dos et je ne pus m'empêcher de le dire à Marguerite. Elle voulut alors me faire comprendre que c'était bien différent, que nous allions acheter pour revendre, que nous aurions cinquante jours et même trois mois d'avance. Rien de tout cela n'entrait dans ma tête ; le seul mot de crédit m'épouvantait. Elle le vit bien et finit par me dire en souriant :

– Bon, c'est bon, Michel ; tu ne veux pas de crédit, nous n'en demanderons pas ; seulement nous pouvons acheter de la marchandise avec l'argent que j'ai, n'est-ce pas ?

– Ah ! pour ça, oui, c'est autre chose ; quand tu voudras Marguerite.

– Eh bien, fit-elle en se levant, partons tout de suite ; j'ai l'argent là tout prêt. Notre commerce de gazettes ne va plus, la misère est trop grande, on n'a plus un liard de trop pour savoir les nouvelles. Ne perdons pas de temps.

Elle était vive et toute décidée. Moi, bien content de savoir que nous ne prendrions rien à crédit, je ne demandais pas mieux que d'aller avec Marguerite à Strasbourg. Il fallut retenir tout de suite nos places au coche de Baptiste ; il partait à midi juste. J'avais le sac d'argent dans ma veste boutonnée. Nous étions derrière, serrés les uns contre les autres, avec des Alsaciens qui rentraient chez eux. Il faisait une poussière extraordinaire en ce mois de juin, d'autant plus que les routes, mal entretenues, avaient des ornières d'un pied, et que les talus roulaient en poussière jusqu'au milieu des champs. On ne respirait pas. C'est tout ce qui me revient de notre voyage. Marguerite et moi nous nous regardions comme des êtres bien heureux. On fit halte à la montée de Wasselonne ; les Alsaciens descendirent enfin, grâce à Dieu, et nous finîmes par arriver nous-mêmes à la nuit. Marguerite connaissait Strasbourg ; elle me conduisit à l'auberge de la Cave-Profonde, que tenait alors le grand-père Diemer. Nous eûmes une chambre. Quel bonheur de se laver avec de l'eau fraîche, après une route pareille ! Les gens d'aujourd'hui ne peuvent plus même s'en faire l'idée, c'est impossible ; il faut avoir passé par là.

Une chose qui me revient encore, c'est que sur les huit heures une servante monta nous demander si nous souperions à la grande ou bien à la petite table ; j'allais répondre que nous souperions à la petite table, pensant que c'était celle des domestiques et que cela nous coûterait moins ; par bonheur Marguerite répondit aussitôt que nous souperions à la grande ; et, la servante étant partie, elle m'expliqua qu'on ne payait à la grande table que vingt-cinq sous, parce que tout le monde, rouliers, gens du marché, paysans, y mangeaient et ne tenaient pas à payer cher ; au lieu qu'à la petite table des richards, dans une chambre à part on payait trois livres. Je frémis en moi-même du danger que nous venions de courir d'avaler six francs de marchandises en un seul repas. Enfin je ne veux pas vous peindre ce souper, cela ne finirait jamais. Vous saurez seulement que le lendemain, vers sept heures, Marguerite et moi, bras dessus, bras dessous, nous allâmes voir les Simonis, rue des Minotiers, sur l'ancienne place du Marché aux légumes, où l'on a mis depuis la statue de Gutenberg.

Les Simonis étaient des gens connus de toute l'Alsace ; moi-même j'en avais entendu parler comme des plus riches commerçants de la province. Je me les figurais donc, en proportion de leur réputation, avec des habits magnifiques, des chapeaux fins et des breloques ; aussi quel ne fut pas mon étonnement quand, au détour de la rue, je vis un petit homme de trente-cinq à quarante ans, en carmagnole, les cheveux noués par un simple ruban, qui roulait des tonnes et rangeait des caisses contre le mur de sa boutique, en attendant de les mettre en magasin, et que Marguerite me dit :

– Voici M. Simonis.

Cela changea toutes mes idées sur les riches commerçants ; je reconnus alors que l'habit ne fait pas le moine, et depuis je ne me suis plus trompé sur ce chapitre.

Comme nous traversions toutes ces caisses et ces tonnes, ces sacs entassés à droite et à gauche, et les voitures qui venaient se décharger, M. Simonis comprit d'un coup d'œil que nous étions des acheteurs ; il laissa l'ouvrage à ses garçons et rentra derrière nous, dans sa grande boutique ouverte au large sur deux rues, le comptoir de côté, l'arrière-boutique au fond, comme la nôtre à Phalsbourg, mais trois ou quatre fois plus grande.

Dieu du ciel : quel spectacle pour de petits marchands commençant, que ces tas de sacs empilés, ces caisses rangées du haut en bas, ces pains de sucre par centaines, ces paniers de raisins secs et de figues ouverts pour échantillons, et cette odeur de mille choses qui coûtent cher, et qu'on trouve en pareille abondance ! L'idée que cela vient de tous les pays du monde ; que ce poivre, cette cannelle, ce café, ces richesses de toute sorte sont arrivées sur des vaisseaux, cette idée-là ne vous touche pas d'abord ; on ne pense naturellement qu'à s'attirer une petite part de ces biens ; et, par la suite des temps, lorsqu'on est assis tranquillement derrière un bon poêle, à lire sa gazette, après avoir réussi dans ses affaires, on réfléchit seulement que des mille et des centaines de mille hommes, blancs ou noirs, de toutes les couleurs et de toutes les nations, ont travaillé pour vous enrichir.

Je ne vous dirai donc pas que dans cette grande boutique de pareilles idées me vinrent alors, non !... mais je vis que c'était un grand et très grand commerce, ce qui me rendit un peu timide.

Marguerite, elle, au contraire, était toute simple ; et d'abord, posant son panier au bord du comptoir, elle dit quelques mots à M. Simonis, lui parlant de notre intention d'acheter, et de nous établir épiciers à Phalsbourg ; disant que nous avions peu d'argent, mais beaucoup de bonne volonté d'en gagner. Il nous écoutait d'un air de bonhomme, les mains croisées sur le dos ; moi j'étais tout rouge, comme un conscrit devant son général en chef.

– Alors vous êtes la fille de Chauvel, du représentant Chauvel ? dit Simonis.

– Oui, citoyen, et voici mon mari. Notre maison s'appellera Bastien-Chauvel.

Il rit, et s'écria, parlant à sa femme, une bonne et gentille femme, aussi vive, aussi alerte que la mienne :

– Hé ! Sophie, tiens, voici des jeunes gens qui veulent s'établir ; vois donc ce qu'il est possible de faire pour eux ; moi je vais rentrer nos marchandises, car la voie publique est encombrée, nous avons déjà l'avis de nous dépêcher.

Une quantité de garçons et de servantes allaient et venaient, les manches de chemise retroussées, enfin une véritable ruche de travailleurs.

La jeune dame s'était approchée ; son mari lui dit quelques mots à part ; elle, aussitôt, nous saluant d'un petit signe de tête, dit à Marguerite :

– Donnez-vous la peine d'entrer.

Et nous entrâmes dans un petit bureau très simple et même un peu sombre, à droite du magasin. La dame nous dit de prendre place, souriant à Marguerite qui parlait. Elle regarda tout de suite une longue liste que ma femme avait préparée d'avance, et marqua le prix de chaque article à côté.

– Vous ne prenez que cela ? dit-elle.

– Oui, répondit Marguerite, nous n'avons pas plus d'argent.

– Oh ! s'écria la jeune dame, il faut être mieux assortis ; vous aurez des concurrents, et...

– Mon mari ne veut faire le commerce qu'au comptant.

Alors la dame me regarda deux secondes ; elle vit bien sans doute que j'avais été paysan, ouvrier, soldat, et que je n'entendais pas grand-chose aux affaires, car elle rit et dit d'un air de bonne humeur :

– Ils sont tous comme cela, nos messieurs ; et puis ils deviennent trop hardis, il faut les retenir. Allons, nous nous entendrons, j'espère.

Elle sortit et donna ses ordres, nous demandant s'il faudrait envoyer la marchandise par le roulage ou l'accéléré. Marguerite répondit, par le roulage, et, ce qui me fit le plus de plaisir, c'est qu'elle me dit de payer d'avance. Aussitôt je vidai mon sac sur le comptoir ; la dame ne voulait pas recevoir notre argent ; mais comme Marguerite l'assura que si tout n'était pas payé je n'en dormirais plus, elle compta nos quatre piles de cent livres d'un trait et nous donna le reçu : « Valeur payable en marchandise. » Et puis cette excellente petite dame, que j'ai bien connue depuis, et qui même m'a plus d'une fois posé la main sur le bras en riant et s'écriant : « Ah ! mon cher monsieur Bastien, quel poltron vous étiez

en commençant, et que vous voilà devenu hardi, trop peut-être !... »
cette bonne dame nous accompagna jusque dehors, et nous salua
d'un air joyeux, promettant que tout arriverait à Phalsbourg avant la
fin de la semaine. Ensuite elle jeta un coup d'œil sur les caisses
qu'on emmagasinait, causant et riant avec son mari, et nous
reprîmes le chemin de la Cave-Profonde.

Le même soir, sur les dix heures, nous rentrions chez nous, à
Phalsbourg. La confiance m'était venue, je voyais que nous ferions
des bénéfices. Les deux jours suivants, Marguerite m'expliqua la
tenue des livres en partie simple : le brouillon pour inscrire ce qu'on
donne à crédit dans le cours de la journée ; le grand livre, où l'on
porte la dette de chacun à sa page ; et puis le livre des factures, pour
ce qu'on reçoit, ce qu'on attend, ce qu'on doit payer aux échéances,
avec les factures et les billets en liasses, lorsqu'ils sont payés. Il ne
nous en fallait pas plus dans le commerce de détail, et jamais nous
n'avons eu ni réclamations, ni chicanes, tout étant en règle jour par
jour.

Mais, puisque je suis sur ce chapitre, il faut que je vous raconte
encore ma surprise et mon inquiétude, lorsqu'arriva la tonne de
marchandises, une toute petite tonne, et que je m'écriai dans mon
âme :

– Nous avons nos quatre cent cinquante livres là-dedans !... ! Ô
Dieu, ça n'a l'air de rien du tout... nous sommes volés !

Et à mesure qu'on vidait la tonne sur le comptoir, voyant ce peu
de poivre, ce peu de café, je me disais :

« Jamais nous ne rentrerons dans notre argent... ça n'est pas
possible !

Le pire, c'est que tout au fond était la facture, mais la facture
presque doublée, car bien des choses que nous n'avions pas
demandées, comme du gingembre, de la muscade, s'y trouvaient, et
nous restions redevoir à Simonis plus de trois cents livres.

Alors une sorte d'indignation me prit ; j'aurais tout renvoyé, si
Marguerite ne m'avait pas répété cent fois que tout se vendrait très
bien ; que ces gens ne voulaient pas nous ruiner, mais au contraire
nous rendre service.

Il avait encore fallu, dans ces trois jours, acheter deux balances,
et faire mettre trois rangées de tiroirs pour nos épices, de sorte que

nous devions au menuisier, au serrurier, à tout le monde. Si durant ces premières semaines les cheveux ne me sont pas tombés de la tête, c'est qu'ils étaient solidement plantés. Et, sans ma confiance extraordinaire dans Marguerite, sans mon amour, et l'assurance que maître Jean vint nous donner lui-même, qu'il nous aiderait si nous étions embarrassés, sans tout cela je me serais sauvé de la maison, car l'usurier, la faillite et la honte étaient en quelque sorte peints devant mes yeux. Je n'en dormais pas ! Plus tard j'ai su que mon pauvre père en avait aussi vu de grises alors, parce que ma mère s'apercevant qu'il était tout inquiet, avait deviné quelque chose, et lui disait, matin et soir :

– Eh bien, ils n'ont pas encore fait banqueroute ? Ce n'est pas encore pour aujourd'hui ? Ce sera pour demain !... Le gueux va donc déshonorer nos vieux jours... Je le savais bien... Ça ne pouvait pas finir autrement !...

Ainsi de suite.

Le pauvre homme en perdait la tête. Il ne me disait rien de ces misères, mais ses joues longues, ses yeux inquiets m'apprenaient assez ce qu'il devait souffrir.

Enfin au bout d'un ou deux mois, quand je vis que toute la ville et les environs, bourgeois, paysans, soldats, habitués à venir prendre chez nous leurs gazettes, leur papier, leur encre et leurs plumes, achetaient par la même occasion du tabac, du sel, du savon, tout ce qu'il leur fallait ; que les ménagères aussi commençaient à connaître le chemin de notre maison, et que sou par sou, liard par liard, nous rentrions dans notre argent ; quand nous eûmes remboursé la facture de Simonis, et qu'au bout de ce temps Marguerite me montra clairement que nous avions gagné chaque jour huit à dix livres, alors je repris haleine et je lui permis non seulement de redemander à Strasbourg les marchandises que nous avions vendues et qui nous manquaient, mais encore quelques autres qu'on nous demandait et que nous n'avions pas eues jusqu'à ce moment.

Notre petit commerce de journaux, d'encre, de papier, de catéchismes républicains, de plumes et autres fournitures de bureau allait toujours son train ; nous étions tous occupés à la boutique et cela ne nous empêchait pas, le soir, après souper, en mettant nos gros sous en rouleaux et faisant nos cornets, de nous entretenir des affaires de la nation.

Tantôt Étienne, tantôt Marguerite ou moi nous prenions la *Décade,* le *Tribun du peuple,* ou la *Feuille de la République,* que nous lisions tout haut pour savoir ce qui se passait.

III

Je me souviens qu'alors il n'était plus question que de la campagne du Nord, des batailles de Courtrai, de Pont-à-Chin, de Fleuras ; Jourdan et Pichegru se trouvaient en première ligne au dehors, sur nos frontières. À l'intérieur, Robespierre s'élevait de plus en plus. Il avait fait décréter la reconnaissance de l'Être suprême et la croyance du peuple à l'immortalité de l'âme. Le bruit courait que bientôt tout serait en ordre, que les guillotinades cesseraient après la punition des grands coupables, et que nous aurions enfin le règne de la vertu. La principale affaire c'était de ressembler aux anciens Romains ; on disait que les Jacobins en approchaient, mais qu'ils ne montaient pourtant pas encore à leur hauteur. Beaucoup de citoyens, qui s'appelaient dans le temps Joseph, Jean, Claude ou Nicolas, avaient changé de nom ; le nouveau calendrier ne reconnaissait plus que Brutus, Cincinnatus, Gracchus ; et ceux qui n'avaient pas une grande instruction ne savaient pas ce que cela voulait dire. Aux fêtes patriotiques, les déesses allaient presques nues ; voilà des choses malhonnêtes et véritablement dégoûtantes.

C'était même contraire au bon sens, de vouloir ressembler à des gens que les trois quarts de la nation ne connaissaient pas, et de nous réformer sur le modèle des anciens païens, à demi-sauvages ; mais on se gardait bien de s'indigner contre ces bêtises, parce que les dénonciations pleuvaient, et qu'on était empoigné, jugé et guillotiné dans les quarante-huit heures. Chaque fois que Robespierre parlait à la Convention, on votait l'impression de ce qu'il avait dit ; tous les clubs, toutes les municipalités recevaient ses discours, qu'on affichait partout, comme aujourd'hui les mandements des évêques. On aurait cru que le bon Dieu venait de parler.

Et tout à coup, en juin et juillet, cet homme se tut ; il n'alla plus dans les Comités de surveillance et de salut public. Moi, je crois en mon âme et conscience qu'il se figurait qu'on ne pouvait plus se passer de lui ; qu'il faudrait absolument le supplier à genoux de revenir, et qu'alors il ferait ses conditions au pays. J'ai toujours eu cette idée, d'autant plus que son ami Saint-Just, qui rentrait d'une mission à l'armée, voyant que rien ne bougeait, que tout marchait très bien sans eux, déclara qu'il fallait un dictateur, et que ce dictateur ne pouvait être que le vertueux Robespierre. Il fit cette déclaration au Comité de salut public ; mais les autres membres du Comité virent où ces êtres vertueux voulaient nous mener : ils refusèrent ! et l'homme incorruptible, indigné contre ceux qui se permettaient de lui résister, résolut de s'en débarrasser. Tout ce que j'ai lu depuis me porte à croire ce que je vous dis. Robespierre était un dénonciateur ; avec ses dénonciations il avait épouvanté le monde ; il voulut dénoncer les membres du Comité eux-mêmes, et les envoyer rejoindre Danton.

En ce temps, vers la fin de juillet, les chefs de notre club, qui recevaient les ordres des Jacobins, Élof Collin en tête, se rendirent à Paris pour la fête de thermidor, et les gens eurent peur ; on pensa qu'il se préparait un grand coup. C'étaient tous des robespierristes, principalement Élof ; depuis leur départ on n'osait plus se parler.

Cela dura huit ou dix jours ; et voilà qu'un beau matin des courriers apportèrent la nouvelle que Robespierre, Couthon, Saint-Just, avec tous leurs amis, avaient été ramassés d'un coup de filet et guillotinés du jour au lendemain. Ce fut quelque chose de terrible en ville ; les femmes, les enfants de nos patriotes crurent que leur père, leurs frères, leur mari se trouvaient dans le nombre. Qu'on se représente la position de ces gens, qui n'osaient crier ni se désoler, car Saint-Just lui-même avait fait décréter que ceux qui plaignaient les coupables étaient suspects, et que s'ils recevaient chez eux, quand ce serait leur propre mère, ils méritaient la mort ; qu'on s'imagine un serrement de cœur pareil.

Nous en frémissions tous lorsque, le 1er août au soir, étant seul avec Marguerite dans notre petite chambre donnant sur la place de la Halle, au moment de nous coucher, nous entendîmes deux coups au volet. Je pensais qu'un citoyen avait oublié quelque chose, de l'huile, une chandelle, n'importe quoi ; j'ouvris donc : Élof Collin était là !

– C'est moi, dit-il, ouvre.

Aussitôt je sortis ouvrir la porte de l'allée, tout inquiet ; ce n'était pas une petite affaire de recevoir alors des robespierristes qui revenaient de Paris, mais pour un vieux camarade de Chauvel j'aurais risqué ma tête.

Collin entra ; je poussai le verrou de l'allée et je le suivis. Dans notre chambre, la chandelle sur la table, Élof un instant regarda de tous côtés, en écoutant. Je le vois encore, avec son grand chapeau à cornes, son habit de drap gris bleu ; sa grosse perruque nouée sur le dos, les joues tirées et son gros nez camard tout blanc.

– Vous êtes seuls ? dit-il en s'asseyant.

Je m'assis en face de lui sans répondre. Marguerite resta debout.

– Tout est perdu ! fit-il au bout d'une minute, les fricoteurs, les voleurs, les filous ont le dessus, la république est à bas. C'est un grand hasard que nous en soyons réchappés.

Il jeta son chapeau sur la table, continuant de nous regarder, pour savoir ce que nous pensions.

– Quel malheur ! dit Marguerite, depuis votre départ nous étions tous en méfiance.

Et lui, baissant encore la voix dans ce grand silence de la nuit, nous raconta que les principaux jacobins de la province, les chefs de clubs avaient reçu l'avis d'être à Paris pour la fête de thermidor, parce qu'il se préparait une épuration générale. Mais qu'en arrivant là-bas, sauf les jacobins, qui restaient toujours fermes dans leurs bonnes idées, ils avaient trouvé tout gangrené : la Convention et les Comités ; qu'alors Robespierre avait risqué son rapport contre les Comités, et que la Convention, bien à contre-cœur, par habitude et par crainte, avait voté l'impression du rapport ; mais que les fricoteurs, qui se sentaient menacés, avaient fait retirer le décret d'impression et renvoyer le rapport à l'examen des Comités eux-mêmes ; chose abominable, puisque c'étaient des Comités de salut public et de sûreté générale que Robespierre venait de dénoncer et qu'il voulait purifier : ces gens ne pouvaient se juger eux-mêmes ! Qu'ensuite Robespierre avait lu son rapport le même soir au club des Jacobins, et que tous les patriotes s'étaient déclarés pour lui ; qu'on pensait même à soulever les sections contre la Convention ; que Payan, Fleuriot-Lescot, le maire de Paris, Henriot, le commandant de la garde nationale, enfin tous les bons sans-culottes ne demandaient qu'à mettre la main sur les Comités, dans la nuit, et bousculer tout de suite la faction des corrompus.

Mais que Robespierre, trop vertueux, s'opposait à l'insurrection contre la Convention, *qui pouvait vous mettre hors la loi* ; qu'il aimait mieux renverser la Montagne et les Comités, en appelant la droite et le centre de l'assemblée à son secours, les hommes vertueux du centre, qu'on appelait autrefois les crapauds du marais ; que ces êtres sans caractère, ne sachant pas lesquels d'entre eux étaient sur la liste d'épuration, et qui se sentaient tous véreux plus ou moins, s'étaient laissé gagner par les fricoteurs dans cette même nuit, de sorte que le lendemain dimanche, 9 thermidor, Saint-Just ayant voulu parler à l'ouverture de la Convention, Tallien, le plus grand scélérat de l'ancienne Montagne, avait coupé la parole à cet homme vertueux ; que les autres s'en étaient mêlés, et que Robespierre lui-même n'avait pu dire un mot, parce que tous les membres de l'Assemblée, à gauche, à droite, en haut, en bas, ensemble et l'un après l'autre le forçaient de se taire, en l'appelant Cromwell, tyran, despote, triumvir, et finalement en le décrétant d'accusation, lui Robespierre, Auguste-Bon-Joseph son frère, Couthon, Saint-Just, Lebas, en les faisant empoigner et conduire dans les prisons de Paris.

Voilà ce que nous raconta Collin ; nous l'écoutions bien étonnés, comme on pense.

Il nous dit ensuite que pendant cette séance le peuple attendait ; que vers le soir, ayant appris ce qui s'était passé, il s'était soulevé pour la délivrance de ces grands patriotes ; que la brave Commune avait fait sonner le tocsin, et que les officiers municipaux avaient été délivrer les prisonniers, en les emmenant à l'hôtel de ville ; mais que Henriot, un peu gris, selon son habitude, s'était fait arrêter en courant les rues à cheval pour soulever le peuple, et que les corrompus l'avaient emmené prisonnier au Comité de sûreté générale.

Ces choses se passaient entre cinq et sept heures du soir. À sept heures, la Convention devait se réunir encore une fois ; on le savait ; Coffinhal courut aux Tuileries délivrer Henriot avec une centaine de canonniers patriotes, qui braquèrent aussitôt leurs canons sur la porte de la Convention, pour empêcher les représentants d'entrer. Malheureusement, dit Collin, Henriot, au lieu de rester là tranquillement, eut la bêtise d'aller demander des ordres à l'hôtel de ville ; pendant ce temps, les représentants arrivèrent, les canonniers se dispersèrent, et la Convention, malgré le tocsin, malgré les cris du dehors et le danger de l'insurrection, mit Henriot, les deux Robespierre, Couthon, Saint-Just, Lebas, tous les conspirateurs de la Commune et les principaux Jacobins hors la loi. Elle envoya des commissaires lire ce décret dans toutes les sections, et nomma

Barras commandant de la force armée contre les rebelles.

– Tout cela, nous dit Collin avec indignation, retombe sur Henriot : le malheureux s'était grisé dès le matin, il criait, il levait son sabre et ne donnait pas d'ordres.

Moi je pensai tout de suite à Santerre, à Léchelle, à Rossignol : ces braillards se ressemblaient tous ; ceux qui les suivaient allaient à la déroute ou bien à la guillotine.

Le grand Élof, désolé, nous dit qu'alors les sans-culottes en masse avaient eu peur d'être compris dans le décret de mise hors la loi, et qu'au lieu d'aller soutenir Robespierre et les hommes purs à l'hôtel de ville, le plus grand nombre étaient allés rejoindre Barras aux Tuileries en criant : « Vive la Convention ! » et qu'entre une et deux heures du matin, avant le jour, toute la garde nationale était descendue des deux côtés de la Seine, malgré la fusillade d'une poignée de patriotes qui voulaient résister le long de la rivière ; qu'elle avait envahi la maison commune, où se trouvaient les vrais représentants du peuple ; que Henriot avait été jeté par les fenêtres ; que Robespierre avait reçu un coup de pistolet à la figure ; qu'on avait traîné Couthon dans un égoût ; que Lebas s'était tué ; que Saint-Just, Robespierre jeune, enfin tous les soutiens de la république, à travers les coups de pied, les coups de crosse, les soufflets et les crachats, avaient été ramenés en prison, et Robespierre transporté sur une planche à la Convention, où l'on n'avait pas même voulu le voir, soi-disant parce que sa vue aurait souillé les regards des fricoteurs ; – et que finalement ces martyrs, avec une quantité d'autres jacobins, officiers municipaux, etc., tous hors la loi, avaient été traînés à la guillotine, place de la Révolution, au milieu des cris, des tas de boue et des affronts de toute sorte, tellement humiliés et maltraités qu'ils ne pouvaient plus se tenir debout, et que le pauvre Couthon, aux trois quarts mort, roulait sous les pieds des autres, dans la charrette, demandant pour seule grâce d'être achevé ; qu'en face de l'échafaud on avait gardé Maximilien Robespierre le dernier, pour voir guillotiner ses amis ; que le bourreau, un royaliste, lui avait arraché son bandeau et l'avait exposé tout vivant, la figure mâchurée, aux yeux du peuple furieux, et puis qu'il l'avait tué comme les autres.

C'est ce que nous dit Élof Collin en frémissant ; et je me rappelai Danton, Camille Desmoulins, Westermann ; je vis que les mouchards avaient fait pour ceux-ci comme pour les premiers. J'écoutais cette histoire avec dégoût. Collin, tout pâle, ayant fini par se taire, je lui dis :

– Écoute, citoyen Élof, ce que tu viens de nous raconter ne m'étonne pas ; ce qui m'étonne, c'est que la chose ait duré si longtemps. Dans un temps, lorsque nous avions toute l'Europe et la Vendée sur les bras, il a fallu suspendre l'application de la constitution de 93 ; il a fallu établir le Comité de salut public, le Comité de surveillance générale et le tribunal révolutionnaire ; il a fallu la terreur contre les aristocrates, contre les égoïstes, contre les conspirateurs et les traîtres qui livraient nos places et montraient le chemin du pays à l'étranger ; mais voilà plusieurs mois que la guillotine marche contre les meilleurs patriotes ! N'est-ce pas une véritable abomination que des hommes comme Danton, comme Desmoulins, Hérault-Séchelles, Lacroix, Bazire, Philippeaux, Westermann, etc., qu'on avait vus à la tête de toutes les grandes journées de la révolution, aient été guillotinés sans jugement, par des êtres qui tremblaient dans leur peau et se cachaient les jours de bataille ; par des êtres qui se tenaient en embuscade dans leur bureau de police, comme les araignées au milieu de leur toile ? N'est-ce pas une honte pour la France et la république ? Est-ce que cela pouvait nous faire du bien de guillotiner Danton ? Est-ce que les despotes n'ont pas dû rire ce jour-là ? Est-ce que nos plus grands ennemis auraient pu nous faire un pareil tort ? Est-ce que tous les citoyens de cœur et de bon sens n'ont pas frémi d'indignation ?

Collin me regardait, le poing sur la table et les lèvres serrées.

– Tu ne crois donc pas à la vertu de Robespierre, toi ? fit-il.

– À la vertu de Robespierre et de Saint-Just ! lui dis-je en levant les épaules. Est-ce qu'on peut croire à la vertu des scélérats qui ont assassiné Danton parce qu'il était plus grand, plus fort, plus généreux qu'eux tous ensemble ; parce qu'il voulait mettre la liberté et la miséricorde à la place de la guillotine, et que, lui vivant, les dictateurs n'étaient pas possibles ?... Où donc était leur vertu extraordinaire ? Qu'est-ce qu'ils ont donc fait qui les élève tant au-dessus des autres ? Quels dangers ont-ils donc courus de plus que sept ou huit cent mille citoyens partis en sabots à la frontière ? Est-ce qu'ils ont manqué de pain, de feu et de chaussures en hiver, comme nous autres en Vendée ? Non, ils ont fait de longs discours, prononcé des sentences, donné des ordres, proscrit ceux qui gênaient leur ambition, et finalement essayé de se faire nommer dictateurs. Eh bien ! moi je ne veux pas de dictateurs, et j'aime mieux la liberté que la guillotine ; c'est trop commode de tuer ceux qui ne pensent pas comme vous, le dernier brigand peut faire la même chose. C'est pour la liberté que je me suis battu ; pour avoir le droit de dire et d'écrire ce que je pense ; pour avoir des biens à moi, des champs, des prés, des maisons, sans dîmes, sans champart, sans privilèges, quand je les aurai gagnés honnêtement par mon travail ; c'est pour manger mon bien ou pour l'entasser, si cela me convient, sans que des êtres purs, des êtres incorruptibles, tirés à quatre épingles comme des femmes, puissent mettre le nez dedans et me dire : « Tes habits sont trop beaux, tes dîners sont trop bons, tu ne ressembles pas aux Romains, il faut te couper le cou. » Quels abominables despotes !... C'était l'égoïsme et l'orgueil incarnés !... Des gens qui n'avaient jamais vécu que devant leur écritoire, et qui se figuraient qu'on change les hommes avec des sentences et des décrets d'accusation, la guillotine en permanence pour se faire obéir !... Ah ! pouah ! quand j'y pense, ça me tourne le cœur.

L'indignation me possédait. Collin, ne trouvant rien à me répondre, se leva tout à coup, prit son chapeau et sortit en allongeant le pas. Marguerite, derrière lui, poussa le verrou de l'allée et revint. Je croyais qu'elle allait me faire des reproches, mais au contraire en rentrant elle me dit :

– Tu as raison, Michel, c'étaient des malheureux remplis d'orgueil. J'ai vu Saint-Just ici ; c'est à peine s'il répondait à ceux qui lui parlaient, tant il se faisait une haute idée de lui-même. Ah ! que le pauvre Danton et Camille Desmoulins valaient bien mieux ! On n'aurait jamais cru que ces patriotes étaient les premiers hommes de la république ; la bonté et le courage se voyaient peints sur leur figure. Les autres ; secs, raides, vous regardaient du haut de leur grandeur ; ils se croyaient, bien sûr, d'un autre sang que nous. Mais c'est égal, la république vient de recevoir un coup terrible ; les filous qui restent maîtres nous vendront.

– Bah ! bah ! Marguerite, lui dis-je, ne te figure donc pas que cinq ou six hommes sont la France. Le peuple c'est tout ; le peuple qui travaille, le peuple qui se bat, qui se défend, et qui fait des économies pour lui et non pour les autres. Ce qu'il a gagné, sois tranquille, quand tous les despotes et les esclaves s'entendraient ensemble, il ne leur en lâchera plus rien ; il faudrait nous hacher tous jusqu'au dernier, pour nous ôter seulement un brin d'herbe. Le reste viendra tout seul ; nos enfants seront instruits, ils sauront ce que chaque pouce de terre nous a coûté ; je ne pense pas qu'ils seront plus bêtes ou plus lâches que nous, et qu'ils se laisseront dépouiller.

Ainsi se passa ce jour. Le lendemain, ce qu'Élof Collin nous avait raconté se répandit dans la ville. Toutes les figures furent changées ; les unes semblaient sortir de dessous terre et les autres y rentrer. Il ne faut pourtant pas croire que la terreur finit alors ; sans doute des quantités de prisonniers revinrent de Nancy, de Metz, des ponts couverts de Strasbourg : des gens à demi-morts d'épouvante, qui s'étaient attendus chaque jour à s'entendre appeler devant le tribunal révolutionnaire et puis à monter sur la charrette ! J'en ai connu plus de cinquante de notre pays, et tous ont répété jusqu'à la fin que le 9 thermidor les avait sauvés. Mais ces gens, au lieu d'être contents, auraient voulu se venger et faire guillotiner les autres, et c'est dans ce temps que la haine contre les jacobins commença. On appelait jacobins, non seulement les partisans de Robespierre, mais encore les dantonistes, les hébertistes, tous les républicains ensemble. Les vrais patriotes comprirent d'où cela venait ; ils se réunirent !... C'est pourquoi tous encore aujourd'hui ne sont pas fâchés de s'entendre appeler jacobins, quoique Robespierre ne soit plus leur patron. S'ils avaient le bonheur d'avoir des Danton, des Camille Desmoulins, des Westermann, l'idée ne leur viendrait plus de les faire guillotiner.

La mort de Robespierre fondit donc tous les patriotes ensemble ; et les Tallien, les Fouché, les Barras, les Fréron, ceux qu'on appelait thermidoriens, parce qu'ils avaient renversé Robespierre en thermidor, ayant montré que ce n'était pas dans l'intérêt de la république, mais dans leur intérêt particulier qu'ils avaient fait le coup, furent méprisés. Leur véritable nom était « le parti des fricoteurs », ce que vous reconnaîtrez par la suite, car, en vous racontant mon histoire, j'aurai toujours soin de dire aussi ce qui regarde le pays. On ne vit pas pour soi seulement, on vit pour tous les honnêtes gens, et ceux qui ne s'intéressent qu'à leurs propres affaires ne méritent pas de faire partie d'une nation civilisée.

IV

Chacun doit comprendre qu'avec l'économie, le bon sens et le bon ordre que Marguerite avait établis dans notre commerce, tout allait bien ; je ne vais donc pas vous raconter semaine par semaine les bénéfices que nous faisions, les articles que nous vendions, et tous les autres détails de l'existence. Quand on reste chez soi ; quand on ne va pas au cabaret dépenser ce qu'on gagne ; quand on se plaît avec sa femme et qu'on surveille ses affaires, alors tous les jours se ressemblent, ils sont tous heureux, surtout pendant la jeunesse.

Malgré cela nous traversions une bien vilaine année ; je me souviens que jamais on ne vit de plus grande confusion dans le pays, de plus grande inquiétude et de plus profonde misère qu'après la mort de Robespierre. Les journaux étant pleins de fêtes, de danses, de nouvelles modes, de réjouissances ; on ne parlait que de la Cabarrus, de la veuve Beauharnais et de cinq ou six autres femmes en train de festoyer et de ressusciter, comme on disait, les mœurs élégantes d'autrefois. Pendant ce temps le peuple, par l'accaparement des grains, l'abolition du maximum, la chute des assignats, la prospérité des filous, la rentrée des girondins, des fédéralistes et des émigrés ; par la condamnation des patriotes, rendus responsables de l'exécution des ordres du Comité de salut public ; par l'envahissement des capucins, des moines, qui réclamaient leurs chapelles, et des curés qui redemandaient leurs églises ; la fermeture de tous les clubs, après celui des Jacobins de Paris, enfin par le triomphe de la mauvaise race, – qui se remettait à crier, à clabauder, à menacer, – et mille autres choses pareilles, le peuple était si misérable, que les gens mouraient de faim comme des animaux. Et là-dessus l'hiver arriva ! Moi je n'ai jamais pu comprendre comment cette famine d'hiver fut si grande, car en traversant la France, dix mois avant, j'avais vu que tout se présentait bien ; les récoltes, les moissons de toute sorte n'avaient pas manqué ; peut-être les avait-on mangées à mesure, comme il arrive lorsqu'on a longtemps souffert et qu'on ne peut plus attendre, c'est possible ! D'autres disent que le bouleversement des lois et l'abolition du maximum en furent principalement cause ; que c'était arrangé d'avance entre les royalistes et les thermidoriens, pour soulever le peuple contre la république et le forcer à redemander des rois, des princes, des ducs, qui font la pluie et le beau temps, avec le secours des évêques et la grâce de Dieu, comme chacun sait.

Tout ce que je peux dire, c'est que les thermidoriens, en rappelant les girondins, sur la proposition de Sieyès, en s'associant avec les royalistes, en menant la vie avec des femmes et s'en glorifiant eux-mêmes dans leurs gazettes, avaient fini par vous décourager et que, dans ce temps de terrible misère, on apprit qu'une partie du peuple de Paris demandait à la Convention de rétablir des rois, déclarant qu'il se repentait d'avoir soutenu la révolution. Voilà comment par la ruse, la débauche, l'invention des modes honteuses et d'autres ordures que les imbéciles imitent, les filous arrivent toujours à faire passer leurs vices pour des vertus, à décourager les honnêtes gens, et finalement à remettre la main dans le sac de la nation, ce qu'ils désirent le plus, car alors ils sont au pinacle et payent leurs débauches avec notre argent.

Des quantités de gueux firent leur fortune en 94 ; ils achetaient des assignats de vingt francs pour dix sous, et payaient avec cela les biens nationaux, et leurs anciennes dettes, reçues en beaux deniers comptants. Tout était perdu si l'armée avait suivi ces exemples abominables ; mais c'est alors qu'on reconnut dans l'armée les vertus républicaines. Les thermidoriens et leurs amis s'étaient dépêchés de remplacer les montagnards au Comité de salut public ; mais un Carnot, un Prieur, de la Côte-d'Or, un Robert Lindet, – des travailleurs terribles, capables d'organiser, de nourrir et de diriger des armées ; des patriotes qui ne pensent qu'à leur devoir jour et nuit, – ne sont pas faciles à remplacer par des braillards et des intrigants ; il avait bien fallu les laisser en place encore quelque temps, et ceux-là nos armées les connaissaient, elles pensaient comme eux.

Alors, pendant qu'à l'intérieur, sous la direction des Tallien, des Fréron, des Barras, tout s'en allait en pourriture, que les muscadins avaient la permission d'assassiner les patriotes avec leurs cannes plombées ; qu'ils donnaient des bals à la victime ; qu'ils faisaient des saluts à la victime ; qu'ils s'habillaient à la justice, à l'humanité, en se livrant aux plus sales débauches, nos armées républicaines continuaient à remporter de grandes victoires.

Dans cet hiver épouvantable de 1794 à 1795, l'armée de Sambre-et-Meuse, commandée par Jourdan, et celle du Nord sous la conduite de Pichegru, rejetaient les Allemands et les Anglais hors de chez nous ; elles envahissaient la Hollande et se rendaient maîtresses de toute la rive gauche du Rhin, depuis Bâle en Suisse jusqu'à la mer. C'est une des plus magnifiques campagnes de la république ; il gelait à pierres fendre ; nos hussards, au galop sur la glace, s'emparèrent même de la flotte ennemie, chose qu'on n'avait jamais vue et qu'on ne reverra sans doute jamais.

Combien de fois, les mardis et vendredis, jours de marché, quand la foule des pauvres gens remplissait notre petite boutique, ouverte sur la place des Halles, demandant du sel, du tabac, et que le vent chassait la neige jusque derrière nos comptoirs, que la glace montait par-dessus les marches au niveau du plancher, combien de fois je me suis dit, en regardant cette grande rue blanche en face, et les arbres secoués sur les remparts :

« Il ne fait pas chaud !... Non !... Mais c'est égal, nos braves camarades, pieds nus et les jambes entourées de paille, sur les grands chemins, ne doivent pas être à leur aise autant que nous ! »

Tout en servant, en répondant aux uns et aux autres, ces idées me travaillaient ; je me rappelais Mayence, Le Mans, Savenay ; ce n'était pourtant rien auprès de cet hiver de 94, où le vin et même l'eau-de-vie gelaient dans les caves.

Et, le soir, les volets fermés, quand le feu bourdonnait dans notre petit poêle, que Marguerite comptait les gros sous, que je les mettais en rouleaux, et que mon frère Étienne lisait notre entrée à Utrecht, à Arnheim, Amersdorf, Amsterdam, le passage des digues et des canaux, la sommation des hussards à la flotte du Texel, ou d'autres choses aussi merveilleuses, combien de fois mes yeux sont-ils devenus troubles ! et Marguerite, s'arrêtant tout à coup, combien de fois s'est-elle écriée :

– Ah ! les royalistes à Paris ont beau demander l'abolition des droits de l'homme et du citoyen, la république remporte des victoires, les despotes se sauvent.

Et tous ensemble nous criions :

– Vive la république une et indivisible !

Tous les principaux jacobins de la ville, même Élof Collin, qui s'était remis avec moi, sachant que j'avais parlé selon mon cœur, tous prirent alors l'habitude de venir causer derrière notre petit poêle, après souper. Notre bibliothèque devint la réunion des patriotes ; c'est chez nous qu'on apprenait d'abord les grandes nouvelles, qu'on s'indignait contre les tyrans, et qu'on célébrait les victoires de la nation en chantant la *Marseillaise*. Que voulez-vous ? c'était dans le sang de la famille ; même vingt-cinq ans après, on ne connaissait que cette musique chez Bastien-Chauvel, et quand on ne chantait plus à la maison, toute la ville savait que les royalistes avaient le dessus.

À la fin de ce rude hiver, nous tenions déjà tous les articles d'épicerie, et l'on nous devait à Phalsbourg et dans les environs plus de neuf cents livres ; lorsque les gens sont si malheureux, et qu'on les sait honnêtes, laborieux, économes, il n'est pas possible de leur refuser à crédit les premières nécessités de la vie ; non, ce n'est pas possible. Nous devions à Simonis au moins autant qu'on nous devait ; mais il nous écrivit lui-même de ne pas nous gêner pour le payer, qu'il attendrait trois mois de plus s'il le fallait ; que c'était une année difficile pour tout le monde ; en même temps il nous engageait à prendre de nouvelles marchandises.

Le 1ᵉʳ mars 1795, nous fîmes notre premier inventaire, chose indispensable pour tout commerçant qui veut connaître l'état de ses affaires, savoir ce qu'il a vendu, ce qui lui reste, s'il a perdu, s'il a gagné ; s'il peut s'étendre ou s'il doit s'arrêter ; les gueux seuls aiment à vivre dans le désordre, jusqu'à ce que l'huissier vienne faire leur inventaire pour eux.

Nous reconnûmes avec joie que, Simonis et nos libraires payés, il nous resterait encore quinze cents livres de bénéfice net ; après une si rude campagne, c'était magnifique.

Il va sans dire que mon père et maître Jean venaient nous voir au moins une fois par semaine, et que mon père dînait avec nous tous les dimanches. Marguerite n'oubliait jamais, pendant la grande disette, de lui glisser un bon morceau de pain et de viande dans la poche, au moment du départ ; elle nous aurait plutôt fait jeûner le soir que d'y manquer ; je l'en aimais d'autant plus. Nous savions l'heure où cet excellent père arrivait, c'était toujours le matin ; de notre porte nous le voyions déjà sourire au bout de la rue ; il se redressait joyeusement et saluait tous les passants, même les enfants, qui lui criaient :

– Bonjour, père Bastien.

Il riait et puis ouvrait la porte en demandant :

– Eh bien, Michel, eh bien, mes enfants, ça va... ça va bien, n'est-ce pas ?

– Oui, mon père.

Nous nous embrassions. Alors, sur le seuil, après avoir secoué la neige de ses pieds, il disait :

– Entrons !... entrons !...

Et nous entrions dans la bibliothèque ; il se chauffait les mains au poêle en regardant Marguerite d'un air attendri. C'est que nous espérions quelque chose, la plus grande joie qu'un homme puisse avoir sur la terre ; le bon père le savait. Je ne crois pas que jamais un être ait été plus heureux que lui dans ce temps ; il aurait voulu chanter, mais sa joie tournait en attendrissement ; il finissait toujours par s'essuyer les yeux et s'écrier :

– Mon Dieu ! quelle chance j'ai toujours eue dans ma vie ! Je suis un homme plein de chance !...

Et l'usurier, les corvées, la misère de cinquante ans, Nicolas, la mère, mon départ en 92, tout était oublié ; il ne voyait plus que nous : Étienne, déjà presque un homme, moi de retour, Marguerite devenue ma femme ; le reste, il n'y pensait plus.

Nous recevions aussi de temps en temps des lettres du père Chauvel, et c'étaient les beaux jours de Marguerite ; mais ces lettres étaient courtes ; il ne parlait plus comme autrefois avec abondance ; quatre mots : « Mes enfants, je vous embrasse. Les nouvelles que vous me donnez m'ont fait plaisir. J'espère que nous serons encore ensemble. Le temps presse, les circonstances sont graves. Mes amitiés à maître Jean, à Collin, etc. » On voyait qu'il avait de la méfiance, qu'il n'osait pas tout écrire. Enfin nous savions qu'il se portait bien, c'était déjà quelque chose ; et comme, après sa mission à l'armée des Alpes, Chauvel devait retourner à Paris, nous espérions aussi le voir en passant.

C'est le dernier jour de mars 1795 que notre premier enfant vint au monde, un gros garçon joufflu, les bras, les cuisses et le corps tout ronds, un solide gaillard. Après la grande inquiétude et la grande souffrance, en le voyant dans les bras de sa mère, sous la couverture blanche et les rideaux, je sentis quelque chose de fort et presque de terrible m'élever le cœur ; il me semblait que l'Être suprême était autour de nous et qu'il me disait :

« Je te donne cet enfant pour en faire un citoyen, un défenseur de la justice et de la liberté. »

L'attendrissement m'étouffait, je jurais en moi-même d'en faire un homme, selon mes forces et mes moyens. Marguerite le regardait en souriant, elle ne disait rien ; la vieille Horson et d'autres bonnes femmes riaient et criaient :

– Quel bel enfant, il est énorme !

Et déjà deux citoyens dans la boutique, ayant appris la nouvelle, demandaient si l'on pouvait entrer, lorsque le vieux père et maître Jean arrivèrent.

– À la bonne heure, Michel, à la bonne heure ! s'écriait maître Jean.

Mon père ayant vu le petit, gras et rose, sanglotait tout bas, et puis il se mit à rire et me serra dans ses bras longtemps. Il embrassa Marguerite en lui disant :

– Nous allons être tout à fait heureux, maintenant ; et, quand il sera grand, je le mènerai promener au bois.

Enfin chacun se représente cela !

Le premier enfant qu'on a vous embellit tout. Marguerite ne pouvait pas me parler à force de bonheur ; elle me regardait, et nous souriions ensemble ; le premier mot qu'elle me dit, ce fut :

– Il te ressemble, Michel ! Ah ! que mon père sera content !

J'aurais encore bien des choses à raconter sur ce jour, mais comment les faire comprendre à ceux qui n'ont pas eu d'enfants d'une brave femme ? et ceux qui en ont eus, qu'est-ce que je leur apprendrais de nouveau ?

V

Toutes nos grandes guerres alors étaient finies ; nous avions conquis la Belgique et la Hollande, la rive gauche du Rhin, une partie du Piémont et de l'Espagne ; les autres ne demandaient plus que la paix. Charette lui-même, dans ses marais, n'en pouvait plus ; la république venait de faire grâce aux rebelles, en leur permettant de rebâtir leurs maisons, de relever leurs églises et de cultiver leurs terres comme d'honnêtes gens ; elle leur avait même promis des indemnités, à la seule condition de rester tranquilles. Carrier, Pinard et Grandmaison avaient été guillotinés, pour avoir dépassé les ordres du Comité de salut public. Qu'est-ce que les Vendéens pouvaient demander de plus ? On pensait que le bon sens allait leur revenir et que nous aurions longtemps la paix. Mais alors les scélérats, qui trois ans avant voulaient se partager la France, honteux d'avoir manqué leur coup, se jetèrent sur la Pologne ; les gazettes ne parlaient plus que de la fameuse Catherine de Russie, la plus grande débauchée de toute l'Europe, de son général Souwaroff et de Kosciusko, le héros polonais.

Kosciusko remportait des victoires, mais ensuite arriva la nouvelle de l'épouvantable massacre de Praga, puis de la défaite des défenseurs de la liberté, et finalement la déclaration des alliés « que les Polonais étant incapables de s'entendre et de se donner un bon gouvernement, ils allaient, par amour de la justice et du bien public, se partager leur pays entre eux. » Tous les voleurs qu'on arrête et qu'on met aux galères, parce qu'ils forcent les serrures et dévalisent les maisons, pourraient en dire autant ; mais ceux-là étaient des rois de Prusse, des empereurs d'Autriche, des impératrices de Russie, les évêques de là-bas chantèrent des *Te Deum* en leur honneur.

Avec un peu de bon sens, on aurait compris que ces tyrans ne voulaient pas de peuples libres, et qu'ils venaient de tuer notre seul allié, pour revenir bientôt contre nous ; l'ancienne Montagne l'aurait bien compris ; entre la république et les rois il ne pouvait pas exister de trêve ; il fallait rendre toute l'Europe libre ou redevenir esclaves ! Mais qu'est-ce que cela faisait aux royalistes ? à ces girondins qu'on avait laissés rentrer à la Convention et qui s'appelaient les soixante et treize ? Au contraire, ces empereurs et ces rois étaient leurs meilleurs amis ; ils comptaient sur eux et conspiraient ensemble ; c'est pour cela qu'ils entretenaient la famine ; ils voulaient soulever le peuple et lui dire :

« Ah ! si nous avions un roi, tout irait bien mieux ; nos ports seraient ouverts, les grains arriveraient ; nous ferions de bons traités avec les Allemands, les Anglais, les Russes ; le commerce reprendrait, les fabriques marcheraient, etc. »

Ils avaient pour eux les sections thermidoriennes autour des Tuileries, les petits et les gros marchands, les artisans des riches quartiers de Paris. Les derniers montagnards, sur leurs bancs, étaient écrasés par le nombre ; ils ne pouvaient plus parler, plus réclamer en faveur du peuple. Carnot lui-même avait été remplacé au Comité de salut public par un girondin, un Aubry, qui destituait tous les généraux patriotes, tous les officiers aimés du soldat. Cet homme travaillait sur le plan des ministres de Louis XVI, qui mettaient des traîtres dans nos places fortes ; chacun le voyait, mais quoi faire ? La réaction avait la force en main ; la terreur blanche commençait dans le Midi ; les montagnards gênaient encore ces traîtres, ils résolurent de s'en débarrasser.

Le lendemain même de la naissance de notre petit Jean-Pierre, 12 germinal an III, les journaux de Paris annoncèrent que le peuple affamé s'était jeté dans les Tuileries ; qu'il avait envahi la Convention en demandant du pain, et que les sections thermidoriennes l'avaient balayé de la salle. Maintenant le peuple se battait contre les bourgeois, tout était au pire.

Le même courrier rapportait que la Convention, profitant de cela, venait d'envoyer Collot-d'Herbois, Billaut-Varennes et Barrère à Cayenne, sans jugement, et que les citoyens Cambon, Maignet, Moïse Bayle, enfin tous les hommes qui dans le temps avaient sauvé la France, lorsque les royalistes voulaient la livrer, étaient en prison. C'était toujours le même plan : vendre le pays pour avoir des places, des rentes, des pensions, des privilèges !

Ce jour-là, malgré le bonheur d'être au milieu de ma famille et de mes amis, de voir ma femme, mon fils, mon vieux père autour de moi, j'aurais bien repris mon fusil et recommencé nos campagnes contre les traîtres. Beaucoup d'autres auraient eu le même courage ; mais à quoi bon ? les chefs manquaient, ils s'étaient guillotinés ! Quelle misère !

C'est alors que les patriotes virent où nous avions marché. Moi j'aurais donné mon sang pour ressusciter Robespierre et Saint-Just, que je haïssais, et Collin aurait donné sa tête pour ravoir Danton et Camille Desmoulins, qu'il avait appelés corrompus. Enfin, quand le mal est fait, toutes les plaintes et tous les regrets du monde ne servent à rien.

Quelques jours après, ces thermidoriens, ces girondins, ces royalistes envoyèrent à la guillotine le terrible Fouquier-Tinville, ancien accusateur public, et quinze juges du tribunal révolutionnaire. Les mouchards couraient aussi derrière la charrette de Fouquier-Tinville en lui criant d'un air moqueur :

– Tu n'as pas la parole !

Et lui répondait :

– Et toi, peuple imbécile, tu n'as pas de pain !

Il avait raison, les réactionnaires ne laissaient rien arriver à Paris ; le peuple ne recevait plus que deux onces de pain par homme et par jour ! Chez nous on avait fait les petites récoltes ; les paysans avaient déjà vendu leurs réserves en grains et fourrages, voyant que les grandes récoltes seraient bonnes ; la famine n'existait plus ! Mais il fallait des insurrections aux royalistes, pour avoir l'occasion de les écraser ; ils se sentaient soutenus maintenant et voulaient redevenir les maîtres : il fallait donc affamer les malheureux.

Aussi la grande insurrection du 20 mai 95, – 1er prairial an III – ne tarda pas longtemps, cette insurrection de la famine, où les femmes, les enfants et quelques bataillons du faubourg Antoine se précipitèrent dans la salle de la Convention en criant :

– Du pain, et la constitution de 93 !

Le comte Boissy-d'Anglas resta six heures à sa place de président, le chapeau sur la tête, au milieu des haches, des piques, des baïonnettes qui se penchaient vers sa poitrine. Mgr le comte d'Artois n'aurait pas voulu se trouver à sa place, j'en suis sûr. Ce Boissy-d'Anglas était un royaliste ; il avait du courage, et salua même la tête du représentant Féraud, qu'on lui présentait au bout d'une pique, pour l'effrayer.

Ces choses ont été racontées mille fois.

L'insurrection du 1er prairial dura trois jours. La Convention vota beaucoup de décrets selon la volonté du peuple, lorsqu'il était maître dans la salle, et les brûla tous le lendemain. Le peuple n'avait plus de chefs, il ne savait quoi faire de sa victoire ; si Danton avait été là, il aurait parlé pour lui. Le second jour, vingt mille hommes des sections thermidoriennes et royalistes, avec un renfort de six mille dragons, repoussèrent l'insurrection dans ses quartiers misérables, d'où la famine l'avait fait sortir ; et le peuple, après tant de milliers d'hommes perdus à la frontière, recula ; il n'osa pas accepter la bataille et s'avoua vaincu dans Paris.

C'est la dernière grande insurrection ; sans nos armées, qui tenaient à la république et pouvaient marcher sur Paris pour la rétablir, ce jour-là les thermidoriens, les girondins et les royalistes auraient eu leur Louis XVIII. Tous les membres des anciens Comités de salut public et de sûreté générale, excepté Carnot et Louis du Bas-Rhin, vingt-et-un autres représentants du peuple et dix mille patriotes reconnus, furent arrêtés, déportés ou guillotinés dans cette semaine. Quelle chance pour Chauvel d'être encore en mission ! La ruse fait plus pour les traîtres que la force ; avec la force ils n'avaient rien gagné, mais alors ils eurent tout entre les mains ; ils cassèrent la gendarmerie patriote ; ils reprirent ses canons à la garde nationale et toutes leurs armes aux ouvriers, dont plus un seul ne fit partie de la garde citoyenne. Ils rétablirent à Paris une garnison de troupes de ligne, comme avant 89 ; enfin il ne leur manquait plus que le roi. Mais les armées de la république étaient encore là, sous les armes ; maintenant il s'agissait d'acheter des généraux capables de vendre la nation, et puis d'écrire à Sa Majesté : « Venez, Sire, il n'y a plus de danger ! Venez au milieu de vos enfants, qui pleurent après leurs princes, leurs seigneurs et leurs évêques. Dites seulement que vous avez fait un voyage, que vous rentrez dans votre famille, ou d'autres farces pareilles. Venez, tout ira bien. N'ayez pas peur, fils de saint Louis, le trône de vos pères est déjà prêt. »

Oui, ces honnêtes girondins, qu'on représente partout comme des victimes, avaient préparé ça depuis le commencement ; ils se croyaient déjà sûrs de leurs affaires et se dépêchaient un peu trop ; tous les jacobins n'étaient pas morts, ni les cordeliers non plus ; et puis les paysans voulaient aussi garder leurs biens nationaux, leurs biens de l'Église, et beaucoup d'autres choses que vous verrez par la suite.

Tout cela n'empêcha pas la débâcle des patriotes dans toute la France. À Phalsbourg, Élof Collin, Manque, Henri Burck, Laffrenez, Loustau, Thévenot, tous les officiers publics, membres du club de l'Égalité, furent mis de côté, bien heureux encore d'en être quittes à si bon marché. Nous eûmes alors pour maire le docteur Steinbrenner, qui ne s'occupait que de sa médecine, et laissait les affaires du district entre les mains du secrétaire de la mairie, Frœlig ; il ne passait pas seulement une demi-heure à l'hôtel de ville par jour, et je crois qu'il ne lisait jamais un journal ; les autres officiers municipaux, comme Mathis Ehlinger, l'aubergiste, le cafetier Mittenhof, Masson, le directeur de la poste aux chevaux, s'occupaient tout au plus de dresser les actes civils, sans s'inquiéter d'autre chose que de leurs affaires.

Voilà comme tout décline, lorsque ceux d'en-haut ne pensent qu'à tout happer, et regardent le peuple comme un moyen de s'enrichir. Dans un temps pareil, les plus courageux se laissent abattre et se retirent chez eux, en attendant que l'occasion se représente de réclamer leurs droits.

VI

En ce temps, Chauvel passa chez nous comme un éclair ; il avait pris la traverse de Saverne, au pied de la côte, pour gagner une demi-heure sur la voiture et repartir tout de suite. Nous venions de compter nos gros sous ; je fermais notre boutique après dix heures, lorsqu'il entra brusquement, son manteau de voyage sur l'épaule, et nous dit tout essoufflé :

– C'est moi, mes enfants ; je viens vous embrasser en passant, et je repars.

Qu'on se figure notre saisissement et nos embrassades ! Chauvel retournait à Paris. Il était toujours le même, seulement un peu courbé, les joues creuses et les sourcils blancs ; ses yeux, toujours vifs, se troublèrent un instant lorsqu'il prit le petit enfant et qu'il l'embrassa. Tout le temps qu'il resta dans notre bibliothèque, il ne fit que marcher, l'enfant sur le bras, le regardant et lui souriant.

– C'est un bel enfant, disait-il ; à six ans il saura le catéchisme des droits de l'homme.

J'avais envoyé mon frère Étienne prévenir Élof Collin, et faire ensuite sentinelle sur la route, pour nous avertir quand arriverait le coche. Marguerite pleurait ; moi j'étais tout pâle, en pensant que nous allions nous séparer si vite. Élof arriva tard, quelques minutes avant la voiture, et je me rappelle que ce grand corps sanglotait en parlant de Robespierre, de Saint-Just et des traîtres. Chauvel resta calme et lui dit :

– C'est un grand malheur !... Les hommes sont des hommes, il ne faut pas en faire des dieux ; ils durent quelque temps... ils s'usent. Danton et Robespierre étaient deux grands patriotes : Danton aimait la liberté, Robespierre ne l'aimait pas, elle gênait ses idées d'autorité, c'est la cause de leur perte ; ils ne pouvaient vivre ensemble ni se passer l'un de l'autre ; mais les principes restent ! La moitié de la révolution est faite : les paysans ont leur part ; ils ont la terre sans dîmes, sans privilèges ; l'autre moitié reste à faire ; il faut que les ouvriers aient aussi leur part comme nos paysans ; qu'ils jouissent du fruit de leur travail. Cela ne peut arriver que par l'instruction et la liberté ; la liberté nivelle, le privilège entasse ; après l'entassement, tout s'écroule ; la révolution finira par la justice pour tous, pas avant.

Il dit encore d'autres choses dont je ne me souviens pas ; puis la voiture arriva ; les larmes, les embrassades recommencèrent, et ce bon patriote, cet excellent homme partit.

Tout cela vient de me revenir comme un rêve ; après tant d'années, j'ai tout revu dans une seconde, et j'en suis attendri. C'était à la fin de prairial ; les assassinats commençaient dans le Midi. À Lyon, Marseille, Arles, Aix, Tarascon, etc., les royalistes massacraient les patriotes enfermés dans les prisons ; ils dansaient autour des monceaux de cadavres. Les compagnons de Jéhu et du Soleil, organisés par des députés girondins, arrêtaient les voitures sur les grandes routes, égorgeaient les républicains et pillaient les caisses publiques. Toute la France en jetait de grands cris ; mais la Convention, pleine de réactionnaires, ne voulait pas les entendre. Les thermidoriens, eux, commençaient à s'apercevoir que, l'insurrection écrasée, ils devenaient de trop à la Chambre et qu'on allait bientôt éplucher leurs anciens comptes ; ils sentaient leurs têtes hocher d'avance, et se rapprochaient des montagnards restés solides au poste.

Ce qui montre bien que l'insurrection avait été préparée par les royalistes, c'est qu'aussitôt après les vengeances et l'extermination d'une foule de jacobins, de dantonistes, d'hébertistes, la disette cessa dans Paris. Les grandes récoltes n'étaient pourtant pas encore faites en juillet ; d'où venait donc cette quantité de grains et de provisions cachés pendant la famine ? A-t-on jamais vu l'abondance revenir avant les récoltes ? Est-ce que les blés sortent de dessous de terre par sacs ? Ceux qui pensent à cela sont forcés de reconnaître que cette insurrection de la famine fut un véritable guet-apens des royalistes, pour écraser le peuple et lui donner un roi.

Qu'on vienne encore nous dire que la France est un pays monarchique ; il en a fallu couper des têtes pour nous rendre monarchiques ! Si l'on comptait bien, on en trouverait beaucoup plus après qu'avant thermidor, sans parler des trahisons et d'autres crimes sans nombre. Tout marchait ensemble, ceux du dedans et ceux du dehors s'entendaient. Aussitôt le coup de Paris réussi, les gazettes annoncèrent qu'une flotte anglaise s'approchait des côtes de la Bretagne ; puis que cette flotte avait repoussé la nôtre dans le port de Lorient, et qu'elle débarquait, dans la presqu'île de Quiberon, des canons, des munitions, des émigrés et de faux assignats en masse ; que les chouans et le reste des brigands de la

Vendée, malgré leurs promesses et leurs serments, remuaient comme des vers, et se dépêchaient de rejoindre l'ennemi. Si nous avions éprouvé la moindre défaite, la proclamation de Louis XVIII n'aurait pas tardé longtemps.

Louis XVII, fils de Louis Capet, venait de mourir chez le cordonnier Simon, et l'ancien comte de Provence était déjà proclamé roi de France par les émigrés et les despotes de l'Europe. Cette comédie nous aurait fait rire, si les trois quarts de nos représentants n'avaient pas été d'accord avec l'étranger. Toute la nation en frémissait ; on n'osait plus lire les gazettes, de crainte d'apprendre tous les jours quelque nouvelle abomination.

Par bonheur, Hoche, qui n'était pas un Léchelle, et qu'on venait de nommer général en chef de nos forces en Vendée, se dépêcha de réunir quelques troupes et d'aller à la rencontre des ennemis. Le bruit courait que vingt mille chouans et dix mille Anglais, commandés par trois à quatre mille ci-devant gentilshommes, marchaient sur Rennes, route de Paris, lorsqu'on apprit que Hoche les avait enfermés dans leur presqu'île de Quiberon, au moyen d'une ligne de retranchements garnie de canons ; qu'il avait enlevé le château de Penthièvre, à l'entrée du passage, et mitraillé les révoltés d'une façon épouvantable, tellement que la plupart, resserrés par nos colonnes, s'étaient précipités dans la mer, et que le reste avait mis bas les armes sans conditions.

Les thermidoriens, réunis aux derniers montagnards, venaient d'envoyer là-bas en mission leur ami Tallien ; et Tallien, se rappelant alors que les émigrés n'étaient pas ses amis, donna l'ordre de les fusiller tous sur la place ; ils furent donc fusillés à sept cent onze, et l'on relâcha les paysans. Ce fut une grande perte pour la noblesse.

On ne se fera jamais une idée de la satisfaction du pays en apprenant cette bonne nouvelle, après tant de mauvaises. Le nom de Hoche grandit ; on se rappela ses anciennes victoires sur le Rhin et la Moselle, et chacun se dit :

« Voilà notre homme ! »

Malheureusement la république n'avait plus le sou ; Cambon ne surveillait plus la caisse ; on tirait des assignats par milliards, et personne ne voulait plus les recevoir pour de l'argent. Tous les marchands élevaient leurs prix, depuis que la loi du maximum n'existait plus ; la livre de chandelle était à six francs, la livre de tabac à douze, et le reste en proportion.

À quelques lieues de chez nous, sur l'autre rive du Rhin, les mêmes choses se vendaient au prix ordinaire. Au lieu d'abolir les assignats, les royalistes de la Convention les conservaient pour nous ruiner ; on n'a jamais vu de trouble pareil dans le commerce, car les assignats ne pouvaient pas aller sans le maximum. Aussi on ne saura jamais quelle contrebande se faisait alors, d'autant plus que les Anglais arrêtaient sur mer, sucre, poivre, café, etc. ; ces choses étaient hors de prix ; les enfants n'en connaissaient pas la couleur. Nos armées manquaient de tout : l'égoïsme, la filouterie, les mauvaises mœurs descendaient du haut en bas. Vous rencontriez des muscadins jusqu'à Phalsbourg, des imbéciles habillés à la victime, la cravate blanche en entonnoir jusqu'au nez, un crêpe à leur chapeau, parlant sans ouvrir la bouche, et vous regardant par-dessus l'épaule avec des lunettes d'approche.

Ils vous auraient fait du bon sang, si l'idée ne vous était pas venue que de pareils champignons ne poussent que sur le bois mort, et que la république en nourrissait par milliers. Cinq ou six drôlesses, après avoir été déesses de la Raison ou de la Nature, sous Robespierre, voulaient aussi se donner des airs de victimes ; elles avaient des robes plates, en forme d'étui, et des ceintures lâchées d'un air mélancolique ; mais on les entendait rire et s'amuser tous les soirs à l'auberge du Cygne, avec les mirliflores, les fils d'anciens gabelous, inspecteurs des veaux, contrôleurs et botteliers des foins sous Louis XVI. Ces bonnes pièces avaient même inventé de larges poches, qui leur pendaient sur les talons et qu'on appelait des ridicules ; elles mettaient là-dedans des poignées d'assignats, et leur mouchoir brodé de larmes, pour signifier la désolation. Que les gens sont bêtes, mon Dieu ! Quand on a vécu seulement soixante ans, le souvenir de toutes les sottises qu'on a vues défiler devant soi vous renverse ; on ne croit plus que c'était possible.

Le pire, c'est qu'une foule d'anciens moines et curés du roi revenaient, regardant à droite et à gauche, à la manière des rats qui sortent de leur trou, lorsque la nuit approche, et qu'ils osaient affronter nos curés patriotes, comme monsieur Christophe de Lutzelbourg.

Ce brave curé Christophe n'avait pas quitté le pays depuis cinq ans ; il avait toujours vécu de son travail, sculptant des meubles et tenant son école, sans rien réclamer de la république. Il achetait maintenant chez nous ses petites provisions et regrettait bien de n'avoir pas vu Chauvel à son dernier passage.

Mais de toutes ces choses lointaines, ce qui me touche le plus quand j'y pense, c'est la vie que nous menions dans ce grand trouble ; les premières joies de notre petit Jean-Pierre, les soucis de Marguerite pour l'enfant. Quel amour que celui d'une mère !... Comme tout l'inquiète ! Elle n'a plus de repos ni jour ni nuit ; le moindre cri l'éveille ; elle se lève, elle console le pauvre petit être ; elle chante, elle rit ; elle le berce et le promène ; à sa moindre maladie, elle le veille ; et cela des semaines et des mois, sans jamais se lasser. Ah ! combien ce spectacle vous rend meilleur et vous fait encore mieux aimer les parents !

Depuis la naissance de notre petit Jean-Pierre, j'avais vu deux ou trois fois, dans l'ombre de la vieille halle, en face, ma mère qui regardait notre maison de loin ; elle était là, sous les vieux piliers, près de la cassine du savetier Turbin, tout attentive, ses cheveux gris fourrés sous la cornette, et sa pauvre robe de toile tombant en franges sur les sabots ; elle me paraissait bien vieillie. Et, la voyant ainsi par nos petites vitres, mon cœur s'était serré ; j'avais couru sur la porte pour l'appeler, la prier d'entrer ; mais au même instant elle s'était sauvée, descendant le petit escalier derrière, dans la rue du *Cœur-Rouge,* et je ne l'avais plus trouvée aux environs.

L'idée me venait qu'elle aimait notre enfant, qu'elle souhaitait de le voir, et que par lui nous serions réconciliés. Rien que de penser à cela j'avais envie de pleurer ; mais je n'en parlais pas à Marguerite, craignant de me tromper.

Souvent aussi le vieux père, lorsqu'il berçait l'enfant comme une bonne nourrice, et qu'il le regardait avec bonheur, souvent il m'avait dit tout bas à l'oreille :

– Si ta mère le voyait, Michel, elle te bénirait, elle nous bénirait tous.

Et comme un dimanche, dans notre chambre à coucher, il me disait cela, je lui demandai :

– Vous croyez, mon père ; vous en êtes sûr ?

– Si je le crois, fit-il en joignant les mains, oui, oui ! ce serait sa joie... Seulement elle n'ose pas venir ; elle a tant crié contre ta femme... elle est honteuse.

Alors, sans rien écouter de plus, je pris l'enfant sur mon bras et je dis au père :

– Eh bien ! allons voir, partons tout de suite.

– Où ça ? fit-il étonné.

– Eh ! aux Baraques.

– Mais ta femme ?

– Marguerite sera contente, ne craignez rien.

Le pauvre homme, tout tremblant, me suivit ; dans la boutique, je dis à Marguerite :

– Ma mère serait bien heureuse de voir notre enfant ; j'y vais, nous serons de retour à midi.

Marguerite devint toute pâle ; elle avait appris les mauvais propos de ma mère sur son compte, mais c'était une femme de cœur, incapable de me donner tort quand j'avais raison.

– Va, dit-elle ; que ta mère sache au moins que nous ne sommes pas aussi durs qu'elle, et que je n'oublierai jamais qu'elle est ta mère.

En entendant cela, mon père lui prit les deux mains ; on aurait cru qu'il allait fondre en larmes et qu'il voulait parler, mais il ne dit rien, et nous partîmes aussitôt. Bien plus loin, dans le sentier des Baraques, entre les blés, il se mit à célébrer les vertus de Marguerite, sa bonté pour lui et pour tout le monde ; il avait des larmes plein les yeux. Je ne lui répondis pas, songeant à la surprise de ma mère et n'étant pas encore sûr qu'elle nous recevrait bien.

C'est ainsi que nous entrâmes au village, passant devant l'auberge des Trois-Pigeons et les autres baraques, sans nous arrêter. La vieille rue était presque déserte ; car, outre la foule de recrues et d'anciens soldats encore aux armées, beaucoup de patriotes étaient en réquisition permanente pour les transports de vivres et de munitions ; les femmes et quelques vieillards faisaient seuls les récoltes.

Ma mère, maintenant trop vieille, passait son temps à filer, ce qui lui rapportait cinq ou six liards par jour ; mon père gagnait huit à dix sous avec ses paniers, et quant au reste, c'est Claude, Mathurine et moi qui soutenions les pauvres vieux sans le dire. Enfin, sauf la vieillesse, qui vous rend toujours un peu malade et triste, ils n'avaient jamais été plus heureux.

Il faisait très beau, tous les vergers étaient pleins de fruits : pommes, poires, prunes, qui se penchaient aux branches par-dessus les haies, comme au bon temps de notre enfance, lorsque Nicolas, Claude, Lisbeth et moi nous courions, pieds nus et déguenillés, dans la poussière des chemins ou dans la vallée des Roches, avec bien d'autres, dont les trois quarts étaient déjà morts.

Ces souvenirs, en me revenant, m'avaient rendu grave ; deux ou trois vieilles regardaient à leur lucarne sans me reconnaître ; l'air bourdonnait, des milliards de mouches et d'abeilles voltigeaient dans le feuillage ; les hommes passent, et ce spectacle est éternel.

Tout à coup, au détour d'un vieux hangar, je vis ma mère assise sur la marche de notre baraque. C'était dimanche, elle avait ses beaux habits et ses souliers ; elle disait son chapelet.

Jamais elle n'avait connu les primidi, les duodi, les tridi, les floréal, les prairial, etc., qui lui paraissaient des inventions du diable. Elle priait donc seule, et le bruit de nos pas lui fit tourner la tête, mais elle ne bougea pas. Je crus qu'elle m'en voulait toujours ; c'était une mauvaise pensée, car à peine eut-elle vu l'enfant, que ses deux grandes mains sèches s'étendirent ; elle essaya de se lever et se rassit toute tremblante. Je lui donnai le petit sans rien dire, étant moi-même trop ému ; elle le posa sur ses genoux et l'embrassa en sanglotant, et puis elle me dit :

– Viens, Michel, que je t'embrasse aussi. Tout à l'heure je pensais : « Il faudra donc que j'aille chez l'hérétique pour voir mes enfants ! » C'est le bon Dieu qui t'envoie !

Et elle m'embrassa.

Ensuite elle se dépêcha de défaire le maillot, et voyant le petit être rose, gros, joufflu, avec des plis de bonne santé tout autour des cuisses et des reins, son orgueil et sa joie éclatèrent. Elle criait aux voisines :

– Hé ! Gertrude ? hé ! Marianne ! venez donc voir... venez donc voir le bel enfant... Hé ! hé ! hé ! c'est comme un ange... Il ressemble à notre Nicolas !

Et les bonnes femmes se dépêchaient d'arriver ; et nous tous, le père, la mère, moi, les vieilles, penchés sur le petit, comme des enfants autour d'un nid qu'on vient de dénicher, nous riions, nous criions ; mais la voix de ma mère s'élevait par-dessus les autres. Toutes ces vieilles édentées faisaient des grimaces au petit, qui riait. Cela dura plus d'un quart d'heure, et le vieux Saint-Hilaire vint aussi voir, en boitant. Tous s'extasiaient de la santé, de la bonne mine de cet enfant, car on peut bien se figurer qu'après cinq ans de misère et de famine, on n'en voyait pas beaucoup de pareils aux Baraques. Ma mère, orgueilleuse, disait :

– Tu es pourtant un bon garçon, Michel, tu es pourtant un bon garçon d'être venu.

Mon père ne l'avait jamais vue de si bonne humeur ; il me soufflait à l'oreille :

– Je te l'avais bien dit !... hé ! hé ! hé !

Le seul chagrin de tout ce monde, c'était qu'on ne pouvait pas donner de pommes et de poires au petit, qui n'avait pas encore de dents.

Vers midi l'enfant s'étant mis à pleurer, ma mère, malgré sa joie de le montrer à tout le monde, comprit qu'il avait soif et qu'il était temps de le remporter. Elle le remmaillotta en chantonnant, et vint avec nous jusque sur les glacis, toute fière et heureuse de le tenir sur son bras.

J'aurais bien voulu la décider à venir jusque chez nous, mais elle disait :

– Une autre fois, Michel, une autre fois... plus tard.

Et le père me faisait signe de ne pas la presser, parce que sa joie pouvait tourner en mauvaise humeur. Elle ne vint donc pas encore et me remit l'enfant dans l'avancée en me disant :

– Allez maintenant, et dépêchez-vous, car le petit a besoin du sein.

Elle nous regarda jusque sous la porte de France, et me cria deux fois :

– Tu reviendras, Michel ; tu reviendras bientôt.

Je lui faisais signe que oui.

C'est ainsi que je me remis avec ma mère. Marguerite fut satisfaite d'apprendre cette bonne nouvelle ; elle en fut très contente pour moi. Tout était maintenant en ordre, et j'espérais qu'un jour ou l'autre ma mère se déciderait tranquillement à venir nous souhaiter le bonjour. Nous étions d'accord pour ne jamais lui parler de ce qui s'était passé ; lorsqu'on n'a rien d'agréable à dire aux gens, il vaut mieux se taire, et puis il vaut aussi mieux oublier les misères de ce monde, que d'y revenir sans cesse.

Nous avions bien assez de nouveaux ennuis chaque jour, sans nous rappeler les anciens ! Ils ne nous manquaient pas et les inquiétudes non plus ; en ces mois d'août et septembre 1795, le danger qui, six semaines avant, menaçait la Bretagne et la Vendée, se tournait de notre côté. Depuis cinq mois l'armée de Sambre-et-Meuse, commandée par Jourdan, et celle de Rhin-et-Moselle, sous les ordres de Pichegru, ne bougeaient plus ; tout leur manquait : les armes, les munitions, et même les chefs, destitués par le traître Aubry, qui remplaçait Carnot au Comité de salut public.

On n'avait pas encore établi que la moitié des contributions serait payée en foin, paille, orge, avoine, de sorte que la république était forcée de tout payer avec les malheureux assignats et d'en faire de plus en plus.

Nous bloquions Mayence sur la rive gauche ; Wurmser et Clairfayt, sur la rive droite, n'attendaient que l'occasion de nous envahir encore une fois. Les récoltes finies, on pensa que nous allions avoir du changement, et dans ce temps notre commerce s'étendit tout à coup d'une façon extraordinaire. La ville fourmillait de soldats déguenillés, qui filaient sur Strasbourg ; vous n'entendiez du matin au soir que ce grand tumulte des troupes en marche : les tambours, les trompettes, et puis le bruit des savates qu'on traîne par bataillons et régiments ; les « Ho ! ho ! ho !... Vive la république !... Allons, enfants de la patrie !... etc. » ; les officiers et sous-officiers qui s'arrêtent, en passant, pour prendre un petit verre d'eau-de-vie sur le pouce, et se mettent ensuite à courir pour rejoindre la colonne ; enfin le grand spectacle de la guerre qui s'avance ne cessait plus, et notre boutique était toujours pleine de soldats.

Ces braves gens me reconnaissaient comme un ancien ; on se donnait des poignées de main, et plus d'une fois l'idée me passait par la tête de rempoigner un fusil, une giberne, et d'emboîter le pas. Je me représentais le roulement de la fusillade et les cris : « En avant ! À la baïonnette ! » Le chaud et le froid me traversaient d'un coup, comme lorsqu'on entend battre le pas de charge et qu'on part du pied gauche ; mais la vue de notre petit Jean-Pierre sur le bras de Marguerite me calmait, et je rentrais dans ma coquille, bien content d'avoir mon congé en règle. Et puis la conduite de notre Convention, qui trahissait la république, n'engageait pas les patriotes à se faire casser les os en l'honneur de ses mauvais décrets ; chacun se disait : « Une fois nous morts, qu'est-ce qui restera ? Des royalistes, des muscadins, des Cabarrus, les anciens valets et les boutiquiers aristocrates de la cour, aux environs des Tuileries ; la race abominable des assassins du Midi, qui redemanderont leur fils de saint Louis, leur comte d'Artois et les émigrés. Non ! non ! Cette Convention va bientôt finir, et puis nous verrons. »

Vous pensez bien qu'on ne nous payait pas en or, ni même en pièces de quinze ou trente sous ; nous n'aurions pas eu de quoi rendre : le louis valait quinze cents francs en assignats ; où mettre ces tas de papiers ? Ce sont les gros sous qui nous ont sauvés. Tous les huit jours j'en remplissais une caisse de trois à quatre cents livres, solidement clouée et ficelée en croix, et je la donnais à Baptiste pour les Simonis, qui m'envoyaient en retour la quittance et de nouvelles marchandises.

Depuis la défaite du peuple, en prairial, les traîtres laissaient tout aller à l'abandon, leurs journaux ne finissaient pas d'insulter la république, leurs clubs prêchaient la révolte, et chez nous on n'entendait plus parler que de chauffeurs embusqués dans les bois, pour arrêter les voitures, piller les fermes et dévaliser les juifs. Une bande de ces brigands avait tellement chauffé les pieds du vieux Leiser et de sa femme, à Mittelbronn, pensant les forcer à dire l'endroit de leur argent, que les malheureux en étaient morts. Schinderhannes écumait la montagne depuis l'Alsace jusqu'au Palatinat, et chaque fois que Baptiste faisait le voyage de Strasbourg, il avait deux pistolets d'une aune à sa ceinture, son sabre et son fusil dans la paille. Je me souviens qu'un jour le bruit s'étant répandu que la bande venait d'arrêter le courrier sous les roches du Holderloch, il n'osait pas se charger de ma caisse, d'autant plus que la nuit venait.

Je fus obligé, pour lui donner confiance, de m'asseoir à son côté, le fusil entre les genoux, et de l'escorter jusqu'à Saverne. Si Schinderhannes était venu cette nuit-là, il aurait fait connaissance avec le sergent Bastien, de la 13e légère, mais tout se passa tranquillement ; le même soir je revins de Saverne par la traverse, mon fusil en bandoulière, ne voulant pas laisser Marguerite dans l'inquiétude. Enfin voilà pourtant à quel état de misère les soixante-treize avaient réduit notre pays ; ils espéraient à force de crimes et de trahisons nous forcer à demander un roi ; car d'aller se démasquer, et de se déclarer royalistes ouvertement, ils n'auraient jamais osé ; nos armées républicaines seraient aussitôt venues leur rendre visite à marches forcées.

Ils nommèrent alors une commission de onze membres, chargés de préparer la nouvelle constitution, et tous les patriotes frémirent en pensant que les royalistes allaient nous donner des lois.

Cette constitution fut décrétée le 17 août 1795, sous le nom de constitution de l'an III. Elle déclarait d'abord que l'ordre reposait sur la propriété seule, d'où chacun devait comprendre que celui qui n'avait pas hérité de rentes, ou qui n'en avait pas gagné par n'importe quel moyen, comme Tallien et beaucoup d'autres, n'était plus rien ; que l'argent passait avant le courage, la probité, le talent, le dévouement à la patrie et toutes les vertus.

Elle déclarait après cela que les représentants seraient nommés par des électeurs, et que chacun de ces électeurs serait nommé par deux cents citoyens âgés d'au moins vingt et un ans et *qui payeraient une contribution directe.* Ensuite que, pour avoir la qualité propre à faire un électeur ou un représentant, il faudrait *payer une contribution de deux cents journées de travail.*

Les trois quarts de nos anciens représentants montagnards n'auraient pu, d'après cette constitution, être nommés ; nous n'aurions eu pour représentants du peuple français, que ceux qui s'entendaient avec les Prussiens et les Autrichiens en Champagne, avec les royalistes et les Anglais en Vendée. Qu'on juge d'après cela si Danton, Marat, Robespierre et les autres montagnards avaient eu tort de se méfier de ces girondins, qui se dépêchaient de ruiner ce que la nation avait fait avec tant de peine.

Cette belle constitution de l'an III nous apprenait de plus que nous allions avoir deux conseils, au lieu d'une assemblée législative : – le conseil des Anciens, ayant deux cent cinquante membres, âgés d'au moins quarante ans, et le conseil des Cinq-Cents ; – que le conseil des Cinq-Cents proposerait et discuterait les lois, et que le conseil des Anciens les approuverait ou les rejetterait ;

en outre que, à la place du Comité de salut public, nous aurions un directoire de cinq membres, chargés de faire exécuter les lois par des ministres qu'ils nommeraient eux-mêmes, de traiter avec l'étranger, et de mettre en mouvement nos armées.

Ainsi ces honnêtes gens, qu'on a toujours regardés comme des victimes et qui se faisaient passer en 93 pour des républicains persécutés, rétablirent alors : 1° le *veto* de Louis XVI, qu'ils donnaient au conseil des Anciens ; 2° les ministres, qu'ils donnaient au Directoire ; 3° le droit de paix et de guerre ; 4° les citoyens actifs et passifs ; et de plus l'élection à deux degrés d'avant 89. – Il ne restait plus qu'à mettre un homme à la place des cinq directeurs et le tour était fait. Autant dire tout de suite que la révolution ne comptait plus, et que les rois, battus de tous les côtés par la république, avaient remporté la victoire.

Malgré cela les malheurs du pays étaient tels, que cette constitution fut acceptée ; à Phalsbourg, Collin, Manque, Genti, moi et cinq ou six autres patriotes nous dîmes seuls : Non !

Mais, pour comble d'abomination, les réactionnaires de l'Assemblée, craignant que le peuple n'envoyât des républicains au conseil des Cinq-Cents, au lieu de girondins et de royalistes, décrétèrent que les deux tiers seraient nommés parmi les membres de la Convention elle-même. Et l'on vit alors une chose bien capable de faire rire les hommes de bon sens ; on vit toute la masse des muscadins et des aristocrates, qui se figuraient déjà que le peuple allait les nommer, se révolter contre ce décret et crier que la Convention attentait à la souveraineté du peuple ; on reconnut l'égoïsme et l'avarice de ces jeunes messieurs, qui se soulevaient contre leur propre parti, dès qu'il ne leur livrait pas les premières places. Toute la jeunesse dorée et les riches boutiquiers se mirent en insurrection ; la Convention fut obligée d'appeler les jacobins à son secours et de leur rendre des armes.

Les jacobins ne demandaient pas mieux que d'écraser ceux qui les défiaient depuis thermidor, et les vieux renards de la Convention, qui s'en doutaient, eurent peur de voir exterminer leurs jeunes amis révoltés ; chacun tirait à soi, les vieux et les jeunes, mais ils ne s'en voulaient pas à mort ; les vieux comprenaient les jeunes, ils auraient fait comme eux à leur place. C'est pourquoi le général Menou reçut l'ordre d'aller doucement, de ménager cette jeunesse égarée. Menou la ménagea tellement que, sur la simple promesse des insurgés qu'ils allaient se disperser, ses troupes se retirèrent.

Tout semblait fini ; mais ces insurgés d'une nouvelle espèce, voyant les troupes se retirer, crurent que la Convention tremblait devant eux ; ils restèrent en armes et se mirent à parler de haut. Alors la Convention, bien chagrine, fut obligée de remplacer Menou par Barras, le général du 9 thermidor, et Barras choisit pour son lieutenant un jacobin, le citoyen Bonaparte, mis en disponibilité, comme robespierriste, par Aubry. Celui-là n'était pas tendre ; il fit armer les faubouriens tout de suite, pensant qu'ils avaient un vieux compte à régler avec les messieurs de la section Lepelletier et des environs ; il réunit aussi des canons et des munitions, et le peuple des faubourgs marcha contre les bourgeois aristocrates, qui furent rudement menés. Bonaparte les balaya sans pitié sur les marches de l'église Saint-Roch, à coups de mitraille. La Convention était désolée, mais les jeunes gens avaient besoin d'une leçon : cinq cents restèrent sur la place, et l'affaire, commencée dans l'après-midi, finit à neuf heures du soir.

Au lieu de se montrer terrible et dure envers les vaincus, comme en germinal et en prairial, la Convention cette fois fut très douce et pitoyable, elle ne fusilla que deux insurgés et ne déporta personne. C'étaient des siens, des royalistes, qui montraient seulement un peu trop de zèle pour happer le bien public ; cela méritait de l'indulgence. On licencia leurs compagnies, ce fut tout.

Les jacobins avaient reçu des fusils et des cartouches ; ils auraient pu s'en servir contre l'Assemblée ; mais le dégoût avait gagné les patriotes. Ceux qu'ils aimaient étaient morts ! Qui mettre à la place de Danton, de Desmoulins, de Robespierre, de Saint-Just ? Ce n'étaient pas Legendre, Tallien, Fréron et d'autres êtres pareils.

Ces mouvements de Paris nous avaient rendus attentifs ; nous en causions tous les soirs à la bibliothèque, mais bientôt nos pensées furent ailleurs : la guerre s'avançait de notre côté ; on armait la place comme en 92 : des troupes innombrables, à pied et à cheval continuaient de défiler ; il en arrivait de l'armée des Alpes, de la Vendée, de partout. Le grand effort allait encore une fois se porter sur le Rhin, la Meuse et la Moselle ; nous avions de la peine à servir tout le monde qui se présentait chez nous. Et voilà qu'un jour, à midi, comme je m'asseyais à table pour dîner, Marguerite me donne une lettre en me disant :

– Elle est arrivée ce matin. C'est un vieux de la Vendée qui t'écrit. Il te dit d'aller le voir à Fénétrange ; mais avec le travail que nous avons, tu ne peux pas t'absenter.

Moi je regarde : c'était un billet de mon vieux camarade Sôme, qui se rendait avec notre batterie à l'armée de Rhin-et-Moselle sous Mayence, et faisait un détour de quinze lieues pour avoir le plaisir de m'embrasser.

En voyant cela, je devins tout pâle et je dis à Marguerite :

– Ne pouvais-tu donc pas me montrer cette lettre à sept heures du matin, quand elle est arrivée ? Comment ! un de mes plus vieux camarades, un homme avec lequel j'ai combattu tous les jours pendant des mois, se détourne en route de quinze lieues pour me serrer la main, et le pauvre diable ne me trouvera pas ?

– Je croyais que c'était un vieil ivrogne, me dit-elle.

Alors je frémis. Mon indignation était trop grande ; elle m'empêcha de lui répondre ; et voyant le courrier de Murot qui passait, je pris mon chapeau en courant et en criant :

– Halte ! halte !

Je n'avais pas un sou dans ma poche. Le père Murot s'arrêta sur la route, je montai près de lui, et nous repartîmes d'un bon train. Durant plus d'un quart d'heure il me fut impossible de parler ; et comme Murot me regardait étonné, je finis par lui raconter ce qui venait de m'arriver.

– Bah ! fit-il, ce n'est rien, tu as eu raison de te fâcher ; toutes les femmes se ressemblent, elles ne voient que leur mari et la couvée.

Il continua de parler ainsi. Je ne l'écoutais déjà plus ; mais à la grande montée de Wéchem, voyant que la voiture allait tout lentement, l'impatience me gagna, j'empruntai de Murot un écu de six livres et je me remis en route à pied, arpentant le chemin comme un cerf. L'idée que mon pauvre vieux Sôme m'attendait, et qu'il serait peut-être forcé de partir avant de m'avoir vu, me saignait le cœur. Je passai Metting, Droulingen, tous les autres villages qui se suivent, sans rien regarder ni m'arrêter nulle part. À trois heures du soir j'avais fait cinq lieues, et j'arrivais à Fénétrange. Le premier mot que je dis en entrant dans la salle de l'auberge de l'Étoile, c'est :

– Il est parti ?

– Qui ça ? me demanda le père Bricka.

– Celui qui m'attendait.

– Le sergent de canonniers ?

– Oui.

– Ah ! il vous a bien attendu ; mais depuis une heure, il est en route.

Le chagrin d'être arrivé trop tard me faisait crier :

– Pauvre vieux !... pauvre vieux !... Venir de si loin !... Quel malheur !

Et sur le coin de la table, en prenant ma chopine de vin et cassant une croûte, j'écrivis à ce bon vieux camarade une longue lettre, pour lui raconter ces choses et m'excuser. Je la mis moi-même à la boîte, après l'avoir affranchie, et je repartis, rêvant à l'égoïsme des femmes, car les meilleures sont véritablement égoïstes, et se figurent qu'on ne peut aimer qu'elles et la famille.

Je rentrai tard à Phalsbourg ; la porte de la ville était fermée, il fallut appeler le vieux portier-consigne Lebrun et me faire ouvrir.

En arrivant devant notre boutique, je vis encore de la lumière aux fentes du volet. Je donnai deux petits coups. Marguerite m'ouvrit ; elle avait pleuré ; cela m'attendrit beaucoup. Je voulus m'excuser, mais elle était bien contente de me revoir ; elle reconnut ses torts de sorte qu'au lieu d'être fâchée contre moi, comme je l'avais craint, elle m'estima plus encore qu'avant si c'était possible.

Le caractère des femmes, voyez-vous, je le connais. Elles aiment les hommes francs, et même quelquefois il faut leur parler avec force et leur dire vertement ce qu'on pense ; il faut toujours avoir raison avec elles, et se faire obéir quand on est dans son droit ; sans cela, toutes, depuis la première jusqu'à la dernière, vous prendront, comme on dit, sous la pantoufle et vous feront marcher comme au régiment.

Cette petite affaire rendit donc Marguerite encore plus agréable pour moi : c'est moi qui lisais les lettres le matin, et c'est moi qui donnais les ordres, après avoir consulté ma femme, bien entendu.

Mais tout cela ne m'empêchait pas d'être chagrin de n'avoir pas revu mon ami Sôme, car les choses devenaient toujours plus graves, et l'on ne pouvait savoir si l'on reverrait jamais les camarades qu'on avait aux armées. Jourdan avait passé le Rhin à Dusseldorf ; il le remontait sur la rive droite ; naturellement tout le monde pensait qu'il était d'accord avec Pichegru, qui ne pouvait manquer de passer aussi le fleuve, soit à Huningue, soit à Strasbourg, pour tomber ensemble sur nos ennemis. On s'attendait du jour au lendemain à recevoir la nouvelle que les deux armées manœuvraient ensemble sur la rive droite ; cela dura plus de trois semaines, et Pichegru ne bougeait pas. Jourdan s'était mis entre les deux armées de Wurmser et de Clairfayt. L'idée d'une trahison vous gagnait, surtout les anciens soldats comme moi, qui savaient ce que c'est de compter sur des secours qui n'arrivent pas : j'en avais vu des exemples assez terribles !

Enfin on apprit que Pichegru venait de se décider, qu'il avait passé le Rhin et pris Mannheim sans résistance.

Dans toute l'Alsace et la Lorraine on criait victoire ; on pensait apprendre d'heure en heure, à chaque courrier, que Jourdan et Pichegru venaient de se réunir à Heidelberg, séparant ainsi les deux armées ennemies, et qu'ils allaient les écraser l'une après l'autre. Pichegru n'avait qu'à s'avancer, mais il n'engagea que deux divisions, qui furent tournées et massacrées. Clairfayt entra victorieux dans Heidelberg. Jourdan, menacé sur ses derrières repassa le Rhin à Neuwied ; l'ennemi rentra dans Mayence ; il traversa le pont et nous força de lever le blocus sur la rive gauche. Pichegru fit encore prendre neuf mille hommes, qu'il laissa sans raison à Mannheim, en repassant le fleuve, ensuite il courut en pleine déroute jusqu'aux lignes de Wissembourg.

Pendant ce temps des milliers de blessés arrivaient chez nous. On ne pouvait en loger la moitié dans les hôpitaux, ils remplissaient nos villages. Il en arrivait aussi par la route de Metz ; tous les bourgeois prêtaient des lits ; nos deux casernes étaient pleines de ces malheureux, comme celles d'Angers, de Saumur, et de Nantes, après Laval, Le Mans et Savenay. Ceux qui n'avaient pas encore vu ce spectacle croyaient que tous les blessés du monde arrivaient à Phalsbourg ; ils ne savaient pas que les généraux ne disent jamais la vérité sur leurs pertes et qu'ils en mettent toujours dix fois moins au rapport.

Un matin que j'ouvrais ma boutique, plusieurs convois entraient par la porte de France, on avait étendu des matelas dans la vieille halle, sur les pavés, en plein air. À la fin du mois d'octobre, il faisait déjà froid ; c'était un bonheur, car cette boucherie d'hommes, dont le plus grand nombre n'avaient pas été pansés depuis Kaiserslautern, Hombourg et Deux-Ponts, répandaient une véritable peste en route.

Comme les voitures arrivaient lentement sur la petite place, où l'on commençait à les décharger, le citoyen Dapréaux, apothicaire en chef de l'hôpital militaire, vint me dire qu'un des blessés demandait à me parler.

J'y allai tout de suite, et sur une paillasse, contre le grand pilier, au milieu de la halle, je vis mon vieux camarade Sôme, mais tellement jaune et les yeux enfoncés, que j'eus de la peine à le reconnaître.

– C'est moi, Michel, dit-il, tu ne me reconnais pas ?

Alors je me baissai pour l'embrasser, mais il sentait si mauvais que le cœur me manqua ; je fus obligé de me retenir au pilier. Il s'en aperçut et me dit :

– J'ai un biscaïen dans la hanche ; fais-moi porter ailleurs, je me panserai moi-même.

L'idée d'avoir cette odeur dans la maison m'épouvantait ; par bonheur Marguerite venait de me suivre.

– Tu connais cet homme ? me dit-elle.

– Oui, c'est mon pauvre camarade Sôme.

Aussitôt elle ordonna de le porter chez nous, par la porte de l'allée, dans la chambre en haut, où nous avions un lit ; et comme en ce moment il arrivait cinq ou six autres blessés à la file, sur les brancards, je partis, criant en moi-même :

« Mon Dieu ! quelle misère ! Est-il possible que ceux qu'on aime le plus vous fassent une pareille horreur ! »

Mais pour bien des choses les femmes ont plus de courage que nous ; l'Être suprême veut que nous ayons cette consolation ; sans cela que deviendrions-nous ? les trois quarts des malades seraient abandonnés.

Marguerite avait déjà tout préparé en haut ; quelques instants après le brancard arrivait. Moi, dans la boutique, j'entendais les pas des infirmiers monter l'escalier, sans oser les suivre ; pourtant j'avais vu bien d'autres carnages en Vendée ; mais quand on traîne au milieu de ces misères, et qu'on est soi-même entre la vie et la mort, on n'y fait plus attention.

Maintenant tout ce que je puis vous dire, c'est que dans les huit premiers jours, personne, excepté Marguerite et le docteur Steinbrenner, ne monta ; la vieille sage-femme Marie-Anne Lamelle, qui demeurait sur le palier, fut elle-même obligée de s'en aller, ne pouvant y tenir. Marguerite découpait des bandes et faisait de la charpie. Le docteur vint un matin, avec son camarade de l'hôpital, Piedfort, tirer le biscaïen. Ils eurent de la peine, car Sôme, un des hommes les plus durs que j'aie connus, poussait des cris sourds qu'on entendait à travers le plafond.

En voilà bien assez sur ces horreurs !

Au bout de trois semaines environ, mon pauvre vieux camarade se promenait avec des béquilles et se remettait à rire en disant :

– Eh bien ! Michel, j'en suis encore réchappé cette fois, hé ! hé ! hé !... Ta femme m'a bien soigné ; sans ses bonnes soupes grasses, je passais l'arme à gauche.

Il avait raison. Combien d'autres, faute de soins, étaient couchés dans le nouveau cimetière des Peupliers, sur la route de Metz ! Bien des années après, quand on fit le chemin de la route, au Champ de Mars, en voyant cette masse d'ossements qu'il fallait déterrer, le monde s'arrêtait et disait :

– Comme ils ont les dents blanches ! Il ne leur en manque pas une seule.

Je crois bien, c'étaient tous des jeunes gens de vingt à trente ans, en 95. Pichegru, pour avoir des honneurs et de l'argent, en avait fait massacrer comme cela deux divisions entières, sans parler de ceux qui tombèrent à la retraite. Le scélérat était en marché depuis quelque temps avec le prince de Condé, pour lui livrer Huningue et s'avancer ensemble sur Paris. *C'est l'un des héros royalistes !...* Dans quinze jours, il avait fait périr par trahison plus de républicains sous ses ordres, que le Comité de salut public n'avait fait guillotiner de traîtres et d'aristocrates ! Et voilà des gens qui ne finissent pas de gémir en parlant de la terreur ; ils prennent sans doute les paysans pour des ânes, mais je les préviens que c'est à tort ; le peuple trompé pendant soixante ans, commence à voir clair ; ce ne sont plus de grands mots, de belles phrases qu'il veut entendre, il veut savoir la vérité.

Personne ne regardait alors Pichegru, le conquérant de la Hollande, comme un traître ; moi, je m'en méfiais sans oser le dire ; mais la première fois que Sôme s'assit à notre table, notre enfant sur ses genoux, il nous expliqua les choses, en me regardant de côté, et je compris que nous étions d'accord. Il finit par crier, comme les fédérés parisiens en 92 :

– Ô Marat ! véritable ami du pauvre peuple, c'est par toi qu'ils ont commencé ; ton œil clair les gênait, ils t'ont planté un couteau dans le cœur. Toi seul tu voyais juste et de loin : les Dumouriez, les Custine, les Lafayette, tu les avais tous devinés. Celui-ci tu l'aurais traîné toi-même à la barre ; il n'aurait pas eu le temps de faire son premier coup !

Jamais je n'avais entendu mon vieux camarade dire comme en ce jour ce qu'il pensait. Marguerite, Élof Collin, Raphaël et d'autres patriotes qui se trouvaient là, parlaient de Danton, de Robespierre, de Saint-Just ; mais lui, faisant claquer son pouce d'un air de pitié, criait :

– Bah ! bah ! Sans doute c'étaient des bons... mais quoi, des enfants ; ils ont fini par se disputer ! Marat les aurait mis d'accord, car il avait plus de bon sens qu'eux tous ensemble.

Sôme allait beaucoup trop loin, comme il arrive toujours lorsque la colère vous emporte : son biscaïen l'avait aigri !... Et puis, le pauvre vieux aimait Marat, comme j'aimais Danton, et comme Élof Collin aimait Robespierre. C'est notre défaut, à nous autres Français, de nous attacher aux hommes plus qu'aux principes, et de leur croire tous les talents et toutes les vertus, du moment qu'ils défendent nos idées : il nous faut absolument des chefs ! Cette malheureuse faiblesse de notre nation est cause des plus grands malheurs ; elle a divisé les républicains, elle les a poussés à se détruire les uns les autres, et finalement elle a perdu la République.

Chauvel seul, de tous les patriotes que j'ai connus en ce temps, mettait les principes bien au-dessus des hommes ; il avait raison, car les hommes passent et les principes sont éternels.

VII

Au moment même où Pichegru faisait massacrer ses divisions par les Autrichiens, avaient eu lieu les nouvelles élections ; bientôt après, les gazettes nous apprirent que la Convention venait de déclarer sa mission terminée, et que les nouveaux représentants élus s'étaient partagés selon leur âge, pour être du conseil des Anciens ou des Cinq-Cents ; que le conseil des Cinq-Cents avait ensuite nommé cinquante membres, parmi lesquels celui des Anciens avait choisi nos cinq directeurs : Lareveillière-Lépaux, Letourneur (de la Manche), Rewbell, Barras et Carnot, en remplacement de Sieyès, qui refusait. Ces directeurs devaient être renouvelés par cinquième, d'année en année ; ils pouvaient être réélus. Les conseils devaient se renouveler par tiers, tous les ans.

La Convention, en se retirant le 26 octobre 1795, avait duré trois ans et trente-cinq jours ; elle avait rendu plus de huit mille décrets. Mais depuis le 9 thermidor et la rentrée des girondins royalistes, ce qui restait d'hommes justes et de vrais républicains dans cette assemblée, ne pouvait empêcher les autres, en majorité, de ruiner ouvertement la république. Tous les honnêtes gens furent donc heureux de la voir finir.

Le 15 novembre nous reçûmes une lettre de Chauvel, nous annonçant qu'il revenait à Phalsbourg, et le surlendemain, un mardi, pendant la grande presse du marché, nous le vîmes entrer dans notre boutique, sa petite malle de cuir à la main, au milieu de l'encombrement des hottes, des paniers et des grands chapeaux montagnards. Quel joyeux spectacle pour un homme de commerce comme Chauvel ! Nous étions sortis du comptoir et nous l'embrassions avec un bonheur qu'il est facile de se représenter.

Lui nous disait gaiement :

– C'est bien, mes enfants, c'est bien ; retournez à votre ouvrage, nous causerons plus tard ; je vais me chauffer à la bibliothèque.

Et, durant trois heures, derrière les petites vitres de l'arrière-boutique, il vit les affaires que nous faisions ; ses yeux brillaient de satisfaction. Les paysans de connaissance et des files de patriotes entraient lui serrer la main. On riait ; on se dépêchait de servir, pour avoir le temps d'échanger quelques mots, et puis on retournait à son poste.

Ce ne fut que vers une heure, quand les marchands de grains, de légumes et de volailles eurent repris le chemin de leur village, que nous pûmes enfin causer et dîner tranquillement.

Ce qui réjouissait le plus Chauvel, c'est qu'avec notre grand débit de boissons, d'épicerie et de mercerie, nous avions la facilité de répandre des journaux et des livres patriotiques en masse. Il allait et venait dans notre petite chambre, l'enfant sur les bras, et s'écriait :

– Voilà ce qu'il fallait !... Autrefois, quand je courais le pays ma hotte au dos, c'était trop fatigant ; aujourd'hui que les gens viennent chez nous, nous aurons tout sous la main. On ferme nos clubs ; nous aurons un club dans chaque baraque, jusqu'au fond de la montagne ; au lieu de lire à la veillée des histoires de bandits et de sorcières, on lira les traits héroïques, les actions généreuses des citoyens, leurs découvertes, leurs inventions, leurs entreprises utiles au pays, les progrès du commerce, de la fabrication, de la culture dans toutes les branches, enfin tout ce qui peut servir aux hommes, au lieu de leur boucher l'esprit, de les rendre superstitieux et de les aider à tuer le temps. Nous allons faire un bien immense.

Il fut aussi très heureux de voir mon ami Sôme ; du premier coup d'œil ils s'étaient jugés, et se serrèrent la main comme d'anciens camarades.

Ce même soir, après souper, Raphaël Manque, Collin, le nouveau rabbin, Gougenheim, Aron Lévy, maître Jean et mon père étant arrivés, les embrassades et les cris de joie apaisés, on se mit à parler de politique.

Chauvel raconta l'état de nos affaires ; il dit que dans notre position actuelle, au milieu des divisions qui nous déchiraient, de la ruine qui nous menaçait, du découragement qui gagnait le peuple, les patriotes devaient redoubler de prudence. Maître Jean Leroux ayant alors fait observer que, la constitution de l'an III assurant à chacun ce qu'il avait gagné, la révolution était en quelque sorte finie, Chauvel lui répondit avec vivacité :

– Vous êtes dans une grande erreur, maître Jean, cette constitution ne finit rien du tout ; elle remet au contraire tout en question. C'est l'œuvre des royalistes constitutionnels et de la bourgeoisie, pour écarter le peuple du gouvernement, et le priver de sa part légitime dans les conquêtes de la république sur le despotisme. Quand je dis que la bourgeoisie est complice des royalistes dans cette abomination, il faut distinguer entre l'honnête bourgeoisie, et l'intrigante qui l'entraîne dans ses manœuvres ; les vrais bourgeois sont les enfants du peuple, élevés par leur instruction, leur intelligence et leur courage ; ce sont les commerçants, les fabricants, les entrepreneurs, les avocats, les gens de loi, les médecins, les écrivains honnêtes, les artistes de toute sorte, tous ceux qui font avec les ouvriers et les paysans la richesse d'un pays.

» Ceux-là ne veulent que la liberté ; c'est leur force, leur avenir ; sans liberté, toute cette bourgeoisie, la vraie, – celle qui dans le temps a demandé l'abolition des jurandes et des communautés, qui plus tard a rédigé les cahiers du tiers dans toute la province, et qui par sa fermeté, par son bon sens, a forcé la main du roi, de la noblesse et du clergé – sans la liberté, cette brave et solide bourgeoisie, l'honneur et la gloire de la France depuis des siècles, est perdue !... Mais à côté de celle-là, malheureusement, il en existe une autre, qui n'a jamais vécu que de places du gouvernement, de pensions sur la cassette, de monopoles et de privilèges, qui donnait tout au roi, pour recevoir de sa main sacrée les dépouilles de la nation.

» Celle-là ne veut pas de la liberté ; la liberté, c'est la supériorité du travail, de l'intelligence et de la probité sur l'intrigue ; elle aime mieux tout obtenir de la munificence d'un prince ou d'un stathouder, cela coûte moins de peine ; les enfants sont recommandés ; on leur apprend à plier l'échine, à traîner le chapeau jusqu'à terre devant les grands, et les voilà lotis, leur avenir est assuré. C'est cette bourgeoisie-là qui vient de faire la constitution de l'an III, malgré nous ; avec les soixante-treize girondins rentrés à la Convention après thermidor et tous les autres royalistes, ils ont eu la majorité. Le coup, prévenu par Danton le 31 mai 93, devenait facile ; nous n'avions plus rien à dire !... Ces messieurs ont établi leurs élections à deux degrés, leurs deux conseils et leur directoire ; comme ils avaient besoin d'un appui, les malheureux ont entraîné la vraie bourgeoisie dans leur iniquité, en lui faisant peur du peuple et en lui donnant part aux bénéfices. »

Chauvel parlait si clairement, que personne n'avait rien à répondre.

– Eh bien, dit-il, en déclarant que pour être député il faudrait avoir la propriété ou l'usufruit d'un bien payant une contribution de la valeur de deux cents journées de travail, qu'ont-ils fait, ces honnêtes gens ? ils ont séparé les bourgeois du peuple, ils les ont rendus ennemis. Ils se figurent que le peuple, après la révolution comme avant, va donner son sang et le fruit de son travail pour des bourgeois de leur espèce, qui gouverneront au moyen d'un roi constitutionnel, un gros homme chargé de bien boire et de bien manger, pendant qu'ils exploiteront le pays. La place de ce roi constitutionnel est marquée dans leur constitution ; c'est le Directoire qui la remplit provisoirement ; plusieurs même avaient proposé d'appeler le roi tout de suite ; malheureusement Louis XVIII espère mieux, il n'accepte pas de constitution ; il est de droit divin comme Louis XVI et Louis XVII ; il veut rester maître absolu, et s'entourer de noblesse au lieu de bourgeoisie. Cela les embarrasse !... Mais le peuple dépouillé de ses droits ne les embarrasse pas ; ils sont bien sûrs qu'il va se soumettre : – Imbéciles !

Chauvel, penché sur notre petite table, se mit à rire ; et, comme nous l'écoutions en silence :

– Tout cela savez-vous ce que c'est ? dit-il, c'est la révolution qui ne finit jamais, la révolution en permanence ; il faut être aveugle pour ne pas le voir. Qu'il arrive un Danton, dans trois, quatre, dix ou vingt ans, il a son armée préparée d'avance : c'est le peuple dépouillé qui réclame la justice ! Danton parle, la révolution recommence ; on chasse le roi, les princes et les intrigants ; l'honnête bourgeoisie est ruinée, son commerce est ébranlé, son industrie à bas ; elle paye pendant que les coureurs de places se sauvent avec la caisse jusqu'à la fin de l'orage. Ils reviennent avec le prince et refourrent dans leur constitution de nouveaux bourgeois, parce que les anciens n'ont plus le sou ; eux, ils se portent toujours bien avec Sa Majesté. Les affaires reprennent, mais la question n'est toujours pas résolue ; après Danton, c'est un général heureux qui marche sur Paris en criant : « Je viens défendre les droits du peuple. »

» Le peuple serait bien bête de s'opposer à ce général ; c'est encore la révolution qui recommence ! Et cette révolution recommencera, jusqu'à ce que les bourgeois se séparent des aristocrates et des intrigants qui prennent leur nom, et se réunissent franchement au peuple, pour réclamer avec lui la liberté, l'égalité, la justice, et reconnaître la république comme le seul gouvernement possible avec le suffrage universel. Alors la révolution sera finie. – Qu'est-ce qui pourra troubler l'ordre, quand le peuple et la bourgeoisie ne feront qu'un ? – Chaque citoyen aura le rang qu'il mérite par son travail, son intelligence et sa vertu ; on pourra vivre sans craindre de tout perdre du jour au lendemain. Je vous en préviens, les jeunes gens comme Michel verront les révolutions se suivre à la file, tant que la séparation du peuple et de la bourgeoisie ne sera pas effacée, tant qu'un ouvrier pourra dire en parlant d'un bourgeois : « C'est un privilégié. » La constitution de l'an III causera les plus grands malheurs. Bien loin de tout finir, comme pense maître Jean, c'est elle qui met la guerre civile en train pour des années.

Tous les amis présents écoutaient Chauvel avec plaisir, et mon camarade Sôme se levait de temps en temps pour aller lui serrer la main en disant :

– C'est ça ! Je pense comme vous, citoyen ; la révolution ne peut finir que si les bourgeois instruits se mettent à la tête et soutiennent la république. La bourgeoisie est l'état-major du peuple. Malheureusement nous n'avons plus de bourgeois comme Danton, Robespierre, Marat, Saint-Just, Camille Desmoulins, – car c'étaient tous des bourgeois, des avocats, des médecins, des savants, capables de faire sonner le tocsin, de soulever les sections et de marcher à la tête du peuple.

– Non, lui répondit Chauvel, la révolution les a tous consommés ; aussi les aristocrates ne craignent plus le peuple des faubourgs, depuis qu'il n'a plus de chefs ; le peuple lui-même est las de troubles à l'intérieur, la dernière famine surtout, avant l'insurrection de prairial, l'a complètement épuisé. Maintenant les royalistes cherchent un général capable d'entraîner son armée contre la république ; s'ils le trouvent, les bourgeois sont perdus ; ils auront beau crier au secours ! le peuple, qu'ils ont trahi, laissera faire. Et voilà comme la partie instruite de la nation, la bourgeoisie laborieuse, sera paralysée, faute d'avoir le courage d'être juste avec le peuple, de l'élever, de l'instruire, de lui donner sa part dans le gouvernement, de le pousser aux premières places, s'il en est digne. Que les fainéants descendent et disparaissent ; que les travailleurs montent ; que les œuvres de chacun marquent sa place dans la nation et non pas ses écus. Notre révolution c'est cela ; si les bourgeois ne veulent pas le comprendre, tant pis pour eux ; s'ils s'attachent aux royalistes, tous seront emportés ensemble, car la république finira par triompher dans toute l'Europe.

Chauvel se plaisait à faire des discours. Je ne me souviens pas de tout ce qu'il dit ; mais les principales choses me sont restées, parce que si nous n'avons pas vu revenir un Danton se remettre à la tête des affaires, les généraux n'ont pas manqué, même les généraux anglais, prussiens, russes et autrichiens, qui, par la suite, sont venus nous essuyer leurs bottes sur le ventre. Cela rafraîchit les souvenirs d'un homme ; j'ai toujours pensé que la constitution de l'an III en était cause.

Enfin, ce soir-là, chacun fut content d'avoir éclairci ses idées sur notre constitution, et l'on résolut de se réunir quelquefois pour causer des affaires du pays.

Le lendemain, Chauvel ne s'occupait plus que de notre commerce ; il avait déjà vu notre inventaire en détail, nos bénéfices, notre dette, notre crédit. Je me souviens que le troisième ou quatrième jour de son arrivée, il fit des commandes de gazettes et de catéchismes républicains tellement extraordinaires, que je crus qu'il perdait la tête ; il en riait et me disait :

– Sois tranquille, Michel, ce que j'achète je suis sûr de le vendre ; j'ai déjà pris mes mesures pour cela.

Et, vers la fin de la semaine, arrivèrent des paquets de petites affiches imprimées chez Jâreis, de Sarrebourg. Ces petites affiches, grandes comme la main, portaient : « Bastien-Chauvel vend : encre, plumes, papier, fournitures de bureau ; il vend : épiceries, merceries, fournitures militaires ; il débite eau-de-vie et liqueurs ; il loue des livres à raison de trente sous par mois, etc., etc. »

– Mais, beau-père, lui dis-je, qu'est-ce que vous voulez donc faire de tout cela ? Est-ce que nous allons envoyer des gens poser ces affiches dans tous les villages ? Vous savez bien que les trois quarts et demi des paysans ne connaissent pas l'A B C ; à quoi bon faire une si grande dépense ?

– Michel, me dit-il alors, ceux qui verront ces affiches savent tous lire ; nous allons les mettre à l'intérieur de la couverture des livres que nous louons et que nous vendons ; elles iront partout, et l'on se souviendra que Bastien-Chauvel tient une quantité d'articles.

Cette idée me parut merveilleuse ; durant quinze jours, nous ne fûmes occupés, le soir, qu'à bien coller ces affiches dans les livres de notre bibliothèque, dans les catéchismes des droits de l'homme, et même sur les almanachs, qui se vendaient plus que tout le reste.

Les autres épiciers, merciers, quincailliers, marchands de vin et d'eau-de-vie, voyant notre boutique toujours pleine de monde, s'écriaient :

– Mais qu'est-ce que cette maison a donc pour attirer toute la ville ? On s'y porte comme à la foire !

Les uns se figuraient que le coin de la rue en était cause, les autres la halle en face ; mais cela venait de nos affiches, qui répandaient le nom de Bastien-Chauvel, et faisaient connaître nos articles jusqu'à trois et quatre lieues de Phalsbourg. Il arrivait alors que les autres marchands, reconnaissant notre prospérité, se mettaient à vendre les mêmes articles que nous ; je m'en indignais, mais le père Chauvel s'en faisait du bon sang et me disait :

– Hé ! c'est tant mieux, Michel ; les pauvres diables n'ont pas d'idées, ils sont forcés de suivre les nôtres, et nous avons toujours l'avance. Voilà ce qu'on appelle le progrès, la liberté du commerce ; quand on veut la liberté pour soi, il faut la vouloir pour tous. La seule chose que nous ne pourrions pas permettre, ce serait si des gueux, des filous, mettaient de nos affiches signées Bastien-Chauvel sur de mauvaises drogues ; alors la justice serait là, leur industrie ne durerait pas longtemps, parce que les honnêtes gens de tous les partis sont associés contre la canaille ; c'est ce qui fait l'institution des tribunaux, et ce qui rend la justice si respectable.

Notre petit commerce allait donc de mieux en mieux depuis le retour de Chauvel, et pourtant cet hiver de 1795 fut bien mauvais, à cause de la masse des assignats qui grandissait toujours, et que personne ne voulait plus recevoir.

Le Directoire était bien forcé d'en faire de nouveaux, puisque nous n'avions plus d'argent et qu'il fallait payer les armées, les fonctionnaires, la justice, etc. ; c'était une véritable désolation. Il fallut même décréter que la moitié des contributions seraient payées en foin, paille, grains de toutes sortes pour l'approvisionnement des troupes. Cette mesure fit jeter de grands cris ; les paysans ayant obtenu presque pour rien la meilleure part des propriétés nationales, n'y pensaient déjà plus, ou ne voulaient plus en entendre parler ; l'égoïsme et l'ingratitude s'étendaient partout ; et, quand on y regarde de près, c'était de la pure bêtise, car si les armées n'avaient pas été soutenues, la noblesse serait rentrée et les paysans n'auraient pas gardé leurs biens.

C'est aussi dans cet hiver que Hoche pacifia la Vendée, qui s'était insurgée de nouveau, pensant que le comte d'Artois allait arriver. Mais ce fils de saint Louis et de Henri IV était un lâche ! Après avoir débarqué d'abord à l'île Dieu, il refusa de descendre en Vendée, malgré les supplications de Charette, et repartit pour l'Angleterre, abandonnant les malheureux qui s'étaient soulevés pour lui.

Hoche pacifia le Bocage et le Marais, en écrasant les insurgés, en permettant aux gens paisibles de rebâtir leurs églises ; en prenant Stofflet et Charette et les faisant fusiller. Cela lui fit le plus grand honneur.

Après cette pacification, il pacifia la Bretagne, en exterminant les chouans comme les autres, et disant aux paysans :

– Restez tranquillement chez vous ; priez Dieu ; élevez vos enfants ; tout le monde est libre sous la république, excepté les bandits qui veulent tout avoir sans travailler.

La grande masse des gens était alors si lasse, si malheureuse, qu'on ne demandait plus que le repos. À Paris on s'amusait, on dansait, on donnait des fêtes, on se gobergeait de toutes les façons. Je parle des Cinq-Cents, des Anciens et du Directoire, de leurs femmes et de leurs domestiques, bien entendu. Quelquefois Chauvel, en lisant cela, hochait la tête et disait :

– Ce Directoire tournera mal, mais ce n'est pas tout à fait sa faute ; les souffrances ont été si grandes, le peuple a perdu tant de sang ; les hommes forts ont été si durs envers eux-mêmes et les autres ; ils ont rendu la vertu si lourde, si pénible, que maintenant la nation découragée ne croit plus à rien, et s'abandonne elle-même. Dieu veuille que les généraux soient patriotes et vertueux ! car aujourd'hui qui pourrait les démasquer, les traduire à la barre, les juger et les condamner ? Ce que les Lafayette et les Dumouriez n'ont pu tenter sans péril, ceux-ci le feraient sans peine.

Ce qui nous fit à tous plaisir, et surtout à Sôme, ce fut d'apprendre que Pichegru venait d'être destitué. On avait découvert à Paris, chez un nommé Lemaître, des papiers prouvant que lui,

Tallien, Boissy-d'Anglas, Cambacérès, Lanjuinais, Isnard, l'organisateur des compagnons de Jéhu, et plusieurs autres étaient en correspondance avec le comte de Provence, qui s'appelait alors Louis XVIII. On aurait dû les arrêter et les juger comme autrefois ; mais, sous le Directoire, la république était si faible, si faible, que le moindre petit effort paraissait au-dessus des forces humaines. On n'avait encore de la force que pour écraser les patriotes qui réclamaient la constitution de 93 ; ceux-là, tout le monde les accablait ; on aurait dit qu'ils étaient plus criminels que les traîtres en train de vendre le pays.

Ainsi se passa cet hiver.

Les ennemis qui menaçaient l'Alsace et la Lorraine n'entreprirent rien de sérieux, pensant que la réaction marchait assez vite à l'intérieur, et qu'ils pourraient aller à Paris sans faire campagne.

Vers la fin du mois de mars, Sôme, complètement rétabli, nous quitta pour rejoindre son bataillon à l'armée du Rhin, dont Moreau venait de prendre le commandement ; et environ six semaines après, je reçus une lettre de Marescot, qui se trouvait alors, avec Lisbeth, à la 13e demi-brigade provisoire, formée le 13 ventôse des 1er et 3e bataillons de volontaires des côtes maritimes. Il m'écrivait de Cherasco, en Italie, en avril 1796.

VIII

C'était au printemps de l'an IV, le bruit de grandes victoires en Italie commençait à se répandre ; mais on s'inquiétait beaucoup plus chez nous des armées de Sambre-et-Meuse et Rhin-et-Moselle, sur le point d'entrer en campagne, que des affaires d'Italie. Qu'est-ce que faisait à la république de savoir soixante et même quatre-vingt mille Autrichiens de l'autre côté des Alpes, puisque, avec vingt mille hommes postés dans la montagne, nous les empêchions d'entrer en France ? Nous devions en être contents ; pour garder ce pays, ils perdaient un bon tiers de leurs forces. Au contraire, en allant les attaquer, nous étions tenus d'y mettre autant de monde qu'eux, de dégarnir les côtes de Brest, de Cherbourg, les frontières des Pyrénées, celles même du nord et de l'est, ce qu'il a bien fallu faire plus tard. Une seule grande bataille perdue sur le Rhin culbutait la république ; les hommes de bon sens le voyaient ; malgré cela, ces victoires coup sur coup étonnaient le monde.

C'est en lisant la lettre de Marescot que notre étonnement redoubla, car mon beau-frère, comme tous les gens de son pays, n'avait ni règle ni mesure ; il avait écrit en tête la proclamation de Bonaparte :

« Soldats, vous êtes mal nourris et presque nus ; le gouvernement vous doit beaucoup et ne peut rien pour vous. Je vais vous conduire dans les plus fertiles plaines du monde ; vous y trouverez honneur, gloire, *richesse* ; soldats, manqueriez-vous de courage ? »

Après cela le gueux se mettait à chanter victoire sur victoire, à Montenotte, Millesimo, Dego, Mondovi. Je croyais l'entendre ; il ne parlait pas, il criait, il dansait comme à la naissance de Cassius ; la fusillade, l'incendie, rien ne lui faisait : happer ! happer ! voilà son affaire. Et de temps en temps il s'arrêtait pour dire qu'il n'existait qu'un général sur terre : le général Bonaparte ! que tous les autres n'étaient que des mazettes auprès de lui : Kléber, Marceau, Hoche, Jourdan ; que tous ne lui montaient pas à la hauteur du talon. Il ne reconnaissait plus, après Bonaparte, que Masséna, Laharpe, Augereau et quelques autres de l'armée d'Italie. Ensuite il recommençait, en mêlant à ces choses les bonnes prises qu'il avait déjà faites, la satisfaction de Lisbeth, la bonne mine de Cassius ; en faisant sonner comme des cymbales tous ces noms nouveaux de la

Bormida, de Cherasco, de Ceva, etc., qu'on n'avait jamais entendus.

Toute ma vie je me rappellerai la figure du père Chauvel, en lisant cette lettre à notre petit bureau, dans la bibliothèque. Il serrait les lèvres, il fronçait les sourcils, et puis un instant devenait rêveur et regardait devant lui. Les proclamations de Bonaparte surtout l'arrêtaient ; il les relisait presque haut. Quand Marescot s'écria que Bonaparte était un petit homme, de deux pouces plus grand que Kléber avec ses six pieds, Chauvel sourit et dit tout bas :

– Il ne compte pas la hauteur du cœur, ton beau-frère ; le cœur tient aussi la place et contribue à la taille. Je l'ai vu, Bonaparte, nous nous connaissons !

Marescot finit cette grande lettre en disant que, de l'endroit où campait son bataillon, il voyait toute la Lombardie, avec ses rizières, ses fleuves, ses villes, ses villages, et, dans le fond, à plus de cent lieues, les cimes des Alpes toutes blanches ! Il dit que tout était à eux, qu'ils allaient tout envahir ; que l'Être suprême avait tout fait pour les braves ; il m'engageait à revenir, me prévenant que l'avancement marcherait vite ; que les rations ne seraient plus en retard, ni la paye, ni rien ; enfin l'avidité des rapineurs !

Lisbeth, qui ne savait ni A ni B, s'était sans doute fait lire cette lettre, car elle avait mis au bas cinq ou six croix, comme pour signifier : « C'est vrai !... voilà ce que je pense. Vive la joie, les batailles, l'avancement ! il faut que nous ayons tout, que nous agrafions tout et que je devienne princesse. »

Cette lettre fut cause d'un grand mouvement dans le pays ; je l'avais prêtée à maître Jean ; maître Jean la prêta le lendemain à d'autres ; elle allait partout, et partout on disait :

– Bonaparte est un jacobin, un ancien ami de Robespierre ; il a mitraillé les royalistes en vendémiaire ; il va remettre les droits de l'homme au pinacle.

Chaque jour nous entendions répéter les mêmes choses.

Notre ancien club de la place d'armes s'était rouvert après thermidor, et depuis quelques mois les vieilles bourriques attachées au ci-devant cardinal de Rohan, à l'ancienne gabelle, à la perception des dîmes, faisaient là leurs motions pour le rappel des émigrés, pour les indemnités dues aux couvents, et d'autres choses pareilles. Pas un homme de bon sens n'allait les entendre, ils étaient forcés de prêcher pour eux seuls, ce qui les ennuyait beaucoup.

Mais quelques jours après la lettre de Marescot, un vendredi, les patriotes arrivés au marché de grains et de légumes envahirent le club. Élof Collin avait écrit un long discours ; maître Jean Leroux voulait faire signer une adresse à l'armée d'Italie, et voter des remerciements à son général en chef le citoyen Bonaparte. Et tout à coup le père Chauvel mit sa carmagnole, il prit sa casquette et sortit vers onze heures, pendant la vente. Nous ne savions ce qu'il était devenu, quand nous entendîmes une grande rumeur sur la place ; je regardai de notre porte : Chauvel revenait, suivi d'une foule de canailles, qui l'accablaient d'injures, qui le bousculaient, et l'auraient même frappé, s'il n'était pas entré dans le corps de garde, sous la voûte de la mairie.

Naturellement, je courus à son secours ; il était pâle comme un mort et frémissait, criant d'une voix de commandement à l'officier de garde :

– Écartez ces misérables !... ces lâches qui se jettent sur un vieillard !... Je me place sous votre protection.

Plusieurs hommes du poste sortirent à sa rencontre. J'étais indigné de ne voir ni maître Jean, ni Raphaël Manque, ni Collin, ni personne autour de lui pour le défendre. Il venait de prononcer un discours furieux contre cette espèce de patriotes sans principes, qui se mettent toujours du côté de la force, qui crient victoire avec les vainqueurs, et se jettent sous les pieds tantôt d'un Lafayette, tantôt d'un Dumouriez, tantôt d'un Bonaparte, pour avoir part au gâteau !... contre ces espèces d'êtres qui n'ont pas de conviction et placent leur intérêt, leur égoïsme au-dessus de la justice et du droit.

Il avait attaqué la proclamation de Bonaparte, que tout le monde trouvait sublime, disant que Schinderhannes n'en aurait pas fait d'autre à ses bandits ; qu'il leur aurait dit : « Vous aimez le bon vin, les beaux habits, les jolies filles ; personne ne veut vous faire crédit, la caisse est vide ; eh bien, venez, je connais une bonne ferme en Alsace, où les gens ont travaillé, économisé depuis cent ans de père en fils ; nous allons tomber dessus et la piller ! Est-ce que vous manqueriez de courage ? »

Alors la fureur avait tellement éclaté contre lui, que le gros Schlachter, le bûcheron de Saint-Witt, avait été le prendre au collet dans la chaire, et que, sans la force de Chauvel, qui malgré sa petite taille avait des bras de fer, il l'aurait précipité sur le pavé. Schlachter avait trouvé son homme ; mais Chauvel, voyant que pas un ami ne venait le soutenir, était descendu tout déchiré. C'est au milieu des coups de poing, des bousculades et des insultes qu'il avait gagné la porte et traversé la place. Je me souviens que, du haut des marches de la mairie, ses cheveux gris arrachés et l'une de ses joues couverte de sang, il se retourna, criant d'une voix terrible aux femmes qui le poursuivaient :

– Attendez !... attendez !... vos enfants payeront pour vous... C'est avec leur chair et leur sang qu'on rétablira des rois !... Vous pleurerez, misérables ! Vous redemanderez la liberté, l'égalité... Vous aurez des maîtres comme il vous en faut, et vous penserez à Chauvel !...

– Tais-toi, bête !... Tais-toi, Marat !... lui criaient ces malheureuses.

Il entra dans le corps de garde. Moi je n'avais plus une goutte de sang. Il s'assit sur un banc et s'essuya la joue avec un mouchoir, en demandant un peu d'eau, que les soldats lui donnèrent dans le bidon.

– Va tranquillement à la maison, Michel, me dit-il. Tout ceci n'est rien ; nous en verrons bien d'autres. Marguerite pourrait être inquiète. La mauvaise race pourrait aussi casser nos vitres et piller la boutique. Maintenant que c'est la mode et que tout est de bonne prise, fit-il en souriant avec amertume, ce ne serait pas étonnant.

J'allais partir, lorsque Marguerite, toute pâle, arriva, l'enfant sur le bras. C'est la première fois que je la vis sangloter, car elle avait beaucoup de courage. Le père Chauvel s'attendrit aussi deux minutes.

– Ce n'est pas nous, dit-il, qui sommes à plaindre, ce sont ces malheureux, élevés dans l'admiration de la violence.

Ensuite il me donna l'enfant, il prit le bras de sa fille, et nous partîmes ensemble, par la porte qui donnait sur la halle. Un piquet de soldats nous entourait ; mais, grâce à Dieu, la foule était déjà dissipée, elle n'était pas entrée chez nous.

Le seul ami que nous rencontrâmes à la maison, ce fut le curé Christophe ; il avait eu l'idée, comme Chauvel, qu'on viendrait nous piller, et se tenait là, sur la porte, avec sa grosse trique. Lorsque nous arrivâmes, il étendit les bras en s'écriant :

– Chauvel, il faut que je vous embrasse ; ce que vous avez dit est selon mon cœur ; malheureusement j'étais dans l'autre allée, je n'ai pu vous soutenir.

– Cela vaut mieux, dit Chauvel ; à la moindre résistance les gueux nous auraient assommés. Voilà pourtant ceux qui m'ont nommé deux fois leur représentant, dit-il ensuite d'un air de pitié. J'ai rempli mon devoir avec conscience. Qu'ils en choisissent maintenant un autre, cela ne m'empêchera pas de dire toujours ce que je pense sur ce Bonaparte, qui ne parle ni de vertu, ni de liberté, ni d'égalité, dans ses proclamations, mais de plaines fertiles, d'honneurs et de *richesses*.

Le père Chauvel était si maltraité, qu'il en garda le lit plus de huit jours. Marguerite le soignait ; moi j'allais le voir toutes les heures ; il ne finissait pas de plaindre le peuple.

– Les malheureux veulent pourtant la république, disait-il ; seulement, comme les royalistes et les gros bourgeois se sont rendus maîtres de tout, comme ils ont mis le peuple hors de la constitution, la grande masse n'a plus de chefs, elle met son espérance dans les armées. Le mois dernier, c'était Jourdan qui devait tout sauver, après Jourdan, Hoche, après Hoche, Moreau ; maintenant c'est Bonaparte !

Alors il parlait de Bonaparte, simple général de brigade, commandant l'artillerie à l'armée d'Italie en 1794 ; il racontait que cet homme petit, brun, sec, les mâchoires avancées, les yeux clairs et le teint pâle, ne ressemblait à personne ; que l'impatience d'être en sous-ordre se voyait dans ses yeux ; qu'il n'obéissait aux représentants du peuple qu'avec indignation, et n'avait qu'un seul ami, Robespierre jeune, espérant bientôt se rapprocher de Robespierre l'aîné. Mais qu'après la débâcle de thermidor, il s'était attaché bien vite à Barras, le bourreau de son ami.

– Je l'ai vu, disait-il, le 12 vendémiaire, à Paris, après la destitution de Menou, qui s'était montré trop faible contre les bourgeois révoltés. Barras le fit appeler aux Tuileries même, et lui proposa de se charger de l'affaire en second. C'était dans une grande salle servant de vestibule à la Convention. Bonaparte demanda vingt minutes de réflexion ; il s'appuya le dos au mur, la tête penchée, les cheveux pendant sur la figure, les mains croisées sur le dos. Je le regardais au milieu de ce grand tumulte des représentants et des étrangers, allant, venant, se parlant, se rapportant les nouvelles ; il ne bougeait pas !... Et ce n'est pas à son plan d'attaque qu'il pensait, Michel, son plan était à faire sur le terrain ; il se demandait : « Est-ce que cette affaire peut m'être utile ? » et se répondait : « C'est fameux !... La guerre est entre les royalistes et les jacobins ; je me moque autant des uns que des autres. Les royalistes constitutionnels ont derrière eux les bourgeois, les jacobins ont derrière eux le peuple. Mais comme les bourgeois de Paris font une fausse manœuvre, en se soulevant contre l'acte additionnel et la réélection des deux tiers, acceptés par la province ; comme ils forcent la majorité de se retirer, ou de les remettre à la raison, dans tous les cas, je n'ai rien à perdre et tout à gagner. Je vais armer les jacobins des faubourgs, qui me regarderont comme un des leurs, et j'aurai suivi les ordres de la majorité, en mitraillant les révoltés. Barras, un imbécile auquel je laisserai toute la gloire, demandera pour moi quelque bon poste, un commandement supérieur, et je lui grimperai sur le dos. »

« Voilà, Michel, j'en suis sûr, ce qu'il se disait, car pour le reste il n'avait pas besoin de réfléchir ; il n'attendit même pas la fin des vingt minutes, et vint déclarer brusquement qu'il acceptait. Une heure après, tous les ordres était partis. Pendant la nuit, les canons arrivèrent, les sections furent armées ; le lendemain à quatre heures les canons se trouvaient en position, les mèches allumées ; à cinq heures l'affaire s'engageait ; à neuf, tout était fini. Bonaparte obtint aussitôt sa récompense : il passa général de division, et Barras, nommé depuis directeur, lui fit épouser une de ses amies, Joséphine Beauharnais, et lui donna le commandement de l'armée d'Italie. Bonaparte est beaucoup trop fin et trop ambitieux pour se déclarer contre le peuple avec les constitutionnels. Nos autres généraux manquent de nerf, ils veulent tout ménager ; on ne sait ce qu'ils sont ; ils obéissent. Lui se déclare jacobin et fait ses traités tout seul ; il envoie de l'argent, des drapeaux et des tableaux à Paris.

» Je ne connais pas d'être plus dangereux ; s'il continue de remporter des victoires, tout le peuple sera de son côté. Les bourgeois égoïstes, au lieu de marcher à la tête de notre révolution, seront à la queue ; le peuple, qu'ils ont dépouillé de son droit de vote, et qu'ils veulent gouverner avec un roi constitutionnel, les regardera comme ses premiers ennemis ; il aimera mieux se faire soldat de Bonaparte, que valet de quelques rusés compères, qui s'efforcent d'escamoter ses droits l'un après l'autre, et veulent qu'un grand peuple ait bousculé l'Europe, pour assurer les jouissances d'une poignée d'intrigants. Nous en sommes là ! C'est à choisir entre la ruse et la force : le peuple est las des filous. Si les constitutionnels ne le voient pas, s'ils persistent dans leurs bons tours, Bonaparte ou bien tout autre général n'aura qu'à garantir les biens nationaux, à demander compte des droits de l'homme, à crier qu'il réclame au nom du peuple, et tous ces malins seront balayés. Une seule chose peut résister à la force, c'est la justice ; mais pour que le peuple veuille la justice, il faut que les autres commencent à lui rendre tous ses droits ; nous allons voir s'ils auront ce bon sens. »

Ainsi parlait le père Chauvel.

Mais il faut que je vous avoue une chose, dont je me suis bien repenti plus tard, et que j'aimerais mieux laisser de côté, si je ne vous avais promis toute la vérité : c'est qu'après avoir tant souffert dans ma jeunesse, après avoir mendié sur la grande route, gardé les vaches de maître Jean, après avoir traîné la misère de toutes les façons, je me trouvais bien heureux de vivre comme un bourgeois, et que tout ce qui pouvait troubler mes affaires m'indignait. Oui, c'est la triste vérité ! Des pains de sucre pendus au plafond de notre boutique, des tiroirs garnis de sel, de poivre, de café, de cannelle, des gros sous et quelque pièces blanches dans le comptoir, pour un pauvre diable comme moi, c'était extraordinaire ; je n'avais jamais rien espéré de pareil ; et d'être assis le soir à ma table, de regarder Marguerite, de tenir mon petit Jean-Pierre, qui m'appelait « papa », ses grosses lèvres humides sur ma joue, cela m'attendrissait ; j'avais peur de voir déranger cette bonne vie ; et rien que d'entendre Chauvel trouver tout mal, crier contre le Directoire, les conseils, les généraux, et soutenir qu'il faudrait une seconde révolution pour tout remettre en ordre, cela me faisait pâlir de colère. Je me disais en moi-même :

« Il en demande trop ! Tout va très bien, le commerce reprend, les paysans ont leur part, nous avons aussi la nôtre ; pourvu que tout s'affermisse, qu'est-ce qu'il nous faut de plus ? Si les émigrés et les prêtres essayent de renverser le gouvernement, nous serons toujours là et nos armées républicaines aussi ; à quoi bon s'inquiéter d'avance ? »

Voilà les idées que j'avais.

Chauvel le devinait sans doute ; il criait quelquefois contre ces gens satisfaits qui ne s'inquiètent que de leurs affaires, et ne se doutent pas que tout peut leur être enlevé par ruse, faute d'avoir exigé des garanties solides, définitives, c'est-à-dire le gouvernement de la nation par elle-même.

Je comprenais qu'il me parlait, mais je ne lui répondais pas, et je m'obstinais à trouver tout bien.

Pendant ce temps les victoires allaient leur train. Alors Bonaparte, après avoir détruit l'armée des Piémontais et bousculé celle de Beaulieu, passait le Pô, entrait à Milan, écrasait Wurmser à Castiglione, Roveredo et Bassano ; Alvinzi à Arcole, Rivoli et Mantoue ; l'armée du pape à Tolentino, et nous faisait céder Avignon, Bologne, Ferrare et Ancône. Alors Jourdan et Kléber, après les victoires d'Altenkirchen, d'Ukerat, de Kaldieck, de Friedberg, enlevaient le fort de Kœnigstein et entraient à Francfort. Alors Moreau passait le Rhin à Strasbourg, prenait le fort de Kehl, gagnait les batailles de Renchen, de Rastadt, d'Ettlingen, de Pfortsheim, de Néresheim, rejetait les Autrichiens sur Donawerth, et s'étendait en Bavière, pour joindre Bonaparte dans le Tyrol. Mais l'archiduc Charles ayant surpris et écrasé Jourdan à Wurtzbourg, avec des forces supérieures, Moreau fit sa fameuse retraite à travers la Souabe soulevée, livrant des combats chaque jour, enlevant des régiments entiers à l'ennemi, forçant les défilés du val d'Enfer, après une dernière victoire à Biberach, et ramenant toute son armée glorieuse à Huningue.

Jamais on n'a vu de soldats plus attachés à leur général que ceux de Moreau ; c'étaient tous de vieux et solides républicains, qui ne se plaignaient pas d'aller pieds nus et se montraient fiers en quelque sorte de leurs haillons. Sôme en était ; il nous écrivit alors quelques mots dont Chauvel fut attendri :

– Ceux-là, disait-il, sont encore des bons ; on n'a pas besoin de leur parler de plaines fertiles, d'honneurs et de *richesses !*

Et ce qui le faisait rire, c'est que Sôme admirait surtout la pipe dont Moreau fumait toujours et tirait de grosses bouffées pendant les combats ; lorsque l'affaire était bien chaude, les bouffées se suivaient coup sur coup ; quand elle se ralentissait, la pipe devenait aussi plus calme. Quels enfantillages ! Mais les bonnes gens s'étonnent de tout, ils en font de grandes histoires, et ne parlent pas de leur propre héroïsme.

IX

L'hiver de 96 à 97 fut assez tranquille.

Jourdan, mis en déroute à Wurtzbourg, avait été destitué. Beurnonville, déjà connu par sa campagne de Trêves en 92, et par son emprisonnement à Olmutz après la trahison de Dumouriez, le remplaçait à l'armée de Sambre-et-Meuse. Il la nettoyait de ses filous, cassait les commissaires, chassait les fournisseurs, fusillait les pillards, et nommait pour la première fois des officiers payeurs. Malheureusement les désertions redoublaient ; tous les officiers attachés à Jourdan donnaient leur démission ; cela devenait grave.

Les Autrichiens passèrent le Rhin à Mannheim, ils envahirent le Hundsrück à quelques heures de chez nous, et furent battus près de Kreutsnach. Nous entrions en novembre ; une suspension d'armes fut conclue et les armées prirent leurs quartiers d'hiver depuis Mannheim jusqu'à Düsseldorf.

Mais du côté de l'Alsace tout continua d'être en mouvement ; Moreau, avant de repasser le Rhin, avait jeté quelques bataillons dans le fort de Kehl, sur la rive droite, pour conserver un pied en Allemagne ; Desaix les commandait ; l'archiduc Charles les assiégeait avec toute son armée. Il ouvrit trois lignes de tranchées devant cette poignée de terre ; on entendait de Strasbourg et même de chez nous le canon gronder jour et nuit. Les Autrichiens perdirent là de vingt-cinq à trente mille hommes ; ils assiégeaient aussi la tête du pont de Huningue ; finalement, après des sacrifices immenses d'hommes et d'argent, ils furent heureux d'accorder les honneurs de la guerre aux défenseurs. Les Français rentrèrent en Alsace avec leurs canons, leurs armes et leurs bagages, riant, chantant, levant leurs drapeaux déchirés, et battant le tambour.

On parlait aussi beaucoup dans ce temps d'une expédition sur les côtes d'Irlande, commandée par Hoche ; – mais il paraît qu'une tempête dispersa nos vaisseaux ; – et puis du mouvement de Bonaparte vers le Tyrol ; du départ de l'archiduc Charles, pour aller prendre le commandement des Autrichiens en Italie, et d'un détachement de vingt mille hommes de notre armée du Rhin, en route dans la même direction, sous les ordres de Bernadotte.

Ces choses intéressaient notre pays ; mais le père Chauvel ne s'en moquait pas mal ; c'étaient les élections, – le renouvellement du tiers des Cinq-Cents, – qui l'enthousiasmaient, car avec de bonnes élections il espérait regagner le temps perdu.

– La république n'a plus rien à craindre des étrangers, disait-il, les trois quarts des despotes sont à terre : ils ne demanderont pas mieux que de conclure la paix, si nous voulons ; mais les conditions de cette paix doivent être débattues par les représentants du peuple, et non par des royalistes, qui céderont tous nos avantages à leurs amis du dehors. C'est donc des élections prochaines que va dépendre le sort de notre révolution.

Les réunions préparatoires venaient de commencer à Sarrebourg, Droulingen, Saverne, etc., et ce pauvre vieux, tout gris, s'était remis en campagne. Tous les matins, entre quatre et cinq heures, il se levait ; je l'entendais descendre à la cuisine, ouvrir l'armoire et se couper une tranche de pain. Avec cela le brave homme partait ; il relevait fièrement la tête, et courait à quatre, cinq lieues dans la montagne, prononcer des allocutions, encourager les patriotes, et dénoncer les réactionnaires. Le curé Christophe et ses deux grands frères du Hengst l'accompagnaient par bonheur, car sans cela les aristocrates l'auraient assommé. Maître Jean, Collin, Létumier, tous nos amis venaient me dire :

– Mais au nom du ciel ! Michel, tâche donc de le retenir ; les royalistes ont le dessus dans tout l'ancien comté de Dagsbourg ; tu le sais, ce sont de demi-sauvages, et c'est là justement qu'il va les défier, contredire l'ancien moine Schlosser et l'ancien ermite du Léonsberg, Grégorius. Les gendarmes nationaux eux-mêmes ont peur d'aller dans ces coupe-gorge, où les gens ne connaissent que les coups de couteau en fait de raisons ; il se fera bien sûr massacrer ; un de ces quatre matins on le rapportera sur le brancard.

Je comprenais qu'ils n'avaient pas tort, et, sachant un jour que les fanatiques et les royalistes de la montagne avaient promis d'exterminer les républicains qui se présenteraient dans leur district, je me permis seulement de faire une petite observation au beau-père, en le priant de ne pas aller là, parce que ce serait inutile.

Alors il me dit des choses très dures sur l'égoïsme des parvenus. Le feu de la colère me montait à la tête ; je sortis. Marguerite courut après moi ; je voulais m'en aller et tout abandonner. Chauvel partit, et Marguerite me retint par ses larmes. Mais ce même jour, vers quatre heures de l'après-midi, la nouvelle arriva que la bataille s'était engagée à Lutzelbourg, et qu'un grand nombre étaient restés sur place. Aussitôt, malgré mon indignation contre mon beau-père, le souvenir de tout le bien qu'il m'avait fait, de tous les bons conseils qu'il m'avait donnés et de la confiance qu'il avait eue en moi, me retourna le cœur. Je partis en courant ; comme j'arrivais à la nuit dans le vallon, tout grouillait et fourmillait sur la place du village, au milieu des torches de résine qui brillaient sur le Zorn. Les patriotes avaient eu le dessus ; mais les deux frères de monsieur le curé Christophe étaient tout mâchurés, avec une quantité d'autres. Chauvel, par un bonheur extraordinaire, s'était tiré de la bagarre, et je l'entendais parler au milieu de cette assemblée innombrable d'hommes et de femmes venus de trois et quatre lieues ; sa voix claire s'étendait au loin, malgré le grand murmure de la foule et le bruit de l'eau tombant de l'écluse du moulin ; il criait :

– Citoyens, la nation c'est nous ! Nous sommes les seuls vrais souverains, nous, les bûcherons, les paysans, les ouvriers et artisans de toute sorte ; nous sommes le peuple, et c'est pour le peuple qu'on doit gouverner, parce que c'est lui qui nomme, c'est lui qui travaille, c'est lui qui paye, c'est lui qui fait vivre tous les autres. Si la race des fainéants et des intrigants, après avoir appelé l'Autrichien, le Prussien et l'Anglais à son secours, après avoir été battue cent fois dans les rangs de nos ennemis, parvient maintenant à se faire nommer nos représentants, ce sera comme si nous n'avions rien fait : nos directeurs, nos généraux, nos juges, nos administrateurs, tous seront des traîtres, parce que des traîtres les auront nommés, non pour nous, mais contre nous ; non pour notre bien, mais pour nous voler, pour nous gruger, pour nous imposer et nous remettre en servitude. Prenez-y garde ! ceux que vous allez nommer représentants seront vos maîtres. Ainsi, que chacun pense à sa femme et à ses enfants. C'est déjà bien malheureux qu'un grand nombre d'entre vous aient perdu le vote, par le cens ; les anciennes élections en sont cause. L'ennemi marche en dessous, lentement, prudemment ; soyez donc méfiants et ne choisissez que des gens de bien, connus pour ne vouloir que votre intérêt.

Chauvel continua longtemps de la sorte, des murmures de satisfaction l'interrompaient à chaque minute.

M. le curé Christophe et plusieurs autres parlèrent ensuite et, vers neuf heures, la gendarmerie étant arrivée, sans aucune sommation on se dispersa : hommes, femmes, enfants, par bandes, remontèrent les uns du côté de Garrebourg, les autres du côté de Chèvrehoff et du Harberg. C'est une des dernières grandes réunions électorales que j'ai vues. En m'en retournant, je rencontrai Chauvel, qui ne pensait déjà plus à notre dispute et me dit tout joyeux :

– Tu vois, Michel, que ça marche. Pourvu que mes vieux camarades de la Convention fassent comme moi, chacun dans son pays, nous aurons une nouvelle majorité. Notre Directoire n'est pas si mauvais, il faut le relever, lui donner du nerf, il faut qu'on le craigne comme autrefois le Comité de salut public ; et cela ne peut arriver que si le peuple se montre franchement républicain dans les nouvelles élections. D'où viennent ces désordres, ces brigandages, ces filouteries, ce découragement du peuple et cette insolence des réactionnaires ? Tout cela vient des mauvaises élections de l'an III. Quand le peuple n'a plus le droit de nommer ses représentants ; quand les contributions directes passent avant l'homme et lui donnent seules le droit de voter, alors les intrigants se mettent à la place de la nation ; ils arrangent tout dans leur intérêt particulier ; ils se vendent pour avoir des places, de l'argent, des honneurs et vendent la patrie avec eux.

C'est ce que nous devions à ces fameux girondins qu'on plaignait tant quand ils étaient en fuite, à ces Lanjuinais, Pastoret, Portalis, Boissy-d'Anglas, Barbé-Marbois ; à ce Job Aymé, qui dans le temps avait essayé de soulever le Dauphiné ; à ces de Vaublanc, de Mersan et de Lemerer, reconnus depuis comme agents secrets de Louis XVIII. Ces gens se servaient de la république pour écraser les derniers républicains ; ils profitaient de la conspiration d'un fou comme Babœuf, qui voulait partager les terres, pour exterminer encore des centaines de patriotes, en soutenant qu'ils étaient de la bande. Mais ils laissaient conspirer ouvertement les royalistes Brottier, Duverne et Lavilleurnois ; ils laissaient les assassins du Midi continuer leurs crimes, les émigrés rentrer librement, les évêques former des associations dans le genre des jacobins, en vue de bousculer la nation et de proclamer un roi. Ces gens refusaient au Directoire tout moyen de se soutenir, enfin que voulez-vous ? les traîtres étaient à la tête du pays et forçaient les républicains eux-mêmes à tourner les yeux vers les armées pour chercher un général capable de mettre les royalistes à la raison. Voilà le malheur ! Depuis le premier jour jusqu'au dernier, jamais ces gens n'ont lâché prise : tantôt par la force, tantôt par la ruse, et le plus souvent par la trahison, ils ont fatigué les plus courageux citoyens ; c'était la conspiration permanente des fainéants avec les despotes étrangers, pour remettre le peuple sous le joug et le faire travailler à leur profit.

X

Durant les mois de mars et d'avril 1797, Chauvel ne manqua pas une seule assemblée primaire ou communale. Ces assemblées seules n'agitaient pas le pays, mais encore les grands préparatifs de Moreau pour repasser le Rhin, le remplacement de Beurnonville par Hoche au commandement de l'armée de Sambre-et-Meuse, et la proclamation de Bonaparte, affichée aux portes des clubs et des mairies, au moment de se remettre en campagne.

Bonaparte, général en chef de l'armée d'Italie, aux soldats de l'armée d'Italie.

« Au quartier général de Bassano, le 20 pluviôse an V (10 mars 1797).

» La prise de Mantoue vient de finir une campagne qui vous a donné des titres éternels à la reconnaissance de la patrie. Vous avez remporté la victoire dans quatorze batailles rangées et soixante-dix combats. Vous avez fait plus de cent mille prisonniers, pris à l'ennemi cinq cents pièces de campagne, deux mille de gros calibre, quatre équipages de pont. Les contributions mises sur les pays que vous avez conquis ont nourri, entretenu, soldé l'armée pendant toute la campagne ; vous avez en outre envoyé trente millions au ministre des finances, pour le soulagement du trésor public. Vous avez enrichi le Muséum de Paris de plus de trois cents objets, chefs-d'œuvre de l'ancienne et nouvelle Italie, et qu'il a fallu trente siècles pour produire.

» Vous avez conquis à la république les plus belles contrées de l'Europe ; les républiques Lombarde et Cispadane vous doivent leur liberté ; les couleurs françaises flottent pour la première fois sur les bords de l'Adriatique, en face et à vingt-quatre heures environ de l'ancienne Macédoine ; les rois de Sardaigne, de Naples, le pape, le duc de Parme, se sont détachés de la coalition des ennemis, ils ont brigué notre amitié. Vous avez chassé les Anglais de Livourne, de Gênes, de la Corse ; mais vous n'avez pas encore tout achevé. Une grande destinée vous est réservée ; c'est en vous que la patrie met ses plus chères espérances ; vous continuerez à en être dignes. De tant d'ennemis qui se coalisèrent pour étouffer la république à sa naissance, l'empereur seul reste devant nous ; se dégradant lui-même du rang de grande puissance, ce prince s'est mis à la solde des marchands de Londres ; il n'a plus de politique, de volonté que celle de ces insulaires perfides qui, étrangers aux malheurs de la guerre, sourient avec plaisir aux maux du continent. »

Il continuait de la sorte et finissait par déclarer que cette campagne détruirait la maison d'Autriche, qui perdait à chaque guerre, depuis trois cents ans, une partie de sa puissance ; qui mécontentait ses peuples en les dépouillant de leurs droits, et se trouverait bientôt réduite à se mettre aux gages des Anglais.

Tout le monde voyait bien, d'après cela, que la guerre allait encore une fois s'étendre depuis les Pays-Bas jusqu'en Italie, et que plus on irait, plus il faudrait se battre. Notre position était pourtant meilleure, puisqu'au lieu d'avoir l'ennemi chez nous, comme en 92 et 93, nous allions l'attaquer chez lui par les montagnes du Tyrol ; l'archiduc Charles, le meilleur général autrichien, était déjà là-bas pour s'opposer à la marche de Bonaparte. Les nouvelles recrues traversaient la ville par détachements et comblaient le vide des divisions Delmas et Bernadotte, envoyées à l'armée d'Italie.

Ces grands mouvements de troupes entretenaient le commerce de toute la frontière ; nous avions de la peine à servir cette foule, toujours en route comme une rivière qui ne finit pas. Chauvel, lui, ne s'inquiétait que des affaires publiques ; il courait à toutes les réunions préparatoires ; les royalistes le regardaient comme leur plus dangereux ennemi, ils le guettaient sur tous les chemins. Marguerite vivait dans l'épouvante ; elle ne m'en disait rien, mais je le voyais ; je l'entendais à sa voix, lorsque sur les huit ou neuf heures du soir, son père arrivait, et qu'elle criait au bruit de la sonnette :

– C'est lui !... Le voilà !...

Elle courait lui présenter l'enfant ; il l'embrassait, puis il venait prendre un verre de vin, casser une croûte de pain, en se promenant avec agitation autour de la table, et nous racontant ses batailles ; car c'étaient de véritables batailles, où les émigrés, rentrés en masse, s'appuyaient sur ces constitutionnels de l'an III, les plus grands hypocrites que la France ait jamais eus à sa tête.

Quand j'y pense aujourd'hui, quand je me représente ce vieillard courageux, qui sacrifie tout pour la liberté, qui se refuse tous les biens de ce monde, pour élever la nation et la retenir sur une mauvaise pente, je suis dans l'admiration.

Mais alors l'égoïsme d'un homme qui n'avait rien, et qui se trouve par hasard maître d'une bonne entreprise ; qui voit son bien s'arrondir et veut remplir ses obligations ; la famille qui grandit, car un second enfant était en route ; la concurrence des autres, qui se moquent de tous les gouvernements, pourvu que leurs affaires marchent, tout cela me faisait penser souvent :

« Le beau-père est fou !... Ce n'est pas lui qui pourra changer le cours des choses. Est-ce que nous n'avons pas rempli notre devoir ? Est-ce que nous n'avons pas assez souffert depuis six ans ? Qui est-ce qui pourrait nous faire des reproches ? Que les autres se sacrifient comme nous ; chacun son tour, il ne faut pas que les mêmes supportent toujours la charge ; c'est contraire au bon sens !... »

Ainsi de suite !

J'en voulais à Chauvel de quitter la boutique les jours de marché, pour courir aux réunions électorales ; de nous faire perdre nos meilleures pratiques par ses discours, et de s'inquiéter aussi peu de notre commerce d'épiceries, que s'il n'avait pas existé. Je suis sûr que le plaisir de vendre des gazettes et des livres patriotiques le retenait seul à la maison, et que sans cela nous l'aurions revu courir l'Alsace et la Lorraine, la hotte au dos.

Eh bien, les efforts de cet honnête homme et de milliers d'autres jacobins ne suffirent pas. C'est principalement en temps de révolution que les fautes se payent ; combien de ceux que Robespierre, Saint-Just et Couthon avaient sacrifiés comme n'étant pas assez purs, nous seraient alors bienvenus ! ils étaient morts !... et la mauvaise race seule restait, avec une nation fatiguée, découragée, *ignorante,* et des ambitieux en masse.

Les élections de l'an V furent pires que celles de l'an III ; le peuple n'ayant plus de voix, deux cent cinquante royalistes entrèrent encore dans les conseils de la république, *et, réunis aux autres, ils nommèrent aussitôt Pichegru président des Cinq-Cents et Barbé-Marbois président des Anciens.* Cela signifiait clairement qu'ils se moquaient des droits de l'homme, et qu'ils croyaient le moment venu de rappeler Louis XVIII.

Le Directoire les gênait, parce qu'il tenait la place du fils de saint Louis. Ces nouveaux représentants résolurent de le dégoûter ; ils se mirent tout de suite à l'œuvre, et du 1er prairial au 18 fructidor, en moins de quatre mois, voici ce qu'ils firent. Après le remplacement du directeur Letourneur, par Barthélémy (un royaliste !) ils abrogèrent la loi qui excluait les parents d'émigrés des fonctions publiques, et les décrets de la Convention contre les traîtres qui, dans le temps, avaient livré Toulon aux Anglais ; ils abolirent la déportation pour les réfractaires ; ils reprochèrent au Directoire d'avoir fait des traités en Italie, sans l'autorisation des conseils, ce qui retombait sur Bonaparte ; ils autorisèrent les assassinats et les brigandages de l'Ouest et du Midi, en refusant tout secours au gouvernement pour les faire cesser ; ils voulurent rétablir les églises catholiques, disant que c'était le culte de l'immense majorité des Français, le culte de nos pères, notre unique bien, seul capable de faire oublier quatre années de carnage, comme si les Vendéens, bons catholiques, n'avaient pas commencé le massacre.

Deux ou trois jacobins leur répondirent vertement, et le peuple parisien parut de si mauvaise humeur, qu'ils retardèrent la chose pour quelque temps. Ils mirent sur le dos de notre Directoire tous les malheurs de la république, la chute des assignats, la dilapidation des finances, et lui refusèrent régulièrement tout ce qu'il demandait. Ils ne finissaient pas de crier que la garde nationale seule pouvait tout sauver ; mais dans la garde nationale ne devaient entrer que les gens payant le cens : tous les bourgeois auraient été armés, et les ouvriers et les paysans sans armes ! C'était le plus beau de leur plan ; par ce moyen, Louis XVIII, les princes, les émigrés, les évêques, auraient pu rentrer sans danger, et reprendre sans résistance leurs biens, leurs dignités, tout ce que la révolution avait gagné.

Pour détourner l'attention du peuple de ces abominations, leurs journaux ne parlaient plus que du procès de Babœuf, devant la haute cour de Vendôme, comme ces larrons sur la foire, dont l'un vous montre les curiosités, pendant que l'autre vous retourne les poches.

Mais ni ce procès, ni la campagne d'Italie, le passage du Tagliamento, la prise de Gradiska, les affaires de Newmarck et de Clausen, la bataille de Tarvis, l'invasion de l'Istrie, de la Carniole, de la Carinthie, le soulèvement de Venise sur nos derrières, les préliminaires de Léoben et la destruction de la république Vénitienne, cédée à l'Autriche par Bonaparte ; le passage du Rhin par Hoche, à Neuwied, la victoire de Heddersdorf, et la retraite des Autrichiens sur la Nidda ; le passage du fleuve par Moreau, sous le feu de l'ennemi, la reprise du fort de Kehl, et la suspension d'armes générale à la nouvelle des préliminaires de paix, rien ne pouvait empêcher les patriotes de voir que les royalistes des conseils nous trahissaient ; qu'ils avaient attiré les bourgeois dans leur parti, et que la nation ne pourrait s'en débarrasser que par une dernière bataille.

Ces gens avaient en quelque sorte levé toutes les écluses ; la boue du dehors nous envahissait sans résistance ; l'Alsace et la Lorraine fourmillaient d'émigrés. Les trois quarts de la ville s'étaient convertis, comme on disait, « à l'ordre ! » On faisait des vœux à la chapelle de la Bonne-Fontaine pour le retour des pauvres exilés ; nos anciens curés disaient leur messe ; les vieilles couraient matin et soir chez Joseph Petitjean, l'ancien chantre au lutrin, pour entendre les prédications d'un proscrit ; les autorités le savaient, personne ne réclamait. Enfin nous étions vendus !

Quelquefois Chauvel disait tristement le soir, en faisant nos cornets :

– Quelle pitié de voir un général comme Bonaparte, qui hier encore n'était rien, menacer les représentants de la nation, et ces représentants, nommés pour défendre la république, la détruire de leurs propres mains ! Faut-il que nous soyons tombés bas ! Et le peuple approuve ces scandales ; lui qui n'aurait qu'à tousser pour renverser cette masse d'intrigants, dont les uns l'attaquent et dont les autres le protègent !

Ensuite il ajoutait :

– Le peuple me produit maintenant l'effet de ce nègre, qui riait et se réjouissait en voyant deux Américains se battre ; il criait : « Ah ! le beau coup ! C'est bien ! c'est magnifique ! » Quelqu'un lui dit : « Tu ris, mais sais-tu pourquoi ces deux hommes se battent ? C'est pour savoir lequel des deux t'emmènera la corde au cou, te vendra, toi, ta femme et tes enfants ; te fera travailler, bâtir des prisons, pour t'y mettre, élever des forts pour te mitrailler, et te pèlera le dos à coups de trique si tu bouges ! » Ce nègre alors perdit l'envie de rire, mais le peuple français rit toujours ; il aime les batailles et ne s'inquiète plus du reste.

Chaque fois que Chauvel parlait de ces choses, je criais en moi-même :

« Que voulez-vous que j'y fasse ? »

La satisfaction de gagner de vingt à trente livres par jour, d'avoir du vin, de l'eau-de-vie dans ma cave, des sacs de riz, de café, de poivre au magasin, m'avait en quelque sorte tourné la tête ; et des milliers d'autres étaient comme moi : les petits bourgeois voulaient grossir à tout prix ! Je puis bien le dire, nous l'avons payé assez cher.

Pourtant l'amour des droits de l'homme et du citoyen reprit le dessus dans mon cœur en ce temps, d'une façon extraordinaire, et je reconnus que Chauvel avait raison de nous prévenir d'être sur nos gardes.

Les gazettes parlaient beaucoup alors d'un nommé Franconi, maître de voltige, qui réjouissait les citoyens de Paris, par ses exercices à cheval. C'était, après le procès de Babœuf, les campagnes de Bonaparte, de Hoche et de Moreau, le fond de toutes les gazettes. Et voilà qu'en thermidor, pendant la foire de Phalsbourg, ce Franconi, qui s'était mis en route par la Champagne et la Lorraine, arrive chez nous avec sa troupe. Il plante ses piquets, il ouvre une grande tente en toile sur la place, il promène ses chevaux, sonne de la trompette, bat de la grosse caisse et fait ses publications. Une quantité de gens allaient le voir. J'aurais bien voulu mener aussi Marguerite à ce spectacle, quand cela aurait dû me coûter deux ou trois francs, mais en temps de fête, notre boutique ne désemplissait pas de monde, c'était impossible.

Tout se serait donc passé de la sorte, si des Baraquins n'étaient venus me dire l'un après l'autre, d'un air d'admiration, que Nicolas était écuyer dans la troupe de Franconi. Moi, songeant que si Nicolas rentrait par malheur, les lois de la république le condamneraient à mort, pour avoir passé à l'ennemi avec armes et bagages, je leur répondais qu'ils se trompaient, que nous avions l'acte de décès du pauvre Nicolas depuis longtemps ; ils hochaient la tête. Et, dans un de ces moments où nous étions en dispute, vers six heures du soir, tout à coup un grand gaillard, en habit bleu de ciel garni de galons d'argent, un chapeau magnifique tout couvert de plumes blanches penché sur l'oreille, des éperons dorés aux bottes, entre en faisant claquer sa cravache et criant :

– Hé ! hé ! hé ! Michel, c'est moi !... Puisque tu ne viens pas me voir, il faut bien que je me dérange.

C'était le gueux. Tous les gens de la boutique le regardaient ;

naturellement, malgré ma crainte et ce que je venais de dire, je fus bien obligé de le reconnaître et de l'embrasser. Étienne aussi lui sauta dans les bras. Le malheureux sentait horriblement l'eau-de-vie. Le père Chauvel regardait par la petite vitre de la bibliothèque. Marguerite tremblait, car elle connaissait les lois de la république sur les traîtres. Il fallait le recevoir tout de même, et je lui dis en l'entraînant à la bibliothèque :

– Arrive !

Il se balançait en criant :

– Ah çà ! tu sais que je m'invite à souper ? As-tu du vin ?... As-tu ci ?... As-tu ça ?... car je ne te cache pas que je suis habitué à me soigner maintenant. Hé ! hé ! hé ! qu'est-ce que c'est ?... Tiens... elle n'est pas mal cette petite !

– C'est ma femme, Nicolas.

– Hé ! la petite Chauvel... Marguerite Chauvel... des porte-balle... Connu... connu.

Marguerite était devenue toute rouge. Les gens riaient. Il finit par entrer à la bibliothèque.

– Hé ! le vieux Chauvel !... On vit en famille... on a laissé la hotte de côté !...

– Oui, Nicolas, dit Chauvel en prenant une prise et clignant de l'œil, on s'est fait épicier ; tout le monde ne peut pas devenir colonel dans la troupe de Franconi.

Qu'on se figure comme j'étais honteux. Nicolas, s'entendant appeler colonel de Franconi, ne parut pas content ; il regarda Chauvel de travers, mais il ne dit rien. J'espérais m'en débarrasser en lui soufflant à l'oreille :

– Au nom du ciel ! Nicolas, méfie-toi, toute la ville t'a reconnu ; tu sais, la loi sur les émigrés...

Mais il ne me laissa pas seulement finir, et s'allongeant sur une chaise, contre le petit bureau, les jambes étendues et le nez en l'air, il se mit à crier :

– Émigré ! oui, je suis émigré ! Les honnêtes gens sont sortis, la canaille est restée... Qu'on me reconnaisse, tant mieux ! Je me moque de la canaille. Nous avons des amis, nous en avons en haut ; ils nous rappellent, ils nous ouvrent les portes... Connaissez-vous ça ? Ça n'est pas des assignats... c'est la clef de votre république... Hé ! hé ! hé !

Il avait fourré la main dans la poche de son pantalon, et faisait sauter en l'air une douzaine de louis. Quel malheur d'avoir pour frère un pareil imbécile ; un ivrogne, un traître, un vendu, qui s'en vante !

Finalement, le père Chauvel, qui voyait mon embarras et ma honte, dit :

– Nicolas arrive bien, c'est l'heure du souper, nous allons boire à la santé de la république quelques bons coups, et puis nous nous quitterons bons amis. N'est-ce pas, Nicolas ?

Marguerite, toute rouge, revenait avec la soupière ; Étienne s'était dépêché de chercher du vin ; la table était mise, il ne fallait plus qu'une assiette. Nicolas regardait ces choses de côté, d'un air hautain, et, sans répondre au père Chauvel, il dit :

– Une soupe aux choux... du petit vin blanc d'Alsace... décidément je vais à *la Ville de Bâle.*

Il se leva, et, se retournant du côté de mon beau-père :

– Quant à toi, dit-il, tu es noté ! Boire à ta république ! (Il le regardait de haut en bas et de bas en haut.) Moi, Nicolas Bastien, un soldat du roi, boire à ta république !... Attends, ta corde est prête !

Chauvel, assis, lui lançait un coup d'œil de mépris en souriant ; mais il était vieux et faible ; le grand bandit l'aurait écrasé. La colère alors me gagnait tellement vite, que je voulus parler et ne pus dire qu'un mot :

– Prends garde ! Nicolas, prends garde !... c'est mon père !...

– Toi, fit-il en me regardant par-dessus l'épaule, tais-toi !... Quand on a épousé la fille d'un calviniste, d'un régicide, une petite...

Mais dans le même instant je l'avais empoigné sous les bras, comme dans un étau, je traversais la boutique en le cognant aux pains de sucre du plafond ; et, comme la porte était ouverte, je le lançai dehors à plus de dix pas ; par bonheur, la rue n'était pas encore pavée en 97 ; il ne se serait plus relevé. Ses cris, ses juruments fendaient l'air. Derrière moi Étienne et Marguerite poussaient aussi des cris terribles. Tous les gens de la petite place regardaient aux fenêtres. Nicolas, en se relevant tout pâle et grinçant des dents, revint sur moi. Je l'attendais ; malgré sa fureur, il eut le bon sens de s'arrêter à quelques pas, voyant bien que j'allais le déchirer ; mais il me cria :

– Tu as été soldat, je t'attends derrière l'arsenal.

– C'est bon, Royal-Allemand, lui répondis-je, mon sabre de la 13ᵉ légère est encore là ; cherche tes témoins, dans vingt minutes j'y serai. Tu ne me piqueras pas sous le téton, je connais le coup !

Étienne m'apportait le grand chapeau, en pleurant à chaudes larmes ; je le jetai dehors et je refermai la boutique. Marguerite, toute pâle, disait :

– Tu ne te battras pas avec ton frère !

– Celui qui insulte ma femme n'est plus rien pour moi, lui dis-je ; dans vingt minutes il faut que l'affaire soit vidée.

Et, malgré Chauvel, qui me cria qu'on ne croise pas le fer avec un traître, je décrochai mon sabre et je sortis aussitôt chercher Laurent et Pierre Hildebrand pour témoins. La nuit approchait ; comme je descendais la rue, Chauvel montait à la mairie. Un quart d'heure après, mes témoins et moi nous descendions la rue du Rempart ; ils avaient aussi des sabres de cavalerie, en cas de besoin. Mais à peine dans la rue de l'Arsenal, nous entendîmes crier au loin :

– Halte !... halte !... Arrêtez !...

Nicolas passait ventre à terre devant la sentinelle, sur un grand cheval roux ; le factionnaire n'avait pas eu le temps de croiser la baïonnette, et les cris : « Arrêtez ! arrêtez ! » se prolongeaient sous la porte d'Allemagne. Nous courûmes de ce côté ; des gendarmes nationaux, venus de Sarrebourg, filaient dans la même direction, à la poursuite du gueux. Alors nous rentrâmes chez nous. Chauvel, qui m'attendait sur la porte, me dit :

– J'étais monté pour signaler ce mauvais drôle aux autorités et le faire arrêter tout de suite ; mais ce n'était pas nécessaire, l'or qu'il montrait partout sur sa route, comme un animal, l'avait déjà fait suivre de Blamont à Sarrebourg. Il vient de voler un des meilleurs chevaux de Franconi pour s'échapper ; la vue des gendarmes, qui traversaient la place, l'a prévenu du danger. Franconi ne le connaissait que depuis Toul, c'est un agent royaliste, un espion.

J'écoutais ces choses avec indignation ; et puis nous entrâmes souper. Marguerite était bien contente ; le père Chauvel à chaque instant prenait une bonne prise et s'écriait :

– Quel agrément d'avoir la poigne de Michel !... A-t-il bien enlevé le bandit ! Je le voyais filer à travers les brosses et les pains de sucre, comme une plume emportée par le vent.

Et tout le monde riait.

L'affaire n'était pourtant pas encore finie, car, le lendemain matin, sur les dix heures, pendant la vente, ma mère entra furieuse ; elle posa son panier sur le comptoir, et, sans faire attention aux étrangers, sans regarder l'enfant sur le bras de Marguerite, les cheveux ébouriffés et les yeux hors de la tête, elle se mit à m'habiller de toutes les injures qu'il est possible d'inventer, me traitant de Caïn, de Judas, de Schinderhannes, me prédisant que je serais pendu, qu'on nous balayerait comme du fumier, enfin qu'est-ce que je sais encore ? Elle se penchait sur le comptoir, en m'allongeant le poing sous le nez ; moi je la regardais avec calme, sans rien répondre, mais les étrangers lui disaient :

– Taisez-vous ! taisez-vous !... Ce que vous faites est abominable... Cet homme ne vous dit rien... Vous devriez rougir... Vous êtes une mauvaise mère !

Et comme sa colère augmentait, elle se mit à taper sur eux. Ces gens naturellement la bousculèrent. Je courus la défendre, ce qui l'indigna encore plus :

– Va-t-en, Judas, va-t'en ! criait-elle, je n'ai pas besoin de toi ; laisse-moi battre ! Va me dénoncer comme ton frère Nicolas !

Sa voix s'étendait jusque sur la place, le monde s'assemblait, et tout à coup la garde arriva. En voyant les grands chapeaux et les fusils dehors, elle perdit la parole. Je sortis prier le chef du piquet de ne pas emmener cette pauvre vieille, à moitié folle, mais il ne voulait rien entendre, et Chauvel n'eut que le temps de la faire sortir par notre petite porte de derrière, sur la rue des Capucins. Le chef du piquet voulait absolument arrêter quelqu'un ; il fallut parlementer un quart d'heure, et finalement verser une bonne goutte à ses hommes, sur le comptoir.

Quel malheur d'avoir des parents sans réflexion ni bon sens ! on a beau dire que chacun n'est responsable que de sa propre conduite, on aimerait mieux aller soi-même en prison, que d'y voir conduire sa mère, quand elle l'aurait cent fois mérité. Oui, c'est une véritable misère ; heureusement ma femme, mon beau-père, ni personne autre de la famille ne me reparla plus de cela. J'étais bien assez à plaindre ; et d'ailleurs, quand on ne peut changer les choses, il vaut mieux les oublier.

C'était la première visite de ma mère, ce fut aussi la dernière ; grâce à Dieu, je n'aurai plus besoin de revenir sur ce chapitre.

Tout cela vous montre où les royalistes croyaient en être, mais ils devaient avoir aussi leur surprise désagréable ; notre tour de rire allait revenir.

De toutes les mesures des Cinq-Cents et des Anciens depuis les nouvelles élections, Chauvel n'approuvait que leur blâme contre le Directoire, pour avoir fait la paix et la guerre sans s'inquiéter de la représentation nationale ; et quand Bonaparte, furieux de ce blâme qui retombait sur lui, écrivit à Paris : « Qu'après avoir conclu cinq paix et donné le dernier coup de massue à la coalition, il se croyait bien le droit de s'attendre, sinon à des triomphes civiques, au moins à vivre tranquille ; que sa réputation appartenait à la patrie ; qu'il ne pouvait supporter cette espèce d'opprobre dont cherchaient à le couvrir des agents soldés par l'Angleterre ; qu'il les avertissait que le temps où de lâches avocats et de misérables bavards faisaient guillotiner des soldats était passé, et que l'armée d'Italie pouvait être bientôt à la barrière de Clichy, avec son général » ; en lisant cela dans *la Sentinelle,* le père Chauvel mit un trait rouge autour de l'article, et l'envoya chez plus de vingt patriotes, en écrivant au-dessous :

« Eh bien ! qu'en pensez-vous ? »

Tous les vieux amis vinrent à la maison, et l'on délibéra dans notre petite bibliothèque sur cette question :

« Lequel vaudrait le mieux : d'aller à Cayenne, si les Cinq-Cents, commandés par leur président Pichegru, rétablissent le roi, les nobles et les évêques ; ou d'être sauvés de ce malheur par Bonaparte et ses quatre-vingt mille soldats, qui ne plaisantent pas sur l'article de la discipline ? »

C'était difficile à décider.

Chauvel dit alors que, d'après son idée, il ne restait qu'un seul moyen de sauver la république ; que si les bourgeois des deux conseils, éclairés par cette lettre, revenaient à la justice, s'ils se déclaraient contre les royalistes et faisaient appel au peuple pour rétablir la liberté ; que dans ce cas le peuple, ayant des chefs, marcherait ; que le Directoire serait forcé de rendre des comptes et les généraux de baisser le ton. Mais que si les bourgeois continuaient à vouloir confisquer la révolution, le peuple n'ayant plus que le choix entre Louis XVIII et un général victorieux, le général avait mille chances contre une de rester le maître et d'avoir le peuple de son côté.

Tous ceux qui se trouvaient là tombèrent d'accord que le Directoire ne valait pas grand-chose ; qu'il était pillard, voleur, affamé de millions, sans pudeur et sans bon sens, sans courage pour résister à ses propres généraux ; mais qu'il valait encore mille fois mieux que les deux conseils, empoisonnés de royalisme ; et que, dans cette situation, s'il arrivait un mouvement, les patriotes devraient se déclarer pour le Directoire.

Les portes de la ville étaient fermées depuis longtemps, lorsque notre petite assemblée se sépara ; je n'en fus pas fâché, car tout le temps de la délibération j'avais eu peur d'entendre frapper au volet, et l'officier de police Maingole, avec sa brigade, crier dans la nuit :

– Au nom de la loi, ouvrez !

Il ne se passa rien de pareil heureusement, et l'on se sépara sans bruit, vers une heure du matin. C'était en juillet 1797. Quelques jours après, on lut un beau matin dans les gazettes que Hoche, général en chef de l'armée de Sambre-et-Meuse, s'avançait sur Paris avec vingt-sept mille hommes ; qu'il avait passé par Mézières dans la nuit du 9 au 10, et qu'il avait traversé le département de la Marne à marches forcées, malgré les observations du général Férino. Les gazettes étaient pleines des grands cris que cela faisait jeter aux royalistes des deux conseils, d'explications qu'ils demandaient au Directoire, de menaces contre les armées et les généraux qui s'approchaient trop de la capitale.

Les Cinq-Cents décrétèrent, sur le rapport de Pichegru, que la distance de six myriamètres prescrites par l'article 69 de la constitution serait mesurée à vol d'oiseau ; que dans la décade qui suivrait la publication de cette loi, le Directoire exécutif ferait établir sur chaque route, à la distance déterminée, une colonne portant cette inscription : « Limite constitutionnelle pour les troupes » ; que sur chacune de ces colonnes serait gravé l'article 69 de la constitution, plus les articles 612, 620, 621, 622 et 639 du Code pénal du 3 brumaire an IV ; que tout commandant en chef de la force armée, toute autorité civile ou militaire, tout *pouvoir constitué quelconque* ayant donné l'ordre à une troupe de franchir ces limites, serait déclaré coupable d'attentat contre la liberté publique, poursuivi et puni conformément à l'article 621 du code des délits et des peines.

Il paraît que ces cris et cette loi effrayèrent le Directoire un instant. Hoche reçut l'ordre de s'éloigner. Il obéit. Mais on avait vu que cinq ou six marches forcées pouvaient mettre le gouvernement sous la main d'un général. Le civisme de Hoche et la faiblesse des directeurs, qui n'avaient pas osé faire leur coup, retardèrent seuls le bouleversement.

En ce temps, l'armée d'Italie, à l'occasion des fêtes du 14 juillet, lança de terribles menaces contre les royalistes. La division d'Augereau se distingua. Augereau, le vainqueur de Castiglione, un enfant du faubourg Antoine, se déclara hardiment pour le Directoire contre les conseils, et le Directoire nomma tout de suite Augereau commandant de la 17e division militaire, où se trouvait compris Paris. Il arriva sur la fin de juillet. On ne parlait plus que d'Augereau, de ses magnifiques habits, brodés d'or jusque sur les bottes, et des aigrettes en diamant de son chapeau. Quelle belle campagne nous avions faite là-bas !

Pichegru, chef de la garde des Cinq-Cents, était alors un pauvre homme auprès d'Augereau, que plusieurs mettaient au-dessus de Bonaparte.

Je ne pense pas que Pichegru se soit fié beaucoup aux colonnes militaires qu'on venait de décréter ; il aurait bien mieux aimé avoir un commandement que de se reposer sur les articles 621 et 639.

Carnot, membre du Directoire, et qu'on avait toujours vu du côté de la loi, s'obstinait à soutenir les conseils avec Barthélémy, contre les trois autres directeurs. Combien de fois les patriotes réunis chez nous, le soir, ont-ils plaint cet honnête homme d'être au milieu de la race des filous, et forcé de prendre parti pour des gens qu'il méprisait, contre d'autres plus méprisables encore ! il aurait dû donner sa démission.

Les choses traînèrent ainsi pendant les mois de juillet et d'août.

Les récoltes de cette année 1797 n'avaient pas été mauvaises ; les vendanges en Alsace approchaient, on pensait que le vin serait de bonne qualité : le calme semblait se rétablir. Je me souviens avoir lu dans ce temps un discours de Bernadotte, envoyé par Bonaparte à Paris, pour offrir au conseil des Cinq-Cents les derniers drapeaux enlevés en Italie ; il s'écriait :

« Dépositaires suprêmes des lois, certains du respect et de l'obéissance constitutionnels à la patrie, continuez d'exciter l'admiration de l'Europe ; comprimez les factions et les factieux ; terminez le grand ouvrage de la paix ; l'humanité la réclame, elle désire qu'il ne soit plus versé de sang. »

Et ce gascon, qui venait de remettre au Directoire des papiers prouvant que les royalistes conspiraient sa perte, continuait de la sorte, disant que nos armées n'avaient pas de plus grand désir que de se dévouer pour les conseils.

Mais, cinq ou six jours après, voilà des files de courriers qui passent à Phalsbourg en criant : « Vive la république ! » et qui jettent des poignées de proclamations sur leur route. Chacun en ramassait et courait à la maison pour les lire. Élof arrive chez nous, criant comme un fou :

– Ils sont à terre !... la république triomphe ! Vive la république une et indivisible !

Il tenait une proclamation et se mit à la lire de sa grande voix, dans notre boutique ; nous, penchés autour, nous écoutions étonnés. Ce n'était plus l'enthousiasme de l'an I ni de l'an II ; on avait vu tant de choses, que rien ne pouvait plus vous toucher ; seulement c'était une surprise ; et Marguerite elle-même, l'enfant endormi sur l'épaule, me regardait en souriant. Chauvel prisait d'un air d'attention et semblait dire :

« C'est bon ! je sais déjà comment l'affaire a dû se passer, les soldats ont eu le dessus. »

Voici cette proclamation, que j'ai retrouvée hier dans mes vieux papiers. Je ne veux pas la copier tout entière ; tant de proclamations finissent par ennuyer, c'est toujours un peu la même chose :

« *Le Directoire exécutif aux citoyens de Paris.*

» Ce 18 fructidor an V de la République une et indivisible. – deux heures du matin.

» Citoyens,

» Le royalisme, par un nouvel attentat, vient de menacer la constitution. Après avoir depuis un an ébranlé toutes les bases de la république, il s'est cru assez fort pour en consommer la ruine. Un grand nombre d'émigrés, d'égorgeurs de Lyon, de brigands de la Vendée, attirés ici par le tendre intérêt qu'on ne craignait pas de leur prodiguer publiquement, ont attaqué les postes qui environnaient le Directoire exécutif ; mais la vigilance du gouvernement et des chefs de la force armée a rendu nuls leurs criminels efforts. Le Directoire exécutif va placer sous les yeux de la nation les renseignements authentiques qu'il a recueillis sur les manœuvres du royalisme. Vous frémirez, citoyens, des complots tramés contre la sûreté de chacun de vous, contre vos propriétés, contre vos droits les plus chers, contre vos possessions les plus sacrées, et vous pourrez mesurer l'étendue des calamités dont le maintien de votre constitution actuelle peut seul vous préserver désormais. »

Cette proclamation et toutes les pièces de la conspiration royaliste furent affichées par Christophe Steinbrenner et les officiers municipaux, à la porte du club, à celle de la mairie, aux deux portes de la ville, et puis elles furent envoyées dans tous les villages.

Ce 18 fructidor, les royalistes tombèrent pour bien des années. Nous apprîmes le lendemain qu'ils n'avaient pas bougé, mais qu'on les avait attaqués eux-mêmes, sachant qu'ils faisaient leurs préparatifs ; que le général Augereau, à la tête de douze mille hommes, avait entouré les Tuileries dans la nuit du 17 ; que, sur les trois heures du matin, un coup de canon avait donné le signal de l'attaque ; que la garde des conseils, d'environ mille hommes, n'avait fait aucune résistance ; que la commission des inspecteurs ayant convoqué les conseils pour cette même nuit, un grand nombre de députés avaient été pris avec le colonel de la garde et conduits à la prison du Temple ; qu'un détachement de troupe, chargé d'arrêter Carnot et Barthélémy au Luxembourg, n'avait trouvé que Barthélémy, et qu'on pensait que Carnot s'était échappé ; que, le matin venu, les membres des deux conseils arrivant en procession aux Tuileries, on avait mis la main sur les conspirateurs ; et que tous les autres représentants, rassemblés à l'École de médecine et à l'Odéon, avaient jugé eux-mêmes leurs confrères et les avaient condamnés, au nombre de cinquante-trois, à la déportation, ainsi que les rédacteurs, propriétaires et compositeurs d'une quantité de journaux réactionnaires, qui tous pêle-mêle étaient maintenant en route pour Cayenne, sur les bâtiments de l'État.

Parmi les déportés se trouvaient Boissy-d'Anglas, Pichegru, Barbé-Marbois, Aubry et plusieurs autres déjà connus par les papiers saisis chez Lemaître, ce qui réjouit tous les patriotes.

Je fus bien content de savoir que le citoyen Carnot s'était échappé. Quant aux autres, si j'avais eu pitié d'eux, les papiers affichés de tous côtés m'auraient bientôt consolé. Dans le temps même où Bernadotte faisait son beau discours aux conseils, le finaud savait très bien qu'un grand nombre de députés royalistes trahissaient la nation, puisqu'il était arrivé tout exprès d'Italie pour remettre au Directoire la preuve de leur conspiration. Bonaparte en occupant Venise, avait fait arrêter d'abord le consul d'Angleterre, et le nommé d'Entraigues, un des plus dangereux agents de Louis XVIII ; et chez ce d'Entraigues on avait saisi des papiers, écrits en entier de sa main, racontant la manière dont Pichegru s'était laissé gagner par un comte de Montgaillard, autre agent royaliste, adroit et rusé comme tous les hommes de cette espèce. Il disait que le prince de Condé, connaissant les relations que Montgaillard conservait en France, l'avait fait venir de Bâle, en Suisse, à Mulheim, au mois d'août 1795, pour lui proposer de sonder Pichegru, dont le quartier général se trouvait alors à Altkirch. C'était une commission d'autant plus difficile que le général avait quatre représentants du peuple autour de lui, chargés de l'observer et de le ramener à la justice, en cas de besoin.

Malgré cela, Montgaillard, ayant mis cinq à six cents louis dans sa poche, n'avait pas désespéré de l'entreprise. Il s'était associé le nommé Fauche-Borel, imprimeur à Neufchâtel, homme fanatique des Bourbons, plein de zèle et d'enthousiasme, et M. Courant, Neufchâtelois autrefois au service du grand Frédéric, et capable de tout faire moyennant finance. Montgaillard leur avait fourni des instructions particulières, des passeports, des prétextes de voyage en France, comme étrangers, négociants, acquéreurs de biens nationaux, etc., et puis, s'en retournant à Bâle, il les avait envoyés à la grâce de Dieu tenter Pichegru, sur lequel il était sans doute déjà bien renseigné.

Tout ce que je peux faire de mieux, c'est de vous copier le reste, car les royalistes n'ont jamais réclamé contre cette pièce, et puis il est bon de voir comme les traîtres se jugent eux-mêmes :

« Le 13 août 1795, dit de Montgaillard, Fauche et Courant partirent pour se rendre au quartier général d'Altkirch ; ils y restèrent huit jours, voyant le général environné de représentants et de généraux, sans pouvoir lui parler. Pourtant Pichegru les remarqua, surtout Fauche ; et, le voyant assidu sur tous les lieux où il passait, il devina que cet homme avait quelque chose à lui dire, et dit tout haut devant lui, en passant : « Je vais me rendre à Huningue. » Aussitôt Fauche part et s'y rend ; Pichegru y était arrivé avec les quatre représentants, Fauche trouva le moyen de se présenter sur son passage, au fond d'un corridor. Pichegru le remarque, le fixe et quoiqu'il plût à torrents, il dit tout haut : « Je vais dîner chez Madame Salomon. » Le château est à trois lieues de Huningue, et cette Madame Salomon est la maîtresse de Pichegru. Fauche part aussitôt, se rend dans le village, monte au château après dîner, et demande le général Pichegru. Celui-ci le reçoit dans un corridor, en prenant du café ; Fauche alors lui dit que, possesseur d'un manuscrit de Jean-Jacques Rousseau, il veut le lui dédier. « Fort bien, dit Pichegru, mais je veux le lire avant, car ce Rousseau a des principes de liberté qui ne sont pas les miens, et où je serais très fâché d'attacher mon nom. – Mais, lui dit Fauche, j'ai autre chose à vous dire. – Et quoi ? Et de la part de qui ? – De la part de M. le prince de Condé. – Taisez-vous, et attendez-moi. » Alors il le conduisit seul dans un cabinet reculé, et là, tête à tête, il lui dit : « Expliquez-vous. Que me veut Mgr le prince de Condé ? » Fauche, embarrassé, et à qui les expressions ne venaient plus en ce moment, babutie, hésite : « Rassurez-vous, lui dit Pichegru, je pense comme M. le Prince de Condé, que veut-il de moi ? » Fauche, encouragé, lui dit alors : « M. le prince de Condé désire se confier à vous ; il compte sur vous ; il veut s'unir à vous. – Ce sont là des choses vagues et inutiles, dit Pichegru, cela ne veut rien dire. Retournez demander des instructions écrites, et revenez dans trois jours à mon quartier général d'Altkirch ; vous me trouverez seul, à six heures précises du soir. » Aussitôt Fauche part, arrive à Bâle, court chez moi et transporté d'aise, me rend compte de tout. Je passai la nuit à rédiger une lettre au général Pichegru. M. le prince de Condé, muni de tous les pouvoirs de Louis XVIII, excepté celui d'accorder des cordons bleus, m'avait, par écrit de sa main, revêtu de tous ses pouvoirs, à l'effet d'entamer une négociation avec le général Pichegru. Ce fut en conséquence que j'écrivis au général. Je lui dis d'abord tout ce qui pouvait réveiller en lui le sentiment du véritable orgueil, qui est l'instinct des grandes âmes, et après lui avoir fait voir tout le bien qu'il pouvait faire, je lui parlai de la reconnaissance du roi, pour le bien qu'il ferait à sa patrie, en y rétablissant la royauté. Je lui dis que Sa Majesté voulait le créer maréchal de France, gouverneur d'Alsace, nul ne pouvant mieux la gouverner que celui qui l'avait si vaillamment défendue ; qu'on lui accorderait le cordon rouge, le château de Chambord, avec son parc et douze pièces de canon enlevées aux Autrichiens, un million d'argent comptant, deux cent mille livres de rente, un hôtel à Paris ; la ville d'Arbois, patrie du général, porterait le nom de Pichegru et serait exempte de tout impôt pendant quinze ans ; la pension de deux cent mille livres, réversible par moitié à sa femme, et cinquante mille livres à ses enfants à perpétuité jusqu'à extinction de sa race.

» Telles furent les offres faites, au nom du roi, au général Pichegru.

» Pour son armée, je lui offris, au nom du roi, la confirmation de tous ses officiers dans leurs grades, un avancement pour tous ceux qu'il recommanderait, pour tout commandant de place qui livrerait sa place, et une exemption d'impôts pour toute ville qui ouvrirait ses portes. Quant au peuple de tout état, amnistie entière et sans réserve.

» J'ajoutai que M. le prince de Condé désirait qu'il proclamât le roi dans ses camps, lui livrât la ville de Huningue et se réunît à lui pour marcher sur Paris.

» Pichegru après avoir lu toute cette lettre avec la plus grande attention, dit à Fauche : « C'est fort bien ! mais qui est ce M. de Montgaillard, qui se dit ainsi autorisé ? Je ne le connais, ni lui, ni sa signature. Est-ce l'auteur ? – Oui, lui dit Fauche. – Mais, dit Pichegru, je désire, avant toute autre ouverture de ma part, être assuré que M. le prince de Condé, dont je me rappelle très bien l'écriture, ait approuvé tout ce qui m'a été écrit en son nom par M. de Montgaillard. Retournez tout de suite auprès de M. de Montgaillard, et qu'il instruise M. le prince de Condé de ma réponse. »

Aussitôt Fauche partit, il laissa M. Courant près de Pichegru, et revint auprès de moi. Arrivé à Bâle à neuf heures du soir, il me rend compte de sa mission. À l'instant je vais à Mulheim, quartier général du prince de Condé, et j'y arrive à minuit et demi ; le prince était couché, je le fais éveiller ; il me fait asseoir tout à côté de lui, sur son lit, et ce fut alors que commença notre conférence. Il s'agissait seulement, après avoir instruit le prince de Condé de l'état des choses, de l'engager à écrire au général Pichegru, pour lui confirmer la vérité de tout ce qui avait été dit en son nom. Cette négociation, si simple dans son objet, si nécessaire, si peu susceptible d'obstacles, dura néanmoins toute la nuit. M. le prince, aussi brave qu'il est possible de l'être, digne fils du grand Condé par son imperturbable intrépidité, sur tout le reste est le plus petit des hommes. Sans moyens comme sans caractère, environné des hommes les plus médiocres, les plus vils, quelques-uns les plus pervers, les connaissant bien et s'en laissant dominer, etc., etc.

Montgaillard s'étend pendant trois grandes pages sur la bassesse, la lâcheté et la bêtise des amis du prince, ensuite il continue :

« Il fallut neuf heures de travail, assis sur son lit, à côté de lui, pour lui faire écrire au général Pichegru une lettre de neuf lignes. Tantôt il ne voulait pas qu'elle fût de sa main, puis il ne voulait pas la dater ; puis il refusait d'y mettre ses armes ; ensuite il combattit pour éviter d'y placer son cachet. Il se rendit à tout enfin, et lui écrivit qu'il devait ajouter pleine confiance aux lettres que le comte de Montgaillard lui avait écrites en son nom et de sa part. Cela fait, autre difficulté : le prince voulait réclamer sa lettre. Il fallut lui persuader que c'était en ne la réclamant pas, qu'elle lui serait rendue, après avoir produit tout l'effet qu'il en devait attendre ; il se rendit avec peine.

» Enfin, à la pointe du jour, je repartis pour Bâle, d'où je dépêchai Fauche à Altkirch, au général Pichegru. Le général, en ouvrant la lettre de huit lignes du prince, en reconnaissant le caractère et la signature, la lut et aussitôt la remit à Fauche en disant : « J'ai vu la signature et cela me suffit. La parole du prince est un gage dont tout Français doit se contenter. Rapportez-lui sa lettre. » Alors il fut question de ce que voulait le prince. Fauche expliqua qu'il désirait : 1° que Pichegru proclamât le roi dans son armée et arborât le drapeau blanc ; 2° qu'il livrât Huningue au prince. – Pichegru s'y refusa. « Je ne fais rien d'incomplet, dit-il ; je ne veux pas être le troisième tome de Lafayette et de Dumouriez ; je connais mes moyens, ils sont aussi sûrs que vastes ; ils ont leurs racines non seulement dans mon armée, mais à Paris, dans la Convention, dans les départements, dans les armées de ceux des généraux, mes collègues, qui pensent comme moi. Je ne veux rien faire de partiel ; il faut en finir, la France ne peut exister en république, il lui faut un roi, il faut Louis XVIII. Mais il ne faut commencer la contre-révolution que lorsqu'on sera sûr de l'opérer sûrement et promptement. Voilà quelle est ma devise. Le plan du prince ne mène à rien, il serait chassé de Huningue en quatre jours, et je me perdrais en quinze. Mon armée est composée de braves gens et de coquins. Il faut séparer les uns des autres, et aider tellement les premiers par une grande démarche, qu'ils n'aient plus la possibilité de reculer et ne voient plus leur salut que dans le succès. Pour y parvenir, j'offre de passer le Rhin, où l'on me désignera, le jour et l'heure fixés, et avec la quantité de soldats de toutes les armes que l'on voudra. Avant, je placerai dans les places fortes des officiers sûrs et pensant comme moi. J'éloignerai les coquins et les placerai dans des lieux où ils ne puissent nuire, et où leur position sera telle qu'ils ne pourront se réunir. Cela fait, dès que je serai de l'autre côté du Rhin, je proclame le roi, j'arbore le drapeau blanc ; le corps de Condé et l'armée de l'Empereur s'unissent à nous ; je repasse le Rhin et rentre en France. Les places fortes sont livrées, et gardées au nom du roi par les troupes impériales. Réuni à l'armée de Condé, je marche sur-le-champ en avant ; tous nos moyens se déploient alors ; nous marchons sur Paris, et nous y serons en quinze jours. Mais il faut que vous sachiez que, pour le soldat français, la royauté est au fond du gosier. Il faut, en criant « Vive le roi ! » lui donner du vin et un écu dans la main. Il faut que rien ne lui manque en ce premier moment. Il faut solder mon armée jusqu'à sa quatrième ou sa cinquième marche sur le territoire français. Allez, rapportez tout cela au prince, écrit de ma main, et donnez-moi ses réponses. »

Je m'arrête, en voilà bien assez sur ce traître. On voit que mon pauvre vieux camarade Sôme s'était trouvé par malheur avec notre batterie, dans le nombre de ceux que Pichegru appelait des coquins et qu'il voulait mettre dans une position à ne pouvoir se réunir. Dix mille avaient péri !... Quelle mine Sôme devait faire, et comme il devait grincer des dents en lisant l'explication de cette scélératesse ! je me le représentais l'affiche à la main, et je me sentais froid ; il s'était bien douté de la trahison, le pauvre diable, en recevant son biscaïen dans la hanche, et voyant tous les amis tomber par tas, sans retraite possible ; oui, mais il en était sûr maintenant.

Dans notre pays où tant de milliers d'hommes étaient venus mourir, on frémissait de rage, et l'on trouvait que la déportation ne suffisait pas pour des brigands pareils ; car ces pièces venues d'Italie n'étaient pas les seules qu'on affichait. D'autres touchant la conspiration de Duverne, Brottier et Lavilleurnois, imprimées par ordre du Directoire, les déclarations de Duverne et les lettres trouvées dans un fourgon du général autrichien Klinglin, au dernier passage du Rhin, imprimées et répandues par milliers, nous apprirent que la conspiration royaliste s'étendait dans toute la France, et que les principaux conspirateurs étaient au Corps législatif.

Barras, Rewbell et Lareveillère furent alors considérés comme les sauveurs de la république. Les déportations, le rétablissement des lois contre les prêtres et les émigrés, l'exclusion de leurs parents de toutes les fonctions publiques, la suspension de la liberté de la presse et de l'organisation de la garde nationale, toutes ces mesures paraissaient malheureusement justes et nécessaires ; même la destitution de Moreau, qui n'avait envoyé les papiers de Klinglin au Directoire que le 22 fructidor. On le soupçonna d'avoir attendu jusqu'après la bataille pour se déclarer du côté des vainqueurs ; Hoche reçut son commandement, il fut général en chef des deux armées du Rhin ; personne n'eut l'idée de réclamer.

Les royalistes, qui depuis le 9 thermidor avaient fait déporter tant de montagnards et de patriotes, ont jeté plus tard de grands cris et poussé des gémissements sans fin sur les souffrances de leurs gens à Sinnamarie, sur la famine, la grande chaleur et les maladies qu'ils avaient supportées à Cayenne. Sans doute c'est terrible, mais il ne faut pas se croire plus délicats ni meilleurs que les autres, et se rappeler que l'Être suprême a créé les grandes mouches qui sucent le sang, aussi bien pour les royalistes que pour les républicains. S'ils avaient aboli la déportation lorsqu'ils étaient les maîtres, on n'aurait pu les envoyer là-bas ; on se serait contenté de les enfermer ou de les exiler. Cela revient toujours à dire : « Ne fais pas aux autres ce que tu ne veux pas qu'on te fasse. »

Enfin, pour en revenir au 18 fructidor, les deux directeurs Carnot et Barthélémy furent remplacés par Merlin (de Douai) et François de

Neuchâteau. Les jacobins croyaient avoir le dessus, mais la bataille recommença bientôt entre eux et les constitutionnels dans les clubs. Ces constitutionnels, qui se disaient républicains, ne voulaient que la constitution de l'an III ; c'étaient des égoïstes que le Directoire soutenait forcément, puisque sans la constitution de l'an III il n'aurait pas existé lui-même.

Les vrais républicains prirent alors le Directoire en grippe, malgré tout ce qu'il faisait pour exterminer les royalistes ; malgré les commissions militaires, qui fusillaient les émigrés en retard, et les déportations des insermentés, qui marchaient toujours. Le bruit courait qu'il voulait dissoudre les deux conseils jusqu'à la paix générale et rester maître en attendant. On n'osait rien dire, parce que le Directoire avait le bras long ; Chauvel lui-même se montrait prudent ; il lisait tout et se tenait tranquille. Je pensais qu'il devenait raisonnable, cela me faisait plaisir ; mais j'étais bien loin de mon compte, car Chauvel avait en horreur le Directoire plus que tout autre gouvernement, à cause du pouvoir qu'il s'était fait donner de nommer et renouveler les juges, les maires, les magistrats de toutes sortes des cinquante-trois départements dont une partie des députés avait été déportée ; de supprimer les journaux, de dissoudre les clubs, d'ajourner l'organisation de la garde nationale et de proclamer l'état de siège. Un soir il me le dit en s'écriant :

– Qu'est-ce que nous sommes avec un gouvernement de ce genre ? Qu'est-ce qui reste à la nation ? Quand les cinq directeurs seraient tous des Danton ; quand ils auraient tout le bon sens, tout le courage et le patriotisme qui leur manquent, avec un pouvoir pareil je les regarderais comme des fléaux. Ce sont de véritables despotes !... C'est leur bêtise et leur lâcheté qui nous sauvent. Mais qu'un général les mette à la porte et prenne tranquillement leur place, sans presque rien changer à leur pouvoir, et nous voilà tous esclaves. Dans ce moment même il faut déjà nous taire, parce qu'au moindre signe de ces citoyens nous serions empoignés, jugés, embarqués et confisqués pour toujours. Où sont nos garanties ? je n'en vois pas ; ils ont le pouvoir exécutif, et les deux conseils n'ont que la permission de faire des vœux, comme sous Louis XVI les assemblées provinciales.

Ce qui surtout indignait Chauvel, c'était la lâcheté de ce Directoire vis-à-vis du général Bonaparte, dont il n'osait pas accepter la démission et qu'il aimait mieux voir en Italie, faire, défaire, agrandir, séparer, réunir un tas de petites républiques, que de l'appeler à Paris pour rendre ses comptes. Depuis les préliminaires de Léoben, toutes les gazettes étaient pleines de Bonaparte : « Proclamation de Bonaparte, général en chef de l'armée d'Italie, aux citoyens de la 8e division militaire. » – « Bonaparte, au quartier général de Passeriano. » – « Admission auprès du Saint-Siège de Joseph Bonaparte, ministre de la république française. » – « Détails de la réception par le pape de l'ambassadeur français Joseph Bonaparte. » – « Le général Bonaparte a procédé à l'organisation du territoire de la république cisalpine. » – « Le général Bonaparte a fait ci, le général Bonaparte a fait ça ! »

On aurait dit que les Bonaparte étaient toute la France. La mort de Hoche ; la nomination d'Augereau à sa place ; la rupture des négociations avec l'Angleterre, qui voulait bien la paix, mais en gardant nos colonies, les embarras du Directoire, les disputes des conseils, tout passait en seconde ligne : Bonaparte remplissait les gazettes !... Celui-là pouvait se vanter de connaître l'effet des petites affiches ! Avec sa seule campagne d'Italie, il faisait plus de bruit que nos autres généraux ensemble, avec leurs campagnes du Nord et du Midi, d'Allemagne, de Champagne, de Vendée, de Hollande, depuis le commencement de la révolution. On ne parlait plus que de la paix qu'allait faire le général Bonaparte, du marquis de Gallo, chevalier de l'ordre de Saint-Janvier, de Louis de Gobentzel, comte du Saint-Empire romain, du sieur Ignace, baron de Dégelmann, et d'autres plénipotentiaires chargés de traiter avec le général Bonaparte.

Naturellement, après tant de batailles, tant de souffrances et de misères, tout le monde désirait la paix ; paysans, ouvriers, bourgeois, tous souhaitaient de vivre tranquillement avec leurs femmes et leurs enfants, de travailler, de semer, de récolter, d'acheter et de vendre, sans avoir à craindre le retour des Autrichiens, des Vendéens, des Anglais, des Espagnols : c'est vrai ! Mais en lisant ce qu'on a raconté depuis, on croirait que Bonaparte en était cause, qu'il avait mis l'amour de la paix dans le cœur des gens ; cela n'a pas le sens commun. Bonaparte n'aurait jamais existé, que la nation n'aurait pas moins désiré la paix ; elle ne l'aurait pas moins obtenue, car nous avions ravagé, massacré, brûlé les autres, beaucoup plus qu'ils ne nous avaient brûlés, massacrés et ravagés. Tout le monde en avait assez ; et si les peuples avaient pu faire la paix sans s'inquiéter des rois, des princes et des directeurs, la paix se serait faite d'elle-même.

Enfin ce fameux traité entre la république et l'Empereur, roi de Hongrie et de Bohême, arriva. Pour conserver la rive gauche du Rhin, que nous avions gagnée avant Bonaparte et que nous occupions, le général Bonaparte donnait à Sa Majesté l'Empereur d'Autriche, roi de Bohême et de Hongrie, en toute propriété et souveraineté, l'Istrie, la Dalmatie, le Frioul, les îles ci-devant vénitiennes de l'Adriatique, la ville de Venise, les lagunes, enfin toute cette république de Venise, qui n'était pas à nous. Les Autrichiens, séparés de la Belgique par cent lieues de pays, devaient être contents ; ce n'était pas la peine de tant glorifier ce traité, l'Autriche aurait accepté le marché même avant la guerre d'Italie et toutes ses batailles perdues.

Voilà ce qu'on trouve admirable !

Le roi de Bohême et de Hongrie nous cédait aussi les îles Ioniennes, que nous avions.

Il faut que les peuples soient plus bornés que le dernier des paysans, car on ne regarde pas comme de grands malins ceux qui se ruinent en procès avant de s'entendre. Les avocats s'enrichissent avec les imbéciles, et les généraux avec les peuples stupides. Ce fameux traité de Campo-Formio est pourtant le fondement de la gloire de Bonaparte.

Ce que je vous dis, tous les hommes de bon sens le pensaient et se le disaient entre eux ; mais le peuple, la masse qui ne sait rien et ne comprend rien, était dans l'enthousiasme ; elle donnait toute la gloire de cette paix à Bonaparte ; elle ne se rappelait plus combien de fois nous avions battu les Allemands depuis quatre ans ; Bonaparte avait tout fait !... comme lorsqu'on charge une balance à la halle, et que le dernier sac, sur vingt autres finit par entraîner le plateau, tout le reste ne compte plus ; les êtres sans raison se figurent que ce dernier sac emporte tout. Voilà le peuple !... voilà l'ignorance !

Maintenant vous allez voir le reste, car ce n'est jamais fini, le reste arrive toujours.

Alors on voyait dans les gazettes des articles comme ceux-ci : « Milan, le 26 brumaire. – Le général Bonaparte a quitté Milan hier matin, pour aller présider la légation française au congrès de

Rastadt. » – « Mantoue, 6 novembre. – Le passage du général Bonaparte dans cette ville a été marqué par des circonstances qui méritent d'être connues. Il fut logé au palais des anciens ducs. Les administrateurs et les municipaux en grand costume allèrent le complimenter. » Ou bien encore : « Le voyage du général Bonaparte à travers la Suisse a été un grand événement dans ce pays, où depuis longtemps on est dans une grande inquiétude sur des menaces d'invasion. Bonaparte, par les dispositions amicales qu'il a montrées aux députés de Berne, paraît avoir rassuré nos populations. On a confiance dans sa franchise et sa générosité. » – « Bonaparte a passé à Genève le 21 et a dîné chez le résident de France. Depuis plusieurs jours, on l'attendait sur toutes les routes ; enfin ses courriers ont annoncé son arrivée. » – « La voiture du général Bonaparte s'est cassée ce matin près d'Avenche ; il est descendu, et nous l'avons vu arriver à pied, avec quelques officiers et une escorte de dragons. Il s'est arrêté près de l'ossuaire. Un bon bourgeois de Morat, de cinq pieds sept à huit pouces, observait avec étonnement le général. « Voilà une bien petite stature pour un si grand homme ! s'écria-t-il. » – « C'est justement la taille d'Alexandre », dis-je, ce qui fit sourire l'aide de camp. – « Les mêmes honneurs ont été rendus à Bonaparte dans toute la Suisse ; Lausanne était illuminée à son arrivée. » – « Bonaparte a dîné le 2 frimaire dans le petit bourg de Rolle. Les canons des remparts ont annoncé son entrée à Bâle. Aussitôt la forteresse de Huningue et les redoutes environnantes ont répété les mêmes signaux, etc., etc. »

À Paris, aux Cinq-Cents, c'était encore autre chose ; là, l'enthousiasme faisait ouvrir la bouche des admirateurs de Bonaparte jusqu'aux oreilles : « Enfin, nous l'avons donc conquise cette paix que nous voulions honorable et sûre ; elle va rouvrir les sources et les canaux de la prospérité publique ; elle va rendre à l'arbre de la liberté des sucs nourriciers qui le chargeront des fruits les plus doux ; elle va fermer les plaies que les longs désastres de la guerre répandent sur le corps politique ; enfin nous pourrons soulager l'indigent, protéger les arts et l'industrie, donner au commerce un plus libre essor ; enfin les créanciers de l'État, sur l'infortune desquels nous avons souvent répandu des larmes, ne seront plus les premiers orphelins de la patrie. »

Qu'est-ce que je peux dire encore ? On se précipitait sous les pieds de ce soldat ; en vous marchant sur le dos, il aurait eu l'air de vous faire beaucoup d'honneur. La bassesse des gens est quelque chose d'incroyable ; et si des héros comme Bonaparte finissent par considérer les hommes comme des animaux de boucherie, il ne faut pas s'en étonner ; eux-mêmes en sont cause : ceux qui ne se respectent pas, ne méritent que le mépris.

Il paraît que tous ces honneurs, que Chauvel appelait des platitudes, finirent par lasser Bonaparte lui-même ; car au moment où toute l'Alsace lui dressait des arcs de triomphe, depuis Huningue jusqu'à Saverne, et que dans nos environs ceux de Mittelbronn, de Saint-Jean-des-Choux, des Quatre-Vents, des Baraques d'en haut et d'en bas arrivaient avec des branches de sapin, seule verdure qu'il fût possible de trouver en ces temps de neige, les gazettes nous apprirent que le général Bonaparte, après avoir vu son grand oncle maternel, M. Jarche, l'embrasser dans la grande salle où les états de Bâle lui donnaient un repas magnifique, était reparti tout de suite au bruit des canons qui tonnaient sur les remparts ; qu'il avait pris sa route sur la rive droite, et devait être présentement à Rastadt, ville murée du grand-duché de Bade, où se tenait le congrès pour la pacification générale. L'arc de triomphe était déjà dressé sur la place de Phalsbourg ; les gens s'en allaient désolés à travers la pluie et la boue.

Maître Jean, mon père, Létumier, trempés comme des canards, vinrent se sécher dans notre bibliothèque. Ils n'osaient pas se plaindre. Maître Jean disait qu'après le congrès, Bonaparte passerait sans doute par la ville, qu'on le verrait alors et que les poutres peintes de l'arc de triomphe pourraient encore servir.

Marguerite était allée chercher une bouteille de vin, des verres, des pommes et une corbeille de noix qu'elle posa sur la table. Et pendant qu'on se réchauffait, en croquant des noix, d'autres patriotes, Élof Collin, Raphaël Manque, Denis Thévenot, arrivèrent ; ils se désolaient tous, surtout Élof qui devait prononcer un magnifique discours au citoyen Bonaparte. Chauvel, la tête penchée, derrière le fourneau, les écoutait et tout à coup il se mit à rire haut d'une façon qui nous étonna.

– Vous riez, Chauvel ? lui dit maître Jean.

– Oui, fit-il, je ris en me représentant le citoyen Bonaparte dans sa voiture d'ambassadeur, rembourrée de soie et de velours, qui file au triple galop sur Rastadt, et se dit en prenant une bonne prise :

« Ça marche !... Jacobins, royalistes, constitutionnels, tout ce tas d'imbéciles, que deux ou trois finauds conduisent par le nez, sont dans le sac. Voilà trois ans, à Oneille, Orméa et Saorgio, quand je faisais le pied de grue matin et soir à la porte du représentant Augustin-Bon-Joseph Robespierre, et que je cultivais les droits de l'homme, qui jamais aurait pu me prédire cette aventure ? Avant vendémiaire, Bonaparte, il te fallait encore plier l'échine à la porte du citoyen Barras, pour obtenir audience. Le directeur te recevait bien ou mal, selon qu'il avait bien ou mal dîné. Les domestiques, en te voyant revenir à la charge, souriaient derrière toi ; ils se faisaient signe du coin de l'œil : « C'est lui... c'est encore lui ! » et tu te disais : « Courage, Bonaparte, courage, il le faut, plie le dos devant le roi des pourris ; humilie ta fierté, Corse, c'est le chemin de la fortune ! » Et te voilà sur la route de Rastadt, les courriers en avant, les victoires derrière, tes bulletins en éclaireurs. Jacobins, constitutionnels et royalistes chantent tes louanges ; c'est de toi qu'ils attendent, les uns leur liberté, les autres leur roi, les autres leur constitution. »

Chauvel se mit alors à rire plus fort ; et comme Élof Collin criait que Bonaparte était un vrai Jacobin, que toutes ses proclamations prouvaient qu'il était Jacobin, qu'on ne devait pas accuser les gens sans preuves, Chauvel, dont les yeux lançaient des éclairs, lui répondit :

– La preuve, c'est l'insolence de cet homme après son humilité ; depuis ses victoires d'Italie, dont chaque escarmouche était chantée comme une bataille, il n'a pas cessé de parler haut, d'offrir sa démission quand on lui faisait la moindre observation, de défendre la parole à ses adversaires et de les menacer jusqu'à Paris ; de s'attribuer tous les succès du dedans et du dehors et d'abuser d'une façon honteuse de la lâcheté des directeurs, de leurs vices, et de leur bassesse. Ce qu'on n'avait jamais vu nulle part, il les a gagnés en leur envoyant de l'argent ; dans chacune de ses lettres il n'est question que des millions qu'il va prendre ici et là ! Est-ce que notre république, avant lui, s'était salie de cette manière ? Est-ce que nous n'avons pas coupé le cou à Custine, pour avoir rançonné le Palatinat ? Faisions-nous la guerre pour dépouiller les peuples de leur argent, de leurs meubles et de tout ce qu'ils tiennent à garder comme un souvenir de leur ancienne force et de leur liberté ? Quelle meilleure preuve peut-on avoir du caractère de ce général, que sa conduite ? Quel autre aurait livré des populations entières au pillage, comme il l'a fait à Pavie, à Vérone ? N'est-ce pas une tache éternelle pour la France ? Et ces soldats qui vont revenir, comment pourront-ils comprendre à l'avenir le respect de la famille, des personnes et des propriétés, eux qui, dès leurs premiers pas, ont entendu leur général s'écrier : « Je vous conduis dans les plus fertiles plaines du monde ; vous y trouverez honneur, gloire et *richesse !* » Non ! ce n'est pas ainsi que notre république s'est d'abord montrée aux peuples ; c'était pour leur donner des droits et non pour voler leurs biens. Nous avons fait en Italie une guerre de pillards ; et, je le dis avec chagrin, les pillards de là-bas et leur chef viennent nous appliquer à nous ce qu'ils ont appris en Italie : le mépris du genre humain. La foule qui se précipite sous les pieds de ce héros, lui ôte le reste de respect qu'il pourrait encore avoir pour les peuples. Après les millions d'Italie, il va nous en falloir d'autres. Au lieu de chercher ces millions dans le travail et l'économie, nous allons les demander à la guerre de rapine. Alors Bonaparte sera le maître ; il nous aura bien achetés, avec tous les trésors enlevés à l'Europe ; nous serons bien à lui. Qui pourra réclamer ? »

L'indignation de Chauvel éclatait comme des coups de trompette. Les gens dans la boutique écoutaient ; on devait l'entendre jusque dans la rue. Il était déjà dangereux en ce moment d'attaquer Bonaparte ; notre lâche Directoire, qui lui cédait toujours, n'avait rien à lui refuser, il aurait fait arrêter le premier venu. Les patriotes qui se trouvaient là s'en allaient l'un après l'autre ; les derniers furent bien contents de voir arriver notre souper.

– Allons, s'écria maître Jean, bon appétit ; il se fait tard, on m'attend aux Baraques.

Ils partirent, et Chauvel tout sombre dit :

– Asseyons-nous et mangeons.

Plus une parole de politique ne fut prononcée ce soir-là ; mais ces choses me sont restées ; elles montrent que Chauvel avait bien connu Bonaparte, qu'il l'avait deviné depuis longtemps ; et ce qui ne tarda pas d'arriver, prouva clairement à tout le monde qu'il ne s'était pas trompé.

XI

Quelques jours après on sut que Bonaparte avait quitté le congrès de Rastadt, où les plénipotentiaires ne pouvaient s'entendre sur rien, et qu'il était à Paris. On voyait à la tête de tous les journaux :

« République française, 16 frimaire.

» Le général Bonaparte est arrivé à Paris, sur les cinq heures du soir. Il recevra son audience solennelle du Directoire exécutif, décadi prochain, dans la cour du Luxembourg, que l'on décore à cet effet. Il y aura un repas de quatre-vingts couverts, etc. »

Et puis le lendemain :

« Le général est descendu et loge dans la maison de son épouse, rue Chantereine, Chaussée d'Antin. Cette maison est simple, petite et sans luxe. »

Et puis :

« Les administrateurs du département de la Seine ayant annoncé l'intention d'aller voir le général Bonaparte, il s'est rendu lui-même au département, accompagné du général Berthier. L'ex-conventionnel Mathieu l'a salué ; le général a répondu avec modestie et dignité.

» Le tribunal de cassation a député plusieurs de ses membres auprès de Bonaparte ; ils ont été accueillis avec égards.

» Le juge de paix de l'arrondissement est allé présenter ses compliments au général Bonaparte ; le général lui a rendu sa visite.

» Bonaparte sort rarement, et dans une simple voiture à deux chevaux. »

Ainsi de suite.

Un jour, on voyait que Bonaparte avait dîné chez François de Neufchâteau ; qu'il avait étonné tout le monde en parlant de mathématiques avec Lagrange et Laplace, de métaphysique avec Sieyès, de poésie avec Chénier, de politique avec Galois, de législation et de droit public avec Daunou ; que c'était merveilleux, qu'il en savait plus qu'eux tous ensemble.

Le lendemain, Bonaparte avait rendu sa visite au tribunal de cassation. Il était arrivé à onze heures, avec un seul aide de camp. Tous les juges réunis, en costume, l'avaient reçu dans la chambre du conseil. Il en savait aussi plus qu'eux tous sur les lois.

Après cela venait la grande réception du Luxembourg. Les coups de canon ouvraient la fête. Le cortège des commissaires de police, des tribunaux de paix, des douze administrations municipales, de l'administration centrale du département et de cinquante autres administrations, se mettait en route pour aller le prendre et l'escorter : commissaires de la trésorerie, commissaires de la comptabilité, tribunaux criminels, institut national des sciences et des arts, états-majors, qu'est-ce que je sais encore ? La musique exécutait les airs de la république.

Et puis la peinture du cortège en marche, de sa route, de son arrivée, de l'autel en demi-cercle sur un vaste amphithéâtre, des drapeaux et des trophées, des cris d'enthousiasme ; le discours du ministre des relations extérieures Talleyrand-Périgord, le ci-devant évêque d'Autun, membre de la Constituante, qui, dans le temps, avait dit la messe au Champ de Mars et sacré les évêques assermentés, malgré le pape ; enfin un vrai farceur ! Ensuite le discours de Barras, qui parlait de Caton, de Socrate et d'autres anciens patriotes qui lui servaient de modèles ; la réponse de Bonaparte, les chants guerriers, etc., etc.

Pauvres diables de Mayençais ! pauvres généraux des armées du Nord, de Sambre-et-Meuse, de Rhin-et-Moselle, des Pyrénées, de la Vendée, de partout, quelle quantité de combats, de batailles vous aviez livrés en 92, 93, 94, 95, dans des occasions terriblement plus graves, plus dangereuses que celles d'Italie ! C'était vous pourtant, oui, c'était nous tous qui pouvions nous glorifier d'avoir vingt fois sauvé la patrie, et de l'avoir sauvée au milieu des plus grandes souffrances, sans habits, sans souliers, presque sans pain... Et pas un seul d'entre nous, pas un seul de nos chefs, si braves, si fermes, si honnêtes, n'avait reçu la millième partie des honneurs de Bonaparte. Le pays n'avait plus d'enthousiasme et de génuflexions que pour cet homme. Ah ! ce n'est pas tout de remplir son devoir, la grande affaire c'est de crier et de faire crier par cent gazettes : « J'ai fait ci ! J'ai dit ça ! Je suis un tel ! J'ai du génie ! J'envoie des drapeaux, des millions, des tableaux. » Et de dresser la liste de ce qu'on envoie, des canons, des trophées ; de répéter à ses soldats : « Vous êtes les premiers soldats du monde ! » Ce qui fait penser aux gens : « Et lui le premier général ! » Ah ! la comédie, la grosse caisse, le fifre, les galons, les plumets, quelle belle chose pour entortiller les Français !

Chauvel avait bien raison de dire en lisant tout cela :

– Pauvre, pauvre peuple ! Le plus courageux et le plus dévoué de tous à la justice, eh bien, quand on joue la comédie devant lui, la tête lui tourne ; il n'a plus de bon sens, il ne voit plus où l'on veut le mener. Robespierre avec son air sombre et ses grands mots de vertu, et celui-ci avec sa gloire, sont les deux plus grands comédiens que j'aie rencontrés. Dieu veuille que la comédie ne nous coûte pas trop cher !

Chauvel comptait sur Kléber, sur Augereau, sur Bernadotte et Jourdan pour sauver la république. La mort de Hoche le désolait, souvent il répétait ces belles paroles du pacificateur de la Vendée à ses troupes :

« Amis, vous ne devez pas encore vous dessaisir de ces armes terribles, avec lesquelles vous avez tant de fois fixé la victoire. De perfides ennemis, sans songer à vous, méditent de rendre la France à l'esclavage dont vous l'avez affranchie pour toujours. Le fanatisme, l'intrigue, la corruption, le désordre dans les finances, l'avilissement des institutions républicaines et des hommes qui ont rendu de grands services, voilà les armes qu'ils emploient pour arriver à une dissolution sociale, qu'ils disent être l'effet des circonstances. Nous leur opposerons la loyauté, le courage, le désintéressement, l'amour des vertus dont ils ne connaissent que le nom, et ils seront vaincus ! »

Oui, mais à cette heure, Hoche dormait à côté de son ami Marceau, dans un petit fort près de Coblentz, et le désintéressement, l'amour de la vertu, la loyauté ne réveillent pas les morts.

Enfin ceux d'Italie eurent tous les honneurs et les profits de notre révolution. Cette paix, que la nation estimait si haut, venait de nos campagnes du Rhin, bien plus que de celles d'Italie, et le peuple en donnait toute la gloire à Bonaparte. Il a payé cher son injustice !

C'est au milieu de ces histoires de fêtes, de dîners et de glorification d'un seul homme, que se passa l'hiver. Augereau, bien ennuyé de voir qu'on le mettait dans l'ombre, cria tant qu'on lui retira le commandement de l'armée d'Allemagne, pour l'envoyer commander à Perpignan. Berthier reçut le commandement de l'armée d'Italie, et Bonaparte se fit nommer membre de l'Institut à la place de Carnot, son ancien ami, celui qui deux ans avant avait approuvé ses plans de campagne, lorsqu'il n'était rien et qu'il frappait à la porte de tous ceux qui pouvaient l'aider à devenir quelque chose.

On parlait alors d'une grande expédition en Angleterre, que Bonaparte devait commander en chef. Mais pour faire cette expédition, pour équiper les vaisseaux, réunir les munitions, il fallait beaucoup d'argent ; le bruit courait que ceux de Berne, en Suisse, avaient un gros trésor ; on les appelait « Les messieurs de Berne. » Ces messieurs ne nous avaient pas fait de mal, seulement les citoyens du canton de Vaud se plaignaient d'être sous leur domination, de cultiver leurs terres et de leur payer des impôts.

Ces citoyens du canton de Vaud pouvaient avoir raison, mais leurs affaires ne nous regardaient pas, et sans le gros trésor des messieurs de Berne, je crois aussi que le Directoire ne s'en serait jamais mêlé. Malheureusement il fallait de l'argent pour l'expédition d'Angleterre, le trésor de ces messieurs donnait dans l'œil de Barras, de Rewbell et des autres directeurs, les millions d'Italie leur avaient ouvert l'appétit : c'était grave.

Dans ce mois de janvier, la 75ᵉ demi-brigade, sous les ordres du général Rampon, traversa le lac de Genève, pour s'établir à Lausanne ; le général Ménard la suivit avec toute une division, et les gazettes nous apprirent aussitôt que ses proclamations produisaient un bon effet :

« Braves soldats, la liberté, dont vous êtes les apôtres, vous appelle dans le pays de Vaud. La république française veut que le peuple vaudois, qui a secoué le joug de ses oppresseurs, soit libre, etc. »

Toute la Suisse fut en l'air. Les messieurs de Berne, de Fribourg, de Soleure, qui se doutaient bien qu'on en voulait à leurs écus, au lieu de renoncer à de vieux privilèges sur d'autres cantons, firent marcher des troupes contre nous. Ceux de Bâle, de Lucerne, de Zurich eurent plus de bon sens ; ils accordèrent à leurs sujets tous les droits qu'ils demandaient. Mais cela ne faisait pas le compte du Directoire ; on voulait soi-disant à Paris, une république comme la nôtre, une et indivisible, sans cantons séparés. Le général Brune, connu par ses actions d'éclat en Italie, remplaça Ménard au commandement, et se mit à marcher. Alors tous les cantons, excepté celui de Bâle, se réunirent pour arrêter notre invasion. Les commissaires du Directoire, les *réquisitionneurs*, les fournisseurs, passaient à la file chez nous, avec des troupes en masse. Cela donnait au pays un mouvement extraordinaire, le commerce n'avait jamais si bien été. Les Suisses se défendaient comme de véritables enragés, surtout les insurgés des petits cantons, tous fameux tireurs et connaissant leur pays à fond. Mais on entrait chez eux de deux côtés à la fois, par Bâle et Genève, et tous les jours le trésor était en plus grand danger.

Je ne peux pas vous raconter les mille nouvelles de rencontres, d'escarmouches, de surprises dans les défilés, qui nous venaient jour par jour de là-bas. Le général Nicolas Jordy, notre ancien commandant à Mayence, fit plusieurs beaux coups de filet ; il enleva des canons, des drapeaux, des masses de prisonniers.

Malgré l'injustice abominable de cette guerre, j'apprenais toujours avec plaisir que nos anciens se distinguaient.

Finalement Soleure et puis Berne capitulèrent, le Directoire eut ce qu'il voulait : des convois sans fin roulaient sur la route de Paris. On amena même les ours de Berne, et c'est depuis ce temps que l'on parle de l'ours Martin du jardin des plantes ; toute sa famille d'ours passa chez nous dans cinq caisses, avec des quantités de voitures chargées d'autres caisses, qui ne contenaient pas des ours, je pense. On disait que c'était le citoyen Rapinat, beau-frère de notre directeur Rewbell, qui les expédiait.

Ces choses se passaient en février et mars 1798.

Nous avions appris quelque temps avant l'assassinat du général Duphot à Rome, aux environs du palais de notre ambassadeur, Joseph Bonaparte. Le pape avait aussi de l'argent ! Berthier marcha sur Rome ; on comprit que l'expédition d'Angleterre n'allait plus manquer de rien, que la flotte serait magnifique, et que les troupes auraient de tout en abondance.

Mais ce que je ne veux pas oublier, c'est la grande joie que j'eus en ce temps de revoir ma sœur Lisbeth et son petit Cassius. Marescot était alors capitaine dans la 51e demi-brigade, où l'ancienne 13e légère avait été fondue le 11 prairial an IV. Il se trouvait encore en Italie quand, un bataillon de la 51e ayant été détaché à l'armée de Batavie, Lisbeth profita de l'occasion pour venir nous montrer ses lauriers.

Un matin que je garnissais ma devanture de brosses, de faux, de gros rouleaux de molleton et de flanelle, car alors, outre les articles de mercerie et d'épicerie, nous commencions à tenir aussi les étoffes, pendant que j'étais à cet ouvrage, regardant par hasard du côté de la place, je vis une grande dame, toute chamarrée de breloques et couverte de falbalas, qui descendait la rue du Cœur-Rouge, un petit garçon habillé en hussard à la main. Bien des gens regardaient aux fenêtres, et je me demandais qui pouvait être cette grande dame, avec ses boucles d'oreilles en anneaux et ses chaînes d'or ; il me semblait que je l'avais déjà vue. Elle arrivait ainsi, se balançant et faisant des grâces ; et tout à coup, au coin de la halle, elle se mit à courir, allongeant ses grandes jambes et criant :

– Michel, c'est moi !

Alors me rappelant Mayence, la retraite d'Entrames et le reste, je fus tout secoué. Lisbeth était déjà dans mes bras, et je ne pouvais rien dire, à force d'étonnement ; jamais l'idée ne me serait venue que j'aimais autant Lisbeth et son petit Cassius.

Marguerite venait de sortir et puis le père Chauvel. Lisbeth disait à Cassius :

– Embrasse-le, c'est ton oncle !... Ah ! Michel, te rappelles-tu le jour du bombardement ? il n'était pas si gros, n'est-ce pas ? Et à la retraite de Laval !

Elle embrassa Marguerite, et puis en riant le père Chauvel, qui paraissait de bonne humeur. Le petit, tout crépu comme son père, me regardait avec de bons yeux, son petit bras sur mon épaule. Nous traversâmes la boutique, riant et criant comme des bienheureux. Une fois dans la bibliothèque, Lisbeth, que son grand châle et son chapeau gênaient, les jeta sur une chaise et se mit à rire en disant :

– Toutes ces fanfreluches-là, voyez-vous, je m'en moque ! J'en ai cinq grandes caisses à l'auberge de Bâle ; des bagues, des chaînes, des boucles d'oreilles ! j'ai tout apporté, pour faire enrager les dames d'ici. Mais pour mon compte je m'en moque pas mal ; un bon mouchoir autour de la tête, une bonne jupe chaude, c'est tout ce qu'il me faut en hiver. Ah ! par exemple, il me faut mon petit verre d'eau-de-vie.

Et voyant arriver Étienne, qui travaillait derrière, au magasin, elle se remit à crier et à s'attendrir. Enfin c'était une bonne créature, je le vis bien alors, et je fus content de reconnaître qu'elle ne ressemblait pas à Nicolas.

Étienne pleurait de joie. Il voulait courir tout de suite chercher le père et prévenir la mère ; mais Lisbeth dit qu'après le dîner, elle irait elle-même aux Baraques. Elle voulut voir et embrasser mes enfants, et disait en parlant de Jean-Pierre :

– Celui-ci, c'est le citoyen Chauvel, je l'aurais reconnu entre mille ; et celle-ci c'est je crois, la tante Lisbeth, car elle est forte, grande et blonde. Ah ! les cœurs d'ange !

Ces propos nous réjouissaient. Et puis on revint dans la bibliothèque ; et comme le bruit de cette visite courait déjà la ville, et que beaucoup d'amis et connaissances venaient nous voir, chaque fois qu'un patriote entrait, jeune ou vieux, Lisbeth se mettait à le tutoyer :

– Hé ! c'est Collin ; ça va-t-il, Collin ? – Tiens, le père Raphaël !

Naturellement cela les étonnait ; mais en la voyant si magnifique, chacun pensait qu'elle avait en quelque sorte le droit d'être sans gêne.

Le dîner, où l'on vida quelques bouteilles de bon vin, se passa gaiement. Lisbeth nous racontait ses bonnes prises à Pavie, à Plaisance, à Milan, à Vérone, à Venise. Elle éclatait de rire en peignant la mine de ceux qu'on pillait ; et comme Chauvel disait :

– Diable !... diable !... citoyenne Lisbeth, vous faisiez une guerre de bandits...

– Bah ! bah ! laissez donc, criait-elle, un tas d'aristocrates et de calotins ! Est-ce qu'on doit ménager ces gens-là ? Ils nous en voulaient tous à mort, les gueux ! À chaque instant ils se soulevaient sur nos derrières... Ah ! mauvaise race !... Nous en avons fusillé des moines, des capucins... Aussitôt pris, aussitôt passés par les armes... Bonaparte ne connaît que ça. Pas de réflexions inutiles : « On te pince avec les insurgés, ton affaire est claire, un piquet de huit hommes, un pan de mur au milieu des champs, et bonsoir ! » Ça leur coupait drôlement le nerf de la guerre, citoyen Chauvel !

– Oui, oui, tout allait rondement.

– Je crois bien, disait Lisbeth en riant ; et puis, voyez-vous ? (elle faisait le signe d'empoigner et de fourrer dans ses poches), j'avais des poches qui me traînaient jusque sur les talons. Quelquefois Marescot avait l'air de se fâcher ; il me criait « Mauvaise pillarde, je te fais fusiller à la tête de la compagnie, pour l'exemple ! » Mais tout le monde riait ; il finissait par rire aussi. Tiens, est-ce que nous n'aurions pas été bien bêtes d'attendre les fourgons des commissaires, des généraux, des colonels ? Est-ce que nous ne risquions pas notre peau comme eux ?

– Sans doute, disait Chauvel ; mais le trésor public...

– Le trésor public ?... Ah ! quelle farce !... Le trésor public c'est la poche des *réquisitionneurs*. Et d'ailleurs les drapeaux, les chefs-d'œuvre, les millions en tas partaient pour le Directoire ; c'était la part du général en chef. Vous avez vu les listes ?

– Oui, nous les avons vues.

– Eh bien, est-ce que les guerres de Mayence, de Belgique, de Hollande, ont rapporté le quart autant ?

Lisbeth, après le dîner et le petit verre, ramassa toutes ses fanfreluches et partit avec Étienne et Cassius pour les Baraques. Nous les regardions s'en aller de notre porte, et le père Chauvel disait :

– Ah ! la grande voleuse !... Mon pauvre Michel, tu peux te vanter d'avoir une drôle de famille !

Il souriait tout de même, car Lisbeth racontait ses rapines si naturellement, qu'on voyait tout de suite que ça lui paraissait aussi juste que d'avaler un verre d'eau-de-vie ; elle s'en faisait honneur et gloire ! Et, chose extraordinaire, toutes les dames de la ville, qui savaient pourtant bien que c'était la fille du père Bastien des Baraques, et qui se rappelaient aussi qu'elle avait couru les grands chemins, presque sans chemise et les pieds nus, toutes étaient dans l'admiration de ses robes, de ses chapeaux, de ses bagues et de son air distingué. Durant les huit jours qu'elle resta chez nous, elle changeait matin et soir, mettant tantôt des robes en soie, tantôt en velours, avec de nouveaux ornements à l'italienne. Quelques-unes de ces robes étaient aussi raides que du carton, à force de broderies ; elle les avait bien sûr happées dans quelque chapelle de sainte, ou dans de vieux châteaux, où l'on conservait des habits de noce du temps des anciens papes. Que peut-on savoir ! Plusieurs dames, les plus considérées de Phalsbourg, en la voyant passer, s'écriaient tout bas :

– Oh ! regardez ! regardez !... Oh ! la malheureuse ! est-elle bien !...

Elles n'avaient pas honte d'envoyer leurs domestiques à l'auberge de Bâle, emprunter à Mme Marescot tel falbalas ou telle coiffure, pour avoir la dernière coupe de la grande mode. Lisbeth recevait des invitations de M. le maire, de Madame la commandante de place, enfin on lui faisait en quelque sorte chez nous, la même réception que les Parisiens à Bonaparte.

Combien peu de gens se respectent assez pour ne pas plier le dos devant ceux qui réussissent ! J'en rougissais. Mais ce qui nous faisait plaisir, c'est qu'à la maison Lisbeth s'en moquait, et nous racontait tous ces salamalecs en levant les épaules.

– C'est la même histoire partout, disait-elle. Quand j'ai mes savates, mon mouchoir rouge autour de la tête et mon jupon, le matin, on dit : « Voici l'ancienne cantinière de la 13e légère ! » et quand j'ai mes breloques, je suis Madame la capitaine ; je pourrais passer pour une ci-devant. Ça ne m'empêche pas d'avoir autant de bon sens le matin que le soir. Ah ! que les gens sont bêtes ! ils veulent toujours qu'on leur jette de la poudre aux yeux.

Le père dînait tous les jours chez nous avec Lisbeth, le petit Cassius sur ses genoux. Jamais le pauvre homme n'avait été dans un ravissement pareil ; à chaque instant il répétait, les larmes aux yeux :

– Le Seigneur a béni mes enfants. Dans ma grande misère, je n'aurais jamais cru que ces changements étaient possibles.

Il regardait sa fille d'un air d'admiration ; tout ce qu'elle disait lui paraissait juste, et souvent il s'écriait :

– Si la grand-mère Anne et le grand-père Mathurin vous voyaient, ils vous prendraient pour les seigneurs de Dagsbourg.

– Oui, père Bastien, lui répondait Chauvel en lui tendant une prise et souriant de bonne humeur, tout cela nous le devons à la révolution ; elle a passé le niveau partout, elle a détruit toutes les barrières. Seulement il est à désirer que les corvéables de la veille ne deviennent pas les maîtres du lendemain. Que ceux d'en bas tâchent de se défendre, ça les regarde ; nous avons fait notre devoir.

La mère, elle, ne voulait plus mettre les pieds dans notre maison ; elle allait voir Lisbeth à la Ville-de-Bâle, et contempler ses trésors, levant les mains et criant :

– La bénédiction du Seigneur repose sur vous ! Tiens, donne-moi ci, donne-moi ça.

Mais Lisbeth, sachant qu'elle voulait en faire cadeau à la vierge noire de Saint-Witt, ne lui donnait que de vieilles friperies, et nous disait le soir :

– Si je l'écoutais, tout le butin de la campagne retomberait entre les mains des fanatiques.

Finalement elle partit. C'était le temps où Berthier venait d'entrer à Rome. Marescot s'y trouvait ; il avait écrit ; Lisbeth se repentait d'avoir quitté la brigade ; elle voulait retourner bien vite là-bas, soi-disant pour faire bénir Cassius par le pape. Elle avait promis des reliques à toutes les dames de Phalsbourg, à notre mère, à dame Catherine, des morceaux de la vraie croix, ou des os de saints et de saintes, car la mode de ces objets revenait.

La veille de son départ, m'ayant conduit avec Marguerite à son auberge, elle me força d'accepter une grosse montre à répétition, que j'ai encore et qui marche toujours bien. C'était un morceau magnifique, une petite couronne gravée derrière, et qui sonnait lentement, comme une cathédrale. Je n'en ai jamais eu d'autre. Comme je ne voulais pas la recevoir, Lisbeth me dit :

– C'est Marescot qui te l'envoie en souvenir de la retraite d'Entrames, où tu nous as sauvé la vie.

Elle m'embrassait avec attendrissement, et me mettait le petit Cassius dans les mains en s'écriant :

– C'est pour lui que tu dois l'accepter, Michel. Marescot m'a dit : « Celle-là, c'est pour ton frère ; je l'ai gagnée à la pointe de l'épée ; elle ne vient pas d'une misérable poignée d'or qu'on porte chez l'horloger du coin ; elle vient du champ de bataille ; on l'a payée avec le sang. Répète-lui ça, Lisbeth, et qu'il embrasse le petit.

Alors je pris la montre et je la mis dans ma poche. Ces paroles me flattaient ; que voulez-vous, on n'a pas été soldat pour rien.

Elle força Marguerite de choisir, parmi toutes ses bagues, celle qui lui plaisait le plus ; Marguerite me regardait ; je lui fis signe d'accepter, pour ne pas chagriner ma sœur. Elle en choisit donc une toute petite, avec une seule petite perle, qui brillait comme une larme, mais elle ne l'a jamais portée après le départ de Lisbeth, ne sachant si c'était la bague d'une jeune fille ou d'une femme tuée pendant le pillage. Je m'en doutais et ne lui dis jamais rien sur cela.

Lisbeth me remit aussi cent francs pour le père, en me recommandant de n'en rien donner à la mère, parce qu'elle le porterait tout de suite au réfractaire de Henridorf.

Le dernier jour, à cinq heures, étant réunis à la bibliothèque, avec maître Jean, Létumier et d'autres amis, toutes les caisses étant chargées, Baptiste vint nous prévenir que le courrier était prêt. Les embrassades, les promesses de se revoir, les bonnes espérances et les bons souhaits suivirent ma sœur et Cassius jusqu'à la voiture, qui les prit devant notre porte, au milieu d'une foule de curieux. Quelques dames avec leur mari se trouvaient dans le nombre. On se salua, on se fit les derniers compliments, et Lisbeth et Cassius nous crièrent :

– Adieu, Michel ! Adieu, Marguerite ! Adieu, tous !

Le père tenait encore la main de sa fille ; elle se pencha pour l'embrasser et lui tendit l'enfant, et puis le courrier se mit à rouler vers la place d'Armes. Bien des années devaient se passer avant de se revoir, et pour plusieurs c'était fini.

XII

Nous arrivions alors au mois d'avril, et de jour en jour on s'attendait à lire dans les journaux, que notre expédition d'Angleterre était en route. Rien ne nous manquait plus, le seul pillage de Berne avait rapporté plus de vingt-cinq millions au Directoire, soit en lingots d'or et d'argent, soit en canons, munitions et réquisitions de toute sorte.

Le docteur Schwân, de Strasbourg, ancien président du club des Frères et Amis, et grand camarade de Chauvel, passa dans ce temps à Phalsbourg, et vint nous voir ; il déjeuna chez nous. C'était un savant homme, informé de tout ce qui se faisait en France et en Allemagne, non seulement pour ce qui regardait la politique, mais encore pour la médecine et les nouvelles découvertes en tous genres. Il nous donna le détail des forces de l'expédition, et nous en fûmes bien étonnés ; nos meilleures troupes des armées du Rhin et d'Italie devaient en être, avec les plus vieux marins des côtes de Bretagne et du Midi ; en outre, nos meilleurs généraux : Kléber, Desaix, Reynier, Lannes, Murat, Davoust, Junot, Andréossy, Caffarelli du Falga, Berthier, enfin tout ce que nous avions de plus ferme, de plus éprouvé, de plus capable dans l'infanterie, la cavalerie, l'artillerie, et le génie. Schwân allait à Paris, parce que l'un de ses anciens camarades, Berthollet, l'avait fait prévenir que s'il voulait être de l'expédition, il le présenterait à Bonaparte ; que déjà Monge, Geoffroy Saint-Hilaire, Denon, Larrey, Desgenettes, étaient engagés, avec une foule d'autres :

– À quoi bon tant de savants ? lui demandait Chauvel. Est-ce que les Anglais en manquent ? Est-ce que nous allons dans un pays de sauvages ?

– Ma foi ! je n'en sais rien, répondit Schwân, c'est inconcevable. Il faut autre chose dans tout cela, que nous ne connaissons pas.

– Mais, s'écria Chauvel, si toutes nos meilleures troupes, nos meilleurs généraux et les premiers savants du pays partent, qu'est-ce qui nous restera donc en cas de malheur ? Le congrès de Rastadt dure trop longtemps, ça n'annonce rien de bon. On devrait aussi penser qu'un coup de vent comme celui de 96 peut disperser notre flotte ; que les Anglais peuvent l'attaquer en nombre supérieur et la détruire ; que, pendant cette expédition, les Allemands, nous voyant sans généraux, sans vieilles troupes, sans argent, peuvent nous envahir. Ce serait d'autant plus naturel, que notre invasion en Suisse et à Rome indigne toute l'Europe ; qu'on nous traite de voleurs, et que le peuple de Vienne, comme nous l'avons vu hier au *Moniteur,* est en pleine révolte contre nous ; qu'il a cassé les vitres du palais de l'ambassade française à coups de pierres, et fait tomber notre drapeau. Et c'est dans un moment pareil qu'on nous dégarnit de tout ! Il ne s'agit pas ici de royalisme, de républicanisme seulement ; il s'agit de patrie, il s'agit de notre indépendance. Ce Directoire n'est donc pas français ! Tout autre gouvernement, quand ce serait celui de Calonne, ne nous exposerait pas à ce danger. Et pour qui, pour quoi ? Pour donner un beau commandement à Bonaparte. Ces gens sont donc fous ?

– Non, dit Schwân, mais la place de directeur est bonne à prendre, et, si Bonaparte reste, il n'y aura bientôt plus de place que pour lui.

Chauvel ne dit plus rien, il savait cela depuis longtemps ; et Schwân ayant suivi sa route, pour tâcher de s'embarquer aussi, nous attendîmes le départ de l'expédition avec une sorte d'inquiétude.

La masse des troupes se réunissait à Toulon, le mouvement à l'intérieur et le long des côtes était immense ; on dégarnissait Gênes, Civita-Vecchia ; nous n'étions pas sûrs si la 51e n'allait pas être aussi de l'entreprise.

Les gazettes criaient qu'il faudrait livrer bataille, que les Anglais gardaient le détroit de Gibraltar. Brune venait de recevoir le commandement de l'armée d'Italie ; de notre côté, rien ne bougeait, tous les yeux regardaient là-bas ; et tout à coup, le 26 ou le 27 mai 1798, on apprit que la flotte avait levé l'ancre et qu'elle était en route pour l'Égypte. Les proclamations arrivèrent :

– Allons, dit Chauvel, le citoyen Bonaparte aime mieux combattre quelques poignées de sauvages en Égypte, que les Anglais. Je vois, mon pauvre Michel, que la vraie campagne sera par ici, sur le Rhin, comme en 1792 et 93. Qu'avons-nous à faire en Égypte ? Il est vrai que cinq ou six brigands fameux, Cambyse, Alexandre, César et Mahomet, se sont donné rendez-vous dans ce pays ; c'est en quelque sorte leur patrie, comme la patrie des tigres c'est le Bengale ; ils tournent tous les yeux de ce côté, et ne sont bien que là. Mais notre intérêt à nous, l'intérêt de notre république en

Égypte, je ne le vois pas. Nous avons déjà bien assez de mal à nous soutenir en Europe contre toutes les monarchies, sans nous mettre encore le Grand-Turc sur les bras.

Et, prenant une des cartes que nous vendions, il restait penché dessus durant des heures. D'autres patriotes venaient le voir et causaient avec lui de l'expédition. Déjà le bruit se répandait que nous allions attaquer les Anglais aux Indes ; c'était la pensée de Raphaël Manque et du vieux Toubac, l'ancien maître d'école de Diemeringen. Les journaux disaient aussi que nous allions aux Indes, le pays d'où l'on tire le poivre et la cannelle. Chauvel, les lèvres serrées, ne riait pas en écoutant ces affreuses bêtises, seulement il criait d'un air de désolation :

– Que les peuples sont bornés, mon Dieu ! Quel affreux malheur !

Un jour Toubac, un gros bouquin allemand sous le bras, vint nous raconter que le pays du poivre et de la cannelle était aussi celui des diamants et des mines d'or, qu'il avait découvert ça dans son livre. Il nous montrait du doigt le passage et s'écriait :

– Comprenez-vous maintenant, citoyen Chauvel, comprenez-vous pourquoi Bonaparte veut aller aux Indes ?

– Oui, lui dit Chauvel indigné, je comprends que vous, et malheureusement beaucoup d'autres, vous êtes des ânes qu'on mène par la bride, en attendant l'occasion de leur mettre un bât sur le dos. Savez-vous la distance de l'Égypte aux Indes ? Elle est de plusieurs centaines de lieues, à travers des fleuves, des montagnes, des déserts, des marais et des peuplades plus sauvages que nos loups. Rien que pour aller de l'Égypte à la Mecque, ce qui ne fait pas la moitié du chemin, les Arabes, sur leurs chameaux, passent des semaines et des mois ; il en périt de faim, de soif et de chaleur un tel nombre, que leurs ossements marquent leur route à travers les déserts. Et vous croyez que Bonaparte ne sait pas cela, qu'il n'a pas regardé la carte et qu'il veut aller aux Indes chercher de la poudre d'or et des diamants ? Non, Toubac, il sait ces choses mieux que nous, mais il prend la masse du peuple pour une espèce d'engrais nécessaire à faire pousser les généraux, et je commence à croire qu'il n'a pas tort. Depuis que la constitution de l'an III sépare les intérêts du peuple de ceux des bourgeois, le peuple n'a plus de tête et les bourgeois n'ont plus de cœur ni de bras. C'est entre eux que pousse le pouvoir militaire, qui fera périr les uns et les autres. Si Bonaparte voulait attaquer les Anglais, il n'avait pas besoin d'aller si loin, il n'avait qu'à passer le détroit ; les Anglais l'attendaient sur leurs côtes, à quinze ou vingt lieues de chez nous, aussi bien que dans les Indes ; sans compter qu'il pouvait leur faire terriblement plus de mal chez eux qu'à l'autre bout du monde.

– Mais, s'écria Toubac, alors qu'est-ce qu'il va donc faire en Égypte ?

– Il va faire parler de Bonaparte !... Il va tranquillement, avec nos meilleures troupes et nos meilleurs généraux, attaquer des gens qui n'ont ni fusils, ni munitions, ni organisation. Il les écrasera, cela va sans dire ; il enverra des bulletins magnifiques, on parlera de lui : c'est tout ce qu'il veut, en attendant mieux. Pendant ce temps, nous autres, nous aurons des armées de cent et deux cent mille hommes de bonnes troupes sur les bras ; nous appellerons le ban et l'arrière-ban de la jeunesse, pour sauver la patrie. Si nous obtenons le dessus, les envieux crieront, pour rabaisser Jourdan, Bernadotte ou Moreau : « Victoire en Égypte, victoire ! Vive Bonaparte l'invincible ! »

» Si nous éprouvons quelque échec, comme c'est probable, n'ayant plus guère de vieilles troupes, Bonaparte, sur sa flotte, viendra sauver la république, et les flagorneurs crieront : « Victoire ! victoire ! Vive Bonaparte l'invincible ! » Les envieux se tairont, ce sont des lâches ! et Bonaparte vainqueur leur fermera la bouche tout de suite, car il sera le maître. Il aura chez nous le poivre, la cannelle, les diamants, les mines d'or, et ne s'inquiétera plus des Indes, je vous en réponds !

Toubac ouvrait de grands yeux et bégayait :

– Ah ! je comprends !

Et qu'on ne se figure pas que Chauvel seul avait la clairvoyance de ces choses ; des milliers d'autres voyaient aussi clair que lui ; tous les vieux jacobins disaient :

– Bonaparte est un ambitieux... il ne pense qu'à lui... nous sommes volés !

Mais de voir ce qui se passe, et de se mettre en travers du courant, cela fait une grande différence ; on a des intérêts, on veut se marier, on est père de famille ; on se rappelle les bassesses et les trahisons de tous les partis, et l'on s'écrie :

« Bah ! qu'est-ce que cela me fait ? s'il est le plus fort, le plus rusé ; si le peuple, le Directoire, les conseils, les généraux se mettent à plat ventre devant lui, à quoi me sert de rester debout ? On m'écrasera, et pour qui ? Pour des égoïstes, des lâches, qui diront : « C'était un fou » et qui profiteront sans honte de mes dépouilles. Moi mort, mes enfants traîneront la misère ; il faut se soumettre. Ceux qui se sacrifient pour la justice et les droits de l'homme sont des bêtes ; on ne leur en a point de reconnaissance. »

Plusieurs ajoutent :

« Mettons-nous avec les flagorneurs, nous aurons des places, des honneurs, des pensions, et nos descendants vivront grassement aux dépens de ceux qui sont trop fiers pour se traîner sur les genoux. »

Mais continuons, car tout cela n'est pas gai, quand on y pense.

Après le départ de Bonaparte, durant quelques jours il ne fut question que des affaires du pays, de l'occupation du Haut-Valais par nos troupes, de la nomination de Bernadotte comme ambassadeur en Batavie ; mais tout le monde pensait à la flotte, aux dangers de la mer, à la poursuite des Anglais, qui ne pouvaient manquer de nous livrer bataille. Aucune nouvelle n'arrivait. Ce grand silence, en songeant à tant de mille hommes et de bons citoyens hasardés dans une pareille entreprise, vous serrait le cœur. On parlait des recherches de nos commissaires à Zurich, pour découvrir de nouveaux trésors ; de la sortie des ports de Crimée d'une flotte russe de douze vaisseaux et de quatorze frégates, pour attaquer la nôtre en route ; du blocus par les Anglais de la rade de Flessingue ; de l'arrestation du citoyen Flick, rédacteur de la *Gazette du Haut-Rhin,* par ordre de Schawembourg, général en chef de notre armée en Suisse, et d'autres choses pareilles, sans grande importance après tous les mouvements, toutes les agitations qui nous tourmentaient depuis si longtemps.

Et de la flotte rien, toujours rien !

Rapinat seul faisait alors autant de bruit et tenait autant de place dans les gazettes que Bonaparte ; il n'avait jamais assez d'argent, et les Suisses criaient comme une poule en train de pondre ; mais l'idée de la flotte dont personne n'apprenait rien, vous rendait inquiet. Enfin, le 8 juillet, six semaines après le départ de Toulon, on apprit que notre expédition s'était rendue maîtresse de Malte, et que cela ne nous avait coûté que trois hommes ; que le ministre russe, avec quatre-vingts commandants de Malte, avait reçu l'ordre d'évacuer l'île sous trois jours, ce qui nous fit penser que nous pourrions bien avoir bientôt les Russes sur le dos, avec les Autrichiens et les Anglais.

Les conférences de Rastadt continuaient toujours. On nous avait cédé la rive gauche du Rhin et livré Mayence en échange de Venise, mais nos plénipotentiaires demandaient encore Kehl et Cassel sur la rive droite ; ils demandaient aussi la démolition d'Erenbreitstein, que nos troupes continuaient de bloquer pendant les conférences.

Les Allemands, de leur côté, ne voulaient pas consentir à l'abolition des biens nobles et des biens ecclésiastiques sur la rive gauche, que l'Autriche nous avait déjà cédée ; nous aurions eu deux espèces de lois dans la république, celles d'avant et celles d'après 89, chose contraire au bon sens. En outre, il fallait régler les droits de péage et de douanes, l'établissement de nouveaux ponts entre les deux Brisach, et tout cela traînait tellement en longueur, qu'on n'en voyait pas la fin.

Comme ces affaires se réglaient à quelques lieues de chez nous, et que l'abolition des anciens droits de péage, la libre navigation du fleuve, le partage des eaux et des îles devaient profiter à notre commerce, toute l'Alsace et la Lorraine y prenaient part ; Bonaparte n'avait pas voulu s'en occuper ; c'étaient de trop petites affaires pour un si grand génie : sa vue s'étendait alors aux Indes !... Metternich, un des plus grands finauds de l'Allemagne, tenait tête à nos plénipotentiaires.

Le congrès se prolongea toute cette année ; à chaque instant le bruit courait que les conférences étaient rompues. Cette fameuse paix de Campo-Formio, la gloire du général Bonaparte, ne valait pas la belle armée, la belle flotte et la masse de généraux qu'il avait emmenés.

Qu'est-ce qu'une paix, sans forces pour la soutenir ? Aussi le Directoire n'avait pas l'air de s'y fier beaucoup ; le rétablissement de l'impôt sur le sel, la création de contributions sur les portes et fenêtres, l'autorisation qu'il venait d'obtenir des conseils, de vendre encore pour cent vingt-cinq millions de biens nationaux, le décret que les conseils avaient rendu sur le rapport de Jourdan, qu'on recruterait à l'avenir nos armées par la conscription forcée des citoyens de vingt à vingt-cinq ans, tout montrait qu'il fallait des hommes et de l'argent bien vite. Ce n'est pas en se conduisant avec bassesse qu'on peut compter sur l'enthousiasme de la nation ; le Directoire le savait bien ; le temps des volontaires et des sacrifices patriotiques était passé. Quand le peuple n'est rien dans la constitution, il faut le conduire se battre, la corde au cou ; la patrie, c'est alors l'homme qui remporte des victoires et vous fait des pensions.

De jour en jour, et de semaine en semaine, trente mille familles attendaient des nouvelles d'Égypte. On commençait à croire que tout était englouti, quand, le 19 septembre 1798, quatre mois après le départ de l'expédition, on lut dans le *Moniteur* que le général Bonaparte, après avoir débarqué le 23 messidor à Alexandrie, avait fait un traité d'amitié avec les chefs arabes, qu'il avait dirigé ses colonnes vers le Caire, où il était entré le 5 thermidor, à la tête de l'armée, et qu'enfin, maître de toute la basse Égypte, il continuait sa marche ; que l'escadre de l'amiral Brueys, mouillée sur la côte d'Aboukir, se disposait à retourner en France, lorsqu'une escadre anglaise, supérieure à la nôtre par le nombre et le rang de ses vaisseaux, l'avait attaquée ; que de part et d'autre le combat s'était soutenu avec une opiniâtreté sans exemple dans l'histoire ; que pendant l'action le vaisseau amiral avait sauté ; que deux ou trois autres avaient coulé ; que d'autres tant anglais que français avaient échoué sur la côte, et qu'enfin d'autres vaisseaux français étaient restés totalement désemparés sur le champ de bataille. »

Je n'ai pas besoin de vous peindre la figure des gens en lisant cet article.

– Tout cela, dit Chauvel, signifie que nous n'avons plus de flotte, que notre meilleure armée est à six cents lieues d'ici, dans les sables au milieu des Arabes et des Turcs, sans aucun moyen de revenir en France, ni de recevoir des secours, et que les Anglais, les Italiens et les Allemands vont tirer profit de l'occasion, pour nous accabler ensemble. Pendant la Constituante, la Législative et la Convention, nous n'avons vu que la première coalition ; nous allons voir la seconde : nous allons jouir des bienfaits du citoyen Bonaparte.

Peu de temps après cette terrible nouvelle, on sut que le fameux Nelson, en revenant d'Aboukir avec sa flotte, avait été reçu par le roi de Naples à bras ouverts ; qu'il avait réparé ses vaisseaux dans le port et passé son temps au milieu des fêtes et des triomphes.

Bientôt on apprit que les Russes traversaient la Pologne, et que le roi de Naples attaquait la république romaine ; que le Piémont et la Toscane se mettaient en insurrection. Championnet qui commandait à Rome, partit à la rencontre des Napolitains ; il battit et poussa ces misérables troupes jusqu'à Naples ; des quantités de mendiants, qu'on appelle des lazaroni, sortirent de la ville à leur secours. Championnet, fut obligé de mitrailler cette canaille et de mettre le feu dans ses bicoques. Le père Gourdier, qui se trouvait là, m'a raconté plus tard que ces êtres abrutis dorment en plein soleil sur les marches des églises, et qu'ils se nourrissent d'un peu de macaroni. Je le crois. C'est à cet état que nos anciens rois, nos seigneurs et nos évêques auraient voulu nous réduire, pour vivre sans crainte. La fierté de l'homme, l'instruction, le courage, tout les gêne ; sous de pareils maîtres, le genre humain tomberait tout doucement à l'état de limaces, de chenilles et de lazaroni. Qu'est-ce que cela leur ferait ? Ils seraient alors tranquilles ; et la profonde misère, l'abaissement de leurs semblables ne les empêcheraient pas de se dire les représentants de Dieu sur la terre.

Enfin ces lazaroni furent balayés solidement, et le roi Ferdinand, qui représentait leur bon Dieu, la reine de Naples, sœur de Marie-Antoinette, qui nous haïssait jusqu'à la mort, toute cette cour se sauva lâchement, emportant ses trésors et laissant les mendiants défendre leur vermine comme ils pourraient.

Alors Championnet créa la république Parthénopéenne ; cela faisait la cinquième que nous créions en Italie, toutes aussi solides les unes que les autres.

Pendant que Championnet marchait sur Naples, le Directoire, pour empêcher le roi de Sardaigne d'inquiéter ses derrières, avait envoyé l'ordre à Joubert d'envahir le Piémont. Le roi s'était sauvé dans l'île de Sardaigne, nous avions occupé toutes les places fortes, incorporé son armée dans la nôtre, et nous restions maîtres de tout ce pays, depuis les Alpes jusqu'à la mer de Sicile.

Nous étions alors en décembre ; ainsi finit l'année 1798.

XIII

L'année suivante devait être bien autrement rude, on le sentait d'avance, car déjà Paul Ier, empereur de Russie, que sa mère Catherine et son père Pierre III avaient rendu fou furieux, en le faisant enfermer durant des années, cet être maniaque, qui venait de monter sur le trône, armait à force, prenait nos émigrés à son service et se déclarait l'ami de Louis XVIII. Il se regardait comme offensé gravement de ce que Bonaparte avait enlevé Malte, et se proclamait grand maître de l'ordre des chevaliers de Saint-Jean, une vieillerie qui n'avait plus l'ombre du sens commun, puisque ces chevaliers, à deux ou trois cents, faisaient vœu de défendre la chrétienté contre les Turcs. On avait vu leur belle résistance ; vingt-cinq volontaires de 92, des fils de paysans, auraient mieux soutenu leur honneur et leurs droits. N'importe, le maniaque commandait à des millions d'hommes, et personne n'aurait osé lui parler raison. Il allait faire hacher et massacrer des milliers de soldats, pour une lubie qui lui passait par la tête ; cela montre la beauté du gouvernement despotique. S'il n'existait que des êtres de cette espèce, le genre humain serait bientôt fini. Heureusement, pendant que les despotes ne songent qu'à détruire leurs semblables, des hommes simples, sans orgueil, sans dire qu'ils sont les envoyés de Dieu, font autant de bien que les autres font de mal.

Je vous ai déjà parlé du docteur Schwân, qui voulait s'embarquer pour l'Égypte. Ce brave homme avait eu la chance d'arriver trop tard ; toutes les bonnes places étaient prises. En revenant de Paris, au bout de quelques mois, il s'arrêta de nouveau chez nous et nous parla d'une découverte extraordinaire, d'un bienfait unique pour les hommes. Mais vous ne comprendrez la grandeur de ce bienfait, qu'en vous faisant une idée de tous les ravages de la petite vérole avant 1798. C'était affreux ! Tantôt cette maladie se déclarait dans un village, tantôt dans un autre ; cela s'étendait comme le feu ; tout le monde, mais surtout les pères et mères frémissaient. On disait :

– Elle est ici !... Elle avance... Tant de personnes l'ont eue... telle femme... telle fille ont surtout été maltraitées... Un tel est devenu borgne... tel autre n'est plus reconnaissable... Il y a tant de morts, tant de sourds, tant d'aveugles !...

Ah ! quelle épouvante !

Et puis, après quelques semaines, les pauvres filles, les pauvres femmes qu'on avait vues si fraîches, si blanches, revenaient, un mouchoir sur la figure, toutes honteuses et désolées. On ne les reconnaissait plus qu'à la voix :

– Ah ! mon Dieu ! c'est Catherine... c'est la belle Louise... c'est Jacob, de tel endroit... Mon Dieu ! est-ce possible ?

Combien de ces désolations j'ai vues dans notre boutique ! les promesses de mariage tenaient bien peu, croyez-moi.

Mais le plus terrible c'étaient les enfants. On parlait bien de l'inoculation ; on disait, quand la petite vérole arrivait dans un endroit :

« Il faut aller là, coucher votre enfant avec le malade... ce ne sera pas aussi fort... Et puis il vaut mieux les perdre jeunes !... la peau des enfants est aussi plus tendre, ils ont plus de chance d'en réchapper ! »

On m'avait dit cela cent fois pour le moins. C'était juste, plein de bon sens. Mais représentez-vous un pauvre père qui s'en va là, son enfant sur le bras ; représentez-vous comme ce petit être lui tient dans les mains ; comme il le serre, comme il crie en lui-même :

« Non !... pas encore !... Plus tard... il sera temps ! »

Et comme il revient, en disant aux anciens qui l'attendent tout tremblants :

« Ma foi ! grand-père ou grand-mère, je n'ai pas eu le courage. Allez-y vous-même. »

Et les vieux qui pensent :

« Il a bien fait... nous aimons mieux attendre ! »

Et l'on attendait. Et tout à coup la petite vérole était en ville ; les vôtres ou ceux du voisin l'avaient... C'est ce que je me rappelle de plus abominable de ce temps, après la famine. Les trois quarts des gens, surtout à la campagne, où l'on s'expose au froid, restaient défigurés.

Deux ou trois fois Chauvel m'avait prévenu de faire inoculer la petite Annette, mais je n'avais pas voulu, ni Marguerite non plus.

Quant au petit Jean-Pierre, je me disais bien :

« Il ne faut pas tenir à la beauté des hommes... Allons à Saint-

Jean, à Henridorf, la petite vérole y est ; elle est bénigne... »

Mais, au moment de partir, le cœur me manquait toujours.

Enfin, avec la quantité d'autres inquiétudes, avec les lois sur l'enlèvement de nos droits, et les craintes de voir revenir la guerre, je vous en réponds, la petite vérole était de trop.

L'inoculation ne donnait confiance qu'à ceux qui n'avaient pas beaucoup de cœur. Nos enfants avaient déjà trois et quatre ans, que, pour mon compte, j'aimais encore mieux attendre à la grâce de Dieu, et toutes les raisons de Chauvel ne me paraissaient pas bonnes.

Dans ce temps donc, comme je viens de vous le dire, le docteur Schwân arriva de Paris. Je vivrais deux cents ans, que je l'entendrais toujours nous parler de la nouvelle découverte, le *cow-pox*, venue d'Angleterre, contre la petite vérole, et nous expliquer que c'était une sorte d'humeur du pis des vaches ; que cette humeur, étant inoculée aux enfants par une simple piqûre, les préservait de la maladie ; qu'un médecin anglais, Jenner, avait fait cette découverte et l'avait essayée depuis quinze ans sur des quantités de personnes ; qu'il avait toujours parfaitement réussi ; et que généralement tous ceux qui vivent autour des vaches, les femmes qui traient ces animaux, celles qui les soignent et gagnent des boutons aux mains, sont absolument préservés de la petite vérole.

Le grand désir de croire ce qu'il nous racontait me gonflait le cœur. Je regardais les enfants et je m'écriais en moi-même :

« Ah ! si c'était vrai !... ah ! si c'était possible !... Vous resteriez toujours comme vous êtes, mes pauvres petits enfants, avec vos joues roses, vos yeux bleus et vos bonnes lèvres, sans aucune marque. »

Marguerite me regardait, et je voyais qu'elle pensait les mêmes choses que moi.

Chauvel voulait tout savoir dans les moindres détails. Schwân, naturellement causeur, comme tous les vieux savants, aimait à s'étendre sur la découverte ; il avait lu toutes les expériences faites jusqu'alors, les attestations, les certificats ; enfin il croyait la chose sûre, et tout à coup Chauvel s'écria :

– Mais je connais cette maladie du bétail, elle n'est pas dangereuse. Je l'ai vue bien des fois dans les fermes des Vosges, au fond des étables humides, le long des rivières : ce sont de gros boutons blancs.

– Oui, dit Schwân, qui se mit à faire la description des boutons, si bien que Chauvel s'écriait :

– C'est ça, c'est bien ça ! l'humeur est transparente comme de l'eau. Ma foi ! si je n'avais pas eu la petite vérole, d'après tout ce que tu me racontes, Schwân, toutes ces expériences et ces preuves, je n'attendrais pas pour me faire inoculer le *cow-pox*.

– Ni moi, dit Marguerite.

Je dis aussi que j'étais plein de confiance ; mais nous avions tous eu la petite vérole dans la famille : j'en étais moi-même assez marqué ; Marguerite en avait seulement quelques signes ; Chauvel et Schwân en étaient criblés.

Nous pensions tous aux enfants, et personne n'osait entamer ce chapitre, lorsque Schwân commença, et dit qu'il avait trois petits-enfants de sa fille, et qu'aussitôt à Strasbourg il allait les vacciner lui-même, car ce *cow-pox* n'était que la vaccine.

– Si tu m'en donnes ta parole de patriote, s'écria Chauvel, je vaccine aussi les nôtres, et puis je vaccine tous ceux que je rencontre.

Schwân jura qu'il le ferait, et qu'il répondait de tout ; mais il fallait d'abord trouver du vaccin. Le docteur, en repartant vers cinq heures, par le courrier, nous promit de s'en occuper et de nous donner avis des résultats.

C'est après son départ que l'inquiétude, la crainte et le désir de recevoir bientôt de ses nouvelles nous tourmentèrent. Nous en parlions tous les soirs, mais durant cinq ou six semaines, n'ayant pas reçu de lui le moindre billet, nous croyions l'affaire manquée. Chauvel disait que Schwân avait sans doute reconnu que le *cow-pox* ne signifiait rien ; j'en étais presque content, car, dans des occasions pareilles, on aime mieux voir les autres commencer, que d'exposer les siens.

En ce mois de février 1799, la petite vérole se déclara chez nous d'une façon épouvantable ; on n'entendait plus que les cloches aux environs de la ville ; cela gagnait, gagnait... de Véchem à Mittelbronn, de Mittelbronn à Lixheim. Un matin, Jean Bonhomme, le mari de Christine Létumier, mon ancienne commère, arriva dans notre boutique sans chapeau, sans cravate, à moitié mort de chagrin ; il pleurait et criait :

– Ma femme et mes enfants sont perdus !

Bonhomme avait deux petits garçons, jolis, riants, et qui jouaient avec nos enfants pendant les marchés. Cette bonne Christine conservait encore pour moi de l'amitié ; elle se rappelait toujours les bonnes valses que nous avions faites à Lutzelbourg ; la petite forge où chaque matin, les bras nus, elle venait prendre de l'eau à la pompe, en me disant avec douceur : « Bonjour, monsieur Michel. » Et puis son mariage, où j'avais été garçon d'honneur, avec Marguerite. Nos enfants s'aimaient ; son aîné, le petit Jean, tout rond et tout joufflu, les cheveux frisés comme un petit mouton, embrassait ma petite Annette et roulait de gros yeux bleus en disant :

– C'est ma femme, je n'en veux pas d'autre.

Ce qui nous faisait bien rire.

Figurez-vous d'après cela notre chagrin ; ces gens étaient presque de la famille, ils étaient nos plus vieux amis et nos premières pratiques. J'essayais de rendre courage à ce pauvre Bonhomme, en lui disant que tout se remettrait, qu'on ne doit jamais désespérer ; mais il perdait la tête, et me répondait :

– Ah ! Michel ! Michel ! si tu les voyais !... Ils sont comme rôtis à la broche, on ne reconnaît plus leur figure, et Christine, qui les soigne, vient de se coucher aussi. Mon Dieu ! mon Dieu ! je voudrais être mort avec eux tous.

Il courut chez l'apothicaire Tribolin et repartit aussitôt. Deux jours après, nous sûmes que les enfants étaient morts, et que leur mère avait l'épouvantable maladie dans toute sa force.

Le père Létumier vint en ville après l'enterrement ; il était comme fou ; et cet homme sobre entra boire du vin blanc à l'auberge du *Cheval brun*. Nous l'entendions crier d'une voix terrible :

– Il n'y a pas d'Être suprême !... Il n'y a rien... rien ! Les scélérats gardent leurs enfants et nous perdons les nôtres.

Il vint chez nous et tomba dans les bras de Chauvel en gémissant. Voilà ce que faisait cette maladie, dont personne n'était exempt ; il fallait s'y attendre jusqu'à cent ans, quand par hasard on ne l'avait pas encore eue.

Et maintenant songez à notre désolation de ne plus entendre parler du *cow-pox* ; elle était d'autant plus grande, que la petite vérole s'approchait de Phalsbourg. C'était vers le printemps. Un matin, comme j'allais prendre le courrier pour régler mes comptes avec Simonis à Strasbourg, au moment de sortir avec la petite malle de Chauvel, je vois entrer le docteur Schwân et deux autres respectables bourgeois, qui nous saluent en souriant. Chauvel avait reconnu la voix de son vieux camarade ; il ouvrit la bibliothèque et Schwân s'écria :

– Eh bien ! l'expérience est faite sur les miens ; êtes-vous prêts pour les vôtres ?

– Où donc est le *cow-pox* ? demanda Chauvel.

– Le voici dans ma trousse !

Et tout de suite le docteur nous montra du vaccin encore frais, dans une petite bouteille. Nous étions comme saisis ; les gens de la boutique, penchés tout autour de nous, regardaient étonnés.

Nous entrâmes dans la bibliothèque avec ces étrangers. Les deux autres étaient aussi des médecins. Ils nous racontèrent comment venaient les boutons, comment ils s'ouvraient et se séchaient, que cela ne donnait qu'un peu de fièvre, et que les enfants déjà vaccinés dans leurs propres familles se portaient très bien ; que tout s'était passé chez eux comme Jenner, le médecin anglais, l'avait dit. Malgré cela, ni Marguerite ni moi nous n'aurions osé tenir parole au docteur Schwân, si le père Chauvel ne s'était écrié :

– Cela suffit. Du moment que tu l'as éprouvé, Schwân, et ces deux citoyens aussi, moi j'ai pleine confiance. Essayons sur les nôtres ; qu'en pensez-vous ?

Il nous regardait. Marguerite était devenue toute pâle ; moi je baissais la tête sans répondre. Au bout d'un instant, Marguerite dit :

– Est-ce que cela leur fera du mal ?

– Non, répondit le docteur Schwân, une simple égratignure sur le bras, un peu de *cow-pox* ; les enfants le sentent à peine.

Aussitôt elle alla chercher la petite, qui dormait dans son berceau ; elle l'embrassa et la remit à Chauvel en lui disant :

– Voilà, mon père... Tu as confiance.

Alors reprenant courage, parce que je pensais à la petite vérole,

146/208

qui s'étendait déjà de Mittelbronn aux Maisons-Rouges, je partis chercher le petit, qui courait sous la halle ; mon cœur était bien serré.

– Arrive, Jean-Pierre, lui dis-je en le prenant par la main.

Je me sentais hors de moi. En bas, dans la bibliothèque, Annette pleurait et criait sur les genoux de sa mère. En entrant, je vis qu'elle avait les épaules nues et une goutte de sang sur le bras. Elle me tendait ses petites mains ; je la pris en demandant :

– Est-ce qu'il ne vaudrait pas mieux attendre pour Jean-Pierre, qu'on ait vu ?

– Non, dit Chauvel, il ne peut rien arriver de pire que la petite vérole.

– Hé ! criait le père Schwân, en riant, soyez donc tranquilles, je réponds de tout.

Le petit regardait et dit :

– Qu'est-ce que c'est, grand-père ?

– Rien ! Ôte ta veste ; tu n'as pas peur, j'espère ?

Notre petit Jean-Pierre avait le caractère de Chauvel ; il ôta sa veste, sans même répondre, et fut vacciné. Il regardait lui-même, à ce que m'a dit Marguerite, car moi, j'étais sorti furieux contre moi-même, de ne pas m'opposer à cette épreuve ; je me traitais de sans-cœur, et durant plus de huit jours je me repentis de ce que j'avais fait ; j'en voulais à Chauvel, à ma femme, à tout le monde, sans rien dire. Tant que les boutons durèrent, j'eus peur. Marguerite avait peur aussi, mais elle n'en laissait rien voir, dans la crainte de m'effrayer encore plus. Enfin les boutons séchèrent. Alors je ne pensais plus qu'une chose :

« Dieu veuille maintenant que ça serve ! »

Je pouvais bien faire ce souhait, car déjà la petite vérole était en ville ; à chaque instant les gens disaient à la boutique :

« Elle est dans la rue... Elle est sur la place... Tant de soldats sont entrés hier à l'hôpital... Tant d'autres sont pris... Tel enfant passera ce soir... »

Ainsi de suite.

Moi, je regardais les nôtres ; ils se portaient toujours bien, jouant et riant. La petite vérole fit le tour du quartier, elle n'entra pas chez nous. En même temps Schwân nous écrivit de Strasbourg que, de tous les enfants vaccinés, pas un n'avait eu la maladie. Alors notre joie, notre bonheur ne peut se peindre. Le père Chauvel surtout n'avait plus de cesse ni de repos ; il voulait vacciner tous les enfants du district, et se rendit exprès à Strasbourg, chercher du vaccin.

Mais ne pensez pas que ce fût une chose facile de décider les gens à se laisser vacciner eux et leurs enfants. Autant le peuple croit facilement toutes les bêtises qu'on lui raconte, pour le tromper et lui tirer de l'argent sans aucun profit, autant il est incrédule lorsqu'on veut lui parler sérieusement dans son intérêt le plus clair.

Ce fut encore une bien autre histoire que celle des pommes de terre, car si toutes les Baraques se moquaient de maître Jean, lorsqu'il prit sur lui de planter ses grosses pelures grises, au moins cela ne dura qu'un an ; quand tout se mit à fleurir et qu'un peu plus tard, à chaque coup de pioche, on voyait sortir des tas de châtaignes d'une nouvelle espèce, grosses comme le poing, il fallut bien reconnaître que Jean Leroux n'était pas bête ! L'année suivante chacun se dépêcha de lui demander de la semence, et d'oublier qu'il avait rendu le plus grand service au pays.

Mais, pour la vaccine, c'était autre chose. On aurait cru que les gens vous faisaient des grâces en vous écoutant parler de ce bienfait, à plus forte raison de se laisser faire une égratignure, pour échapper à la plus terrible maladie.

Quant à moi, j'avoue que je ne me serais pas donné tant de peine ; du moment que les imbéciles m'auraient ri au nez, je les aurais laissés tranquilles.

Mais Chauvel, après avoir été bousculé, maltraité et gravement insulté par la mauvaise race, se contentait de dire que tout cela venait de l'ignorance, et ne pensait plus en ce temps qu'au progrès de la vaccine. Sa satisfaction de vacciner les gens était si grande, qu'il avait établi dans notre ancien cabinet littéraire un endroit pour les recevoir ; M. le Curé Christophe lui en amenait chaque jour des douzaines. Lorsque vous entriez là, c'était un véritable spectacle ; des rangées d'hommes et de femmes, de nourrices avec leurs nourrissons, criaient et parlaient ensemble. Chauvel, au milieu d'eux, leur racontait les bienfaits du *cow-pox,* et du moment que l'un ou l'autre se laissait convertir, sa figure s'éclairait de joie ; il allait chercher la lancette, il aidait les gens à s'ôter la blouse ou la veste, et puis il les vaccinait en disant :

– Maintenant gardez-vous d'essuyer cette petite égratignure. Mettez dessus un linge. Le bouton viendra demain, après-demain, un peu plus tôt, un peu plus tard, cela n'y fait rien ; il séchera, et vous serez préservé.

Quand on avait l'air de résister, il se fâchait, il s'indignait, il flattait, il encourageait ; enfin on aurait cru que ce monde le regardait, qu'il était chargé de sauver tout notre pays de la petite vérole. Combien de fois je l'ai vu traverser tout à coup la boutique, prendre une pièce de quinze sous au comptoir et la serrer dans la main d'un malheureux en lui disant :

– Arrive, que je te vaccine.

Naturellement cet enthousiasme me fâchait, j'aurais autant aimé garder notre argent ; mais d'aller faire des observations à Chauvel, jamais je n'aurais osé ; son indignation aurait éclaté contre les égoïstes, qui ne s'inquiètent que d'eux-mêmes, et Marguerite lui aurait donné raison !

Notre boutique devint ainsi comme le bureau des nourrices du pays, le bureau de la vaccine ; et ce brave homme ne se contentait pas encore de cela, toute la sainte journée il recevait des lettres, des mémoires, des articles touchant le *cow-pox* ; il y réfléchissait, il y répondait. Marguerite aussi s'en mêlait, et souvent je m'écriais en moi-même :

« Est-il possible de perdre son temps, sa peine et son argent, pour des gens qui ne vous en ont pas la moindre reconnaissance, et qui même vous demanderaient des dommages et intérêts, s'il leur arrivait la moindre maladie ! »

Je trouvais cela trop fort.

Notre commerce n'en allait pourtant pas plus mal, au contraire, le nom de Chauvel se répandait, on le connaissait à dix lieues, non seulement comme épicier, mercier, marchand d'étoffes et d'eau-de-vie, mais encore comme ancien représentant du peuple et vaccinateur ; partout on disait : « le représentant, le vaccinateur, le libraire », et, jusque dans la haute montagne, on savait que c'était lui ; cela nous amenait des pratiques en foule.

XIV

Vers ce temps, les despotes ayant appris que notre meilleure armée était en Égypte, et qu'elle ne pouvait plus revenir faute de vaisseaux, se mirent à conspirer encore une fois contre nous. Pitt s'engagerait à fournir l'argent de la guerre, l'empereur d'Autriche les hommes, et bientôt le maniaque, qui s'était déclaré grand maître de l'ordre des chevaliers de Malte, détacha contre la république deux armées de quarante mille hommes chaque. Les gazettes nous apprirent que Souvaroff, le plus fameux général de Russie, le massacreur des Turcs et des Polonais, le tueur de femmes et d'enfants, l'incendiaire de Praga, commandait en chef ces barbares.

Tous ces préparatifs n'empêchaient pas les conférences de Rastadt de continuer. Les Allemands refusaient toujours de nous céder Kehl et Cassel, sur la rive droite. Ils voulaient rester maîtres chez eux, c'était tout naturel. Malgré cela, nous aurions eu la paix depuis longtemps, si le Directoire avait voulu sacrifier les princes de l'Empire à l'empereur François, qui ne demandait qu'à s'agrandir aux dépens de l'Allemagne ; mais nous n'avions aucun intérêt à fortifier l'Autriche ; d'ailleurs la Prusse soutenait ces petits princes, et le bon sens nous disait de la ménager.

Enfin, pendant que Metternich amusait nos plénipotentiaires, les Russes étant arrivés en Bohême, François II se dépêcha de faire occuper les Grisons par un corps de six mille hommes, et tout le monde comprit ce que cela signifiait.

Notre Directoire se mit à crier, à demander des explications, et finalement à déclarer que la continuation de la marche des Russes sur le territoire germanique serait regardée comme une déclaration de guerre. François ne se donna pas seulement la peine de lui répondre. Les petits princes allemands, qui jusqu'alors avaient tous accepté nos conditions de paix, s'en allaient l'un après l'autre du congrès de Rastadt ; bientôt nos plénipotentiaires y restèrent seuls avec Metternich, au milieu des troupes autrichiennes.

Personne ne pouvait plus douter que la guerre revenait plus terrible, et que toutes les conquêtes de la révolution étaient encore une fois en danger. On recrutait à force, mais cela ne marchait plus comme autrefois. En juin 1791, on avait levé cent cinquante mille hommes ; en septembre 1792, cent mille ; en février 1793, d'abord trois cent mille, et puis en avril encore trente mille, et puis en août, à la levée en masse, un million cinquante mille ; c'étaient les dernières levées. Cette masse avait suffi pour conquérir la Hollande, la rive gauche du Rhin, la Suisse, l'Italie, pour repousser les Espagnols chez eux et former les deux expéditions d'Irlande et d'Égypte.

La conscription du 3 vendémiaire an VII était en train : elle devait monter à cent quatre-vingt-dix mille conscrits, qu'on exerçait. Mais en attendant, les vieilles troupes allaient marcher ; elles défilaient chez nous : c'était principalement de l'infanterie, qui se rendait en Suisse, où Masséna, nommé général en chef, occupait la ligne du Rhin, depuis la haute montagne jusqu'à Constance ; beaucoup de cavalerie au contraire remontait l'Alsace, pour rejoindre l'armée du Rhin, sous les ordres de Jourdan ; d'autres passaient en ville, allant plus loin, entre Mayence et Dusseldorf, rejoindre l'armée d'observation, commandée par Bernadotte.

Ces vieilles troupes ne montaient pas seulement à cent mille hommes ; les levées de conscrits n'étaient pas encore prêtes, elles ne purent rejoindre que plus tard, et les premières allèrent d'abord en Italie, où commandait Schérer. Je n'ai pas oublié ces choses lointaines, parce que Marescot, dans une de ses lettres, s'en plaignait amèrement. Il fallait donc, avec quatre-vingt-dix mille hommes, défendre la Suisse, l'Alsace et toute la rive gauche du Rhin jusqu'en Hollande.

Les Allemands, commandés par l'archiduc Charles, étaient dans la Bavière à plus de soixante et dix mille ; dans le Vorarlberg, ils étaient à vingt-cinq mille, commandés par le général Hotze, un Suisse ; dans le Tyrol, à quarante-cinq mille, sous Bellegarde, et en Italie, à soixante mille, sous Kray. Quarante mille Anglais et Russes devaient débarquer en Hollande, où Brune commandait dix mille hommes ; et vingt mille Anglais et Siciliens devaient débarquer à Naples, où Macdonald avait remplacé Championnet.

Ces forces immenses de nos ennemis montraient qu'ils s'apprêtaient depuis longtemps à nous envahir, et que le congrès de Rastadt n'était qu'une ruse pour nous tromper. Ils étaient plus de trois cent mille contre nos cent mille hommes, à l'ouverture de la campagne, et Souvaroff devait les renforcer bientôt. L'armée que Bonaparte avait emmenée en Égypte, nous aurait fait du bien ! Enfin nous en sommes sortis tout de même ; et sans le grand homme, qui vint plus tard nous crier :

« Qu'avez-vous fait de mes compagnons ? Qu'avez-vous fait de la paix que je vous avais laissée ? Etc. »

Sa paix, il pouvait bien en parler : c'était la comédie de Rastadt ; et, quant à ses compagnons, il les avait abandonnés en Égypte. Faut-il qu'un homme ait de l'audace, et qu'il compte sur la bêtise et la lâcheté des autres, pour se permettre de leur reprocher les malheurs qu'il a causés lui-même ? Après cela il avait raison : il a réussi ! Cela répond à tout, pour les filous et les imbéciles. Mais il est pourtant naturel de se dire que l'effronterie fait la moitié du génie de plusieurs hommes.

Continuons.

Jourdan ouvrit la campagne de 1799. Son armée s'étendait de Mayence à Bâle, en Suisse. Notre pays était inondé de troupes. Tout à coup elles se resserrèrent dans la vallée d'Alsace ; le général et son état-major, arrivant de Metz, traversèrent notre ville à la fonte des neiges, et le lendemain, 1er mars, nous apprenions vers le soir qu'il avait passé le Rhin à Kehl ; que le général Ferino, commandant l'aile droite, suivait son mouvement à Huningue ; que tout continuait de défiler sur les ponts, artillerie, cavalerie, infanterie, et qu'il ne restait déjà plus qu'une faible garnison à Strasbourg. La dernière bande de traînards descendait la côte de Saverne ; bientôt elle disparut : toute cette armée, aile droite, centre, aile gauche, se trouvait en Allemagne. Après l'agitation vint un calme extraordinaire, auquel les gens n'étaient plus habitués. Tout paraissait triste et désert ; on attendait les nouvelles. La proclamation du Directoire arriva d'abord.

Proclamation du Directoire exécutif.

« Les troupes de Sa Majesté l'Empereur, au mépris d'une convention faite à Rastadt, le 1er décembre 1797, ont repassé l'Inn, et ont quitté les États héréditaires. Ce mouvement a été combiné avec la marche des troupes russes, qui sont actuellement dans les États de l'Empereur, et qui déclarent hautement qu'elles viennent pour attaquer et combattre la république française, etc., etc. »

Le Directoire finissait par déclarer qu'aussitôt que les Russes auraient évacué l'Allemagne, nous l'évacuerions aussi.

Mais je ne veux pas vous raconter cette longue campagne, où

toutes les horreurs de la guerre s'étendirent encore une fois sur les deux rives du fleuve ; la prise de Mannheim et l'envahissement de la Souabe, par Jourdan ; l'envahissement des Grisons, la prise de Coire et de toute la vallée du Rhin, depuis sa source, au Saint-Gothard, jusqu'au lac de Constance, par Masséna ; l'envahissement de la vallée de l'Inn et l'occupation de l'Engadine, par Lecourbe, de sorte qu'on se donnait la main par-dessus les Alpes, de Naples à Dusseldorf. Ensuite la défaite de Jourdan à Stokach et sa retraite dans la Franconie ; l'attaque générale du Vorarlberg, des vallées de l'Inn et de Munster par Masséna et Lecourbe ; la nomination de Masséna comme général en chef des armées d'Helvétie, du Danube et d'observation ; la rupture du congrès de Rastadt et l'assassinat de nos plénipotentiaires Bonnier et Roberjot, par des hussards autrichiens qui les attendaient la nuit sur la route.

Ces choses sont connues ! Je ne m'y trouvais pas, d'autres, les derniers de ceux qui restent, pourront encore vous parler de ces gouffres sans fond des hautes Alpes, où l'on se battait ; de ces ponts étroits sur les abîmes, qu'il fallait se disputer à la baïonnette ; de ces torrents emportant les blessés et les morts ; de ces marches à travers la neige et les glaciers, où les aigles seuls jusqu'alors avaient passé. Oui, c'est une grande campagne à raconter, une campagne républicaine. Moi, tout ce que je peux vous dire, c'est que chez nous arrivaient les convois comme à l'ordinaire, que les hôpitaux s'encombraient de malades innombrables, les uns gelés, les autres blessés, les autres épuisés par les fatigues et la faim, car jamais la disette n'avait été si grande ; et qu'après l'assassinat de nos plénipotentiaires, des milliers de jeunes gens partirent en criant vengeance, comme en 92 et 93.

Et puis pendant ces rudes combats eurent aussi lieu les élections de l'an VII, où le directeur Rewbell fut remplacé par l'abbé Sieyès, qui depuis six ans s'était caché dans le marais, et ensuite parmi les intrigants et les trembleurs des conseils. Sieyès lui-même s'en vantait ; il disait : « Pendant que les autres se guillotinaient, j'ai vécu ! » C'était bien la peine d'avoir prononcé dans le temps deux ou trois belles sentences que toute la nation avait admirées, pour se rendre ensuite méprisable. Cela montre bien que l'esprit et le cœur ne vont pas toujours ensemble.

On racontait que Sieyès avait une magnifique constitution dans sa poche ; et comme la constitution de l'an III avait déjà fait son temps, on nomma Sieyès directeur, dans l'espérance qu'il trouverait quelque chose de nouveau ; les Français aiment le nouveau, et puis ils aiment aussi les oracles, et Sieyès passait pour un oracle. J'en ai vu cinq ou six comme cela dans ma vie ; ils ont fini drôlement tous ces oracles.

Les élections de l'an VII, qui ne regardaient plus le peuple, puisqu'il n'avait pas voix au chapitre, envoyèrent quelques soi-disant patriotes dans les conseils. Alors, pour la première fois, on entendit parler de Lucien Bonaparte ; nous avions déjà Joseph et Napoléon Bonaparte, il nous fallait encore un Lucien. Quelle bonne affaire que la conquête de la Corse pour les Bonaparte ! Chez eux, ils auraient été fermiers, employés, petits bourgeois, bien contents de joindre les deux bouts et d'avoir quelques chèvres dans les roches ; en France, c'étaient des présidents de conseil, des ambassadeurs, des généraux en chef. Il paraît que les Français se trouvent trop bêtes pour se gouverner eux-mêmes, puisqu'ils vont chercher leurs maîtres ailleurs.

Les nouveaux conseils, qui voulaient le renversement du Directoire, lui demandèrent des comptes. Ils forcèrent Treilhart de donner sa démission, et nommèrent le bonhomme Gohier à sa place. Ils auraient aussi voulu forcer Lareveillère et Merlin de se démettre, pour les remplacer par leurs hommes ; ces deux directeurs crièrent : « On veut donc livrer la France à la famille Bonaparte ? » Et ce cri retarda leur chute de quelques jours ; mais l'acharnement contre eux devint tel qu'ils ne purent résister longtemps ; ils se retirèrent le 18 juin 1799. Le girondin Roger Ducos et le général Moulin, dont le peuple n'avait jamais entendu dire ni bien ni mal, furent nommés directeurs ; et de l'ancien Directoire il ne resta plus que Barras, le protecteur de Bonaparte et la honte de notre république.

Tous les ministres furent changés ; nous eûmes Robert Lindet aux finances, Fouché à la police, Treilhart aux affaires étrangères, Cambacérès à la justice, Bernadotte à la guerre. Ces changements du 30 prairial ne produisirent aucun mouvement, cela se passait entre bourgeois ; le Directoire avait bouleversé les conseils au 18 fructidor, les conseils bousculaient maintenant le Directoire. Le peuple regardait, en attendant le moment de se remettre en ligne ; il ne lui fallait qu'un chef, mais comme les Danton, les Robespierre, les Marat dormaient en paix, les soldats allaient avoir beau jeu. Si Bonaparte savait ces choses, il devait se repentir d'être parti pour l'Égypte, et le ministre Bernadotte devait rire ; ce gascon avait toutes les cartes en main, tous les jacobins pensaient à lui.

Chauvel, malgré sa fureur de vaccine, se remettait à lire les journaux ; son indignation retombait alors sur Sieyès, qu'il regardait comme un être hypocrite, capable de s'entendre avec n'importe qui, pour gruger la république et faire accepter cette fameuse constitution, dont tout le monde parlait sans la connaître, parce que monsieur l'abbé Sieyès n'en causait qu'avec ses amis, sachant d'avance que pas un républicain n'en voudrait.

Mais pendant que les intrigants se partageaient ainsi les places, sans se soucier plus du peuple que s'il n'avait pas existé, les affaires de la nation devenaient extrêmement graves. Si les messieurs qui ne s'inquiétaient que de leurs propres intérêts avaient été chargés de sauver la France, elle aurait couru grand risque d'être partagée par nos ennemis. Heureusement le peuple était là, comme toujours, au moment du péril.

Le feld-maréchal autrichien Kray avait tellement battu le vieux Schérer, à Magnano, que notre armée d'Italie, réduite à vingt-huit mille hommes, s'était vue forcée de reculer jusque derrière l'Adda ; c'est là que Moreau, montrant un vrai patriotisme, en avait accepté le commandement. Alors Souvaroff, avec ses quarante mille Russes, était arrivé, ayant aussi sous ses ordres quarante mille Autrichiens. Il avait surpris le passage de l'Adda à Cassano, et contraint Moreau d'évacuer Milan et de repasser le Pô, en lui laissant les trois quarts de l'Italie du Nord. Moreau le savait d'avance ; il savait qu'une armée de vingt-huit mille hommes, déjà battue et découragée, ne peut résister à quatre-vingt mille hommes victorieux, pleins de confiance dans leurs chefs ; mais il savait aussi qu'un bon général n'éprouve jamais de grandes déroutes, et qu'il sauve tout ce qu'il est possible de sauver ; cela lui suffisait. Il mit en ce temps le devoir et le salut de la patrie au-dessus de sa propre renommée, ce qui n'arriva jamais à Bonaparte.

Souvaroff avait essayé de le poursuivre, en passant le Pô derrière lui, mais il avait été repoussé. Tous les Italiens étaient soulevés contre nous et nos places assiégées ; la retraite de Macdonald, qui ramenait de Naples dix-huit mille hommes le long de la côte, était menacée par des forces doubles et triples des siennes. Moreau se rapprochait de lui pour l'aider à faire sa jonction ; mais vers la fin de juin, nous apprîmes que Macdonald avait été défait par Souvaroff sur la Trébie, après une bataille de trois jours, et que dans le même moment Moreau, profitant de l'éloignement des Russes, avait battu Bellegarde à Cassina-Grossa, puis rejoint les débris de l'armée de Naples, aux environs de Gênes.

Aussitôt Sieyès, nommé directeur, fit destituer Macdonald. Il rappela Moreau, et nomma Joubert, un des lieutenants de Bonaparte, au commandement de l'armée d'Italie. Joubert commandait la 17e division militaire ; c'était l'homme de Sieyès, l'épée qu'il lui fallait pour appliquer sa constitution et devenir son bras droit. Ce général n'ayant pas encore assez de réputation, Sieyès l'envoyait en Italie pour vaincre Souvaroff, qui s'était rendu maître de ce pays en bien moins de temps que Bonaparte, et qui, dans ses proclamations barbares, menaçait de nous passer sur le ventre et de venir à Paris proclamer Louis XVIII. Après cela Sieyès et Joubert auraient été les deux grands hommes : le législateur et le héros de la république.

Nous reçûmes en ce temps deux autres lettres de Marescot, un peu moins fières que celle de 96 ; Lisbeth avait perdu presque tout son butin de Rome et de Naples au passage de la Trébie ; mais le principal pour nous, c'était de savoir qu'ils vivaient encore.

On comprend que si ces malheurs d'Italie nous touchaient, ceux qui s'avançaient sur nous de la Suisse et des bords du Rhin nous inquiétaient beaucoup plus. Après la défaite de Jourdan à Stokach et sa retraite en Alsace, Masséna, nommé général en chef des trois armées, ne pouvait plus se maintenir dans ses positions avancées de la Suisse ; il avait évacué le Voralberg ; et comme l'archiduc et Hotze inquiétaient sa retraite, il leur avait livré bataille et les avait battus à Frauenfeld, ce qui lui permit alors de se replier tranquillement sur la Linth et la Limmat.

L'ennemi le suivait pourtant toujours ; deux combats eurent lieu devant Zurich mais, quoique vainqueur, Masséna quitta cette ville et prit une position meilleure, sur le mont Albis, derrière les lacs de Zurich et de Wallenstadt. Malheureusement les cantons s'étaient soulevés, ils ne voulaient plus rien nous fournir, et les réquisitions forcées dans ces pays ruinés ne donnaient plus grand-chose. Les Allemands adossés au pays de Bade, tiraient tout de chez eux.

Lecourbe, attaqué sur le Saint-Gothard par des forces

supérieures, avait fait aussi sa retraite, en descendant le cours de la Reuss. Il fallait vivre et faire vivre tout ce monde. Alors les réquisitions de toute sorte, en grains, farine, fourrage, bétail, recommencèrent chez nous. Les fournisseurs couraient l'Alsace, la Lorraine et les Vosges, achetant à tout prix, mais ils ne donnaient que des bons, l'argent manquait ; on cachait tout ! Le froment, pesant le setier 240 livres, monta de 34 à 50 francs ; le blé noir, pesant le setier 160 livres, de 15 à 30 francs ; l'orge, pesant 200 livres, monta de 18 à 35 francs ; la livre de bœuf, de 13 sous à 23 ; le mouton de 14 sous à 24 ; et tout le reste, viandes salées, lard, huile, vin, bière, en proportion. Les cent bottes de fourrage ordinaire, pesant 11 quintaux, montèrent de 50 francs à 150. Tous ces prix, je les ai marqués sur le couvercle de mon grand livre, comme choses extraordinaires. Nous étions pourtant encore bien loin de Zurich ; quels devaient donc être les prix aux environs des armées ? Il faut ajouter le prix du transport, les risques des fournisseurs, dans un temps où les routes étaient battues par des quantités de brigands ; et puis, passé Bâle, le danger d'être intercepté par l'ennemi ; la paye des escortes, car tous les convois étaient escortés de gendarmes ; je crois qu'un tiers en sus et même la moitié, ce ne serait pas estimer trop haut.

Si j'avais eu les reins plus forts, malgré la répugnance de Chauvel, qui traitait tous les fournisseurs de filous, j'aurais pris un ou deux convois de farine à mon compte, – l'amour du gain me venait ! – et puis j'aurais choisi trois ou quatre vieux camarades des Baraques et de la ville, à ma solde, et nous aurions escorté ma fourniture jusqu'au camp ; mais je n'avais pas assez d'argent en main, et les bons du Directoire ne m'inspiraient pas confiance.

Masséna resta là trois mois sans bouger ; des courriers par vingtaines ne faisaient qu'aller et venir ; nous ne savions ce que cela signifiait. L'indignation était grande alors contre Masséna, d'autant plus qu'on venait d'apprendre la terrible défaite de Novi, où Joubert était resté sur place, et l'approche d'une seconde armée russe, sous les ordres de Korsakoff, pour renforcer l'archiduc Charles. On criait :

– Il veut donc avoir tout le monde sur le dos, avant de se remuer !

Ce qui poussa la fureur des gens au comble, c'est que Souvaroff menaçait déjà de passer le Saint-Gothard, et que Lecourbe se dépêchait d'occuper son ancienne position, pour lui barrer la route. Les finauds traitaient cette menace de folie, mais un pareil barbare était capable de tout entreprendre. Il n'avait pas encore été vaincu ; on le représentait comme une espèce de sauvage, toujours à cheval, prêchant à ses soldats saint Nicolas et tous les saints, et récitant son chapelet pendant les combats. Plus un être est brute, plus il a d'autorité sur les brutes ; et hacher, massacrer, grimper des montagnes, incendier des villages, ne m'a jamais paru demander un grand génie ; l'inventeur des allumettes, dans mon idée, est cent mille fois plus remarquable que des héros pareils. Je croyais donc Souvaroff capable de tenter l'entreprise, et j'étais dans une grande inquiétude, car tous les aristocrates attendaient ce barbare comme leur Messie, lorsque nous reçûmes la lettre suivante, de mon vieux camarade Jean-Baptiste Sôme.

« Au citoyen Michel Bastien

Zurich, le 7 vendémiaire de l'an VIII de la république française une et indivisible.

« Victoire ! mon cher Michel, victoire !... Nous venons de traverser une vilaine passe : trois mois de famine, trois mois sans rations, les pieds dans le lac et le dos à la neige. On pillait, on criait : « Ah ! gueux de Directoire, il nous envoie courrier sur courrier, avec l'ordre de livrer bataille, mais pas un rouge liard ! » Et l'archiduc en face, Jellachich et Hotze sur les flancs, Korsakoff en route, l'insurrection sur nos derrières... Ça n'était pas gai, Michel, non, il n'y avait pas de quoi rire. Enfin la revanche est arrivée ; l'Être suprême a le dessus, et saint Nicolas allonge ses grandes jambes du côté de Moscou, sa besace au dos et son bidon sur la hanche. Quelle bataille ! quelle débâcle ! quel tremblement !

» Tu sauras que la semaine dernière nous étions encore dans nos cantonnements, entre Brugg et Wollishoffen, à battre la semelle et nous demander quand tout cela finirait. L'automne nous soufflait sa petite brise des glaciers ; ça nous ouvrait l'appétit. Les avant-postes autrichiens commençaient à dégarnir les bords du lac, les habits verts et les bonnets pointus les remplaçaient : Korsakoff venait d'arriver ; avis aux amateurs ! Masséna, Soult, Mortier, Ney poussaient des reconnaissances à Zug, à Rapperschwyll, Naefels, etc. Les hussards allemands venaient nous défier jusque sur la Linth et la Limmat, et nous crier : « Arrivez donc, sans culottes ! Arrivez, tas de vermines... Vous n'avez donc plus de cœur... vous êtes donc des lâches ? » Ça vous rendait tout pâles ; mais la consigne défendait de leur répondre, même à coups de fusil.

» Enfin, voici bien une autre histoire. Des courriers arrivent d'Urseren et d'Altorf : « Souvaroff est en marche pour nous tourner, le vainqueur de Cassano, de la Trébie, de Novi, passe le Saint-Gothard. Gudin, avec sa poignée d'hommes, ne peut résister à ce mangeur d'athées ; Lecourbe court défendre le pont du Diable. » Ce jour-là, Michel, je crus bien que la république branlait au manche et que nous étions trahis. Mais l'Italien avait fait semblant de dormir ; il veillait comme les chats, l'oreille ouverte et les yeux fermés ; il rêvait à l'archiduc, en route pour Philipsbourg avec sa cavalerie et son infanterie, – ne laissant aux Russes que ses canons, – et le 4 vendémiaire, à quatre heures du matin, notre chef d'escadron Sébastien Foy arrive ventre à terre, nous apporter l'ordre de descendre sur la Limmat, une rivière à peu près large comme le petit Rhin, mais plus rapide ; elle passe à Zurich et s'appelle la Linth, avant d'avoir traversé le lac. Nous descendons au galop, artilleurs et pontonniers, avec nos bateaux, nos pièces, nos munitions, nos cordes, nos pieux, nos clous. On se met en batterie en face des Russes, qui tiennent l'autre rive et ouvrent sur nous un feu roulant épouvantable. Il fallait jeter un pont de bateaux, Le fond était de roche, les pieux et les ancres glissaient, rien ne tenait, et, malgré notre mitraille, le feu de l'ennemi redoublait. Les pontonniers se décourageaient ; le chef de brigade d'artillerie Dedon, un des nôtres, un Lorrain, descendit leur remonter le cœur et diriger l'ouvrage. Au bout d'une heure, au petit jour, le pont, haché trois fois par les boulets, commençait à tenir et nos colonnes défilaient dessus en courant. À neuf heures, nous avions dix mille hommes de l'autre côté. Alors la bataille s'étendait sur une ligne de cinq à six lieues, car, pendant que nous passions la Limmat, au-dessous de Zurich, Soult passait la Linth au-dessus, entre les deux lacs. Deux cents nageurs, le sabre aux dents, formaient l'avant-garde ; ils égorgèrent les postes ennemis. Hotze accourut et fut tué.

» Dans ce moment, mon vieux Michel, quoique nous ayons entendu de belles canonnades en Vendée, je puis te dire que, même au Mans, ce n'était rien auprès de celle-ci ; les montagnes en tremblaient ; on n'entendait plus les commandements à deux pas, et par les trouées de fumée, on voyait bouillonner le lac comme une cuve sous les balles et la mitraille. Vers le soir, nous n'étions encore maîtres que du Zurichberg, sur la rive droite de la Limmat ; les Russes, refoulés dans la ville, s'y retranchaient. Ces gens-là, le front large et plat, le nez camard, les yeux petits et les lèvres épaisses, sont d'une autre race que nous. Ils tiennent jusqu'à la fin ; il faut les démolir, car ils ne reculent pas. C'est ce que nous faisions avec conscience, nous les battions en brèche, et le lendemain, à Zurich, ce fut un carnage comme celui du Mans.

» Cette masse stupide pensait s'échapper par une porte, pendant que nous forcions l'autre ; l'infanterie était en tête. Korsakoff avait laissé sa cavalerie en ville. Deux divisions les attendaient au défilé, les pièces chargées ; l'infanterie russe traversa boulets et mitraille, en poussant des cris sauvages qu'on entendait sur les deux lacs ; la cavalerie, l'artillerie, la caisse et les bagages restèrent entre nos mains. Un corps de Condé fut écharpé ; nos seigneurs demandaient quartier, on leur répondait à coups de baïonnette. Entre eux et nous pas de trêve, pas de miséricorde ; vaincre ou mourir ! nous ne connaissons que ça. Quelques-uns s'échappèrent. La ville est à moitié démolie, elle avait tiré sur nos parlementaires. Ce tas de Russes, que je vois étendus autour du bivac, ne ressemblent pas à des hommes, ce sont de grosses masses ; et, puisque les hussards autrichiens nous reprochaient la vermine, que devaient-ils penser de leurs amis ?

» Voilà, Michel, l'espèce de gens qu'on nous détache pour nous rendre notre bon roi et pour détruire la liberté. Les hommes auront-ils le dessus sur les animaux ? C'est toute la question.

» Notre brigade est restée en position depuis hier, la batterie a perdu deux lieutenants, je suis proposé par Sébastien Foy. Je serai nommé, ce qui m'est bien égal, car l'âge me donne droit au congé définitif, et, la campagne finie, à moins de nouveaux dangers pour le pays, je rentre au village.

» La division Mortier, la division Soult et deux autres divisions, sous le commandement du général en chef, sont parties à la rencontre de saint Nicolas Souvaroff, qui vient, par le Saint-Gothard, prendre le commandement des armées que nous avons battues, et marcher sur Paris. J'espère qu'on va bien le recevoir et que vous apprendrez bientôt du nouveau.

» Et sur ce, mon cher Michel, je vous embrasse ; j'embrasse le petit Jean-Pierre, la citoyenne Marguerite, le citoyen Chauvel et toi, mon vieux camarade, de tout mon cœur. Et je dis à tous les amis, bons patriotes de là-bas, salut et fraternité.

» JEAN-BAPTISTE SÔME. »

Cette lettre de Sôme nous remplit tous d'enthousiasme ; le père Chauvel surtout, affaissé depuis quelque temps, retrouva toute son énergie d'autrefois ; il courut à la mairie en donner lecture aux autorités, et puis il convoqua les jacobins, maître Jean, Éloff, Manque, Genti, etc., et ce soir-là nous eûmes fête jusque passé dix heures.

XV

Quelques jours après, les journaux de Paris nous apportaient toutes les nouvelles depuis la bataille de Zurich : le passage de Souvaroff au Saint-Gothard ; la retraite de Gudin ; la défense des ponts du Diable, d'Urseren, de Wâsen et d'Amsteig par Lecourbe, la surprise de Souvaroff aux environs d'Altorf, en apprenant que les armées de Korsakoff, de Hotze et de Jellachich étaient en pleine déroute ; sa fureur de se voir entouré par nos divisions ; sa retraite horrible à travers le Schachenthal et le Muttenthal, harcelé par nos troupes jusque dans les glaciers et dans des chemins affreux, parsemés de ses morts et de ses blessés ; enfin son arrivée misérable à Coire ; puis la dernière défaite de Korsakoff, entre Trüllikon et le Rhin, qui l'avait forcé de passer les ponts de Constance et de Diesenhofen, pour se sauver en Allemagne. Dix-huit mille prisonniers, dont huit mille blessés que les Russes avaient été forcés d'abandonner, cent pièces de canon, treize drapeaux, quatre généraux prisonniers, cinq généraux tués, parmi lesquels le général en chef Hotze, la reprise du Saint-Gothard et de Glaris, tout cela montrait que l'affaire avait été décisive.

Les mêmes gazettes parlaient aussi d'une grande victoire remportée par le général Brune sur les Anglo-Russes, à Kastrikum, en Hollande. La république n'avait donc plus rien à craindre de ses ennemis.

Ce qui fit rire surtout Chauvel c'est qu'on voyait, dans les mêmes journaux, deux petites lignes annonçant que le général Bonaparte avait débarqué le 17 à Fréjus, arrivant d'Égypte.

– Ah ! dit-il, son coup est manqué ; il revenait pour nous sauver, et la république n'a plus besoin de lui. Doit-il être ennuyé ! Et maintenant j'espère qu'on va lui demander des comptes ; car lorsqu'un pays vous a confié sa plus belle flotte, trente-cinq mille hommes de vieilles troupes, des canons, des munitions, un matériel immense, de revenir les mains dans les poches, comme un petit saint Jean, et de dire : « Tout est là-bas, allez-y voir ! » ce serait une mauvaise plaisanterie. Cette conduite abominable et sans exemple ouvrira les yeux de la nation ; les père et mère des trente-cinq mille hommes qu'il vient d'abandonner vont lui crier : « Qu'as-tu fait de nos enfants ? Où sont-ils ? Puisque te voilà, toi, sain et sauf, toi qui devais nous les ramener, et qui leur promettais six arpents de terre au retour de l'expédition, nous espérons bien que tu ne t'es pas retiré de la bagarre, en les laissant au milieu des déserts ! » Oui, cela ne peut pas manquer d'arriver. Nos directeurs et nos conseils, si lâches et si bas qu'on puisse les supposer, vont parler ferme.

Pour dire la vérité, mon beau-père n'avait pas tort. Bonaparte lui-même a raconté plus tard que, si Kléber était revenu d'Égypte sans ordre, il l'aurait fait arrêter à Marseille, juger par un conseil de guerre et fusiller dans les vingt-quatre heures. Pourtant Kléber ne s'était chargé de rien, il n'avait pris aucune responsabilité ; Bonaparte seul, sans même le prévenir de son départ, avait trouvé commode, au moment le plus difficile, de lui mettre toute l'affaire sur le dos, sachant bien que Kléber avait trop de cœur pour refuser le secours de son courage à tant de pauvres diables abandonnés. Et il l'aurait fait fusiller !... c'est lui qui le dit. Qu'on juge d'après cela de l'égoïsme, de l'injustice et de la férocité d'un pareil homme. Se croyait-il donc plus de droits que Kléber ? Non, mais il savait que personne en France n'était capable de la même barbarie et de la même malhonnêteté que lui-même, et voilà, depuis le commencement jusqu'à la fin, tout le secret de sa force.

Chauvel pensait qu'on allait au moins lui demander des comptes... Hélas ! le lendemain de cette magnifique campagne de Zurich, où Masséna venait de sauver la France, le jour même de son rapport, – simple et véridique, et non plein d'exagérations comme tant d'autres ! – ce jour même les gazettes ne parlaient que de Bonaparte. Ah ! les frères Joseph, Louis et Lucien n'avaient pas laissé se refroidir l'enthousiasme pendant son absence ; les gazettes et les petites affiches avaient été leur train ; partout on lisait : « Le général Bonaparte est arrivé le 17 à Fréjus, accompagné des généraux Berthier, Lannes, Marmont, Murat, Andréossy et des citoyens Monge et Berthollet ; il a été reçu par une foule immense de peuple, aux cris de « Vive la république ! » Il a laissé l'armée d'Égypte dans la position la plus satisfaisante.

» On ne peut rendre la joie qu'on a éprouvée, en entendant annoncer hier ces nouvelles aux spectacles. Des cris de « Vive la république ! Vive Bonaparte ! » des applaudissements tumultueux et plusieurs fois répétés se sont fait entendre de tous les côtés ; tout le monde était dans l'ivresse. La victoire, qui accompagne toujours Bonaparte, l'avait devancé cette fois, il avait peut-être gagné la

bataille de Zurich et chassé les Anglais et les Russes de la Hollande !
la victoire, qui accompagne toujours Bonaparte, l'avait devancé cette
fois, et il arrive pour porter les derniers coups à la coalition
expirante. Ah ! monsieur Pitt, quelle terrible nouvelle à joindre à
celle de la défaite totale des Anglo-Russes en Hollande ! Mieux eût
encore valu la perte de trois autres batailles, que l'arrivée de
Bonaparte ! »

Et puis une ligne :

« Le général Moreau est arrivé à Paris. » Il ne revenait pas
d'Égypte, celui-là, il n'avait pas abandonné son armée ; il s'était
dévoué en Italie pour réparer les fautes des autres. Que voulez-
vous ? ce n'était pas un comédien, les Français aiment les
comédiens !

Et le lendemain :

« C'est chez lui, rue de la Victoire, à la Chaussée-d'Antin, que
Bonaparte est descendu hier. Il sera reçu aujourd'hui au Directoire
exécutif. »

Et le lendemain :

« Bonaparte est allé hier, à une heure et demie, au Directoire
exécutif. Les cours et les salles étaient remplies de personnes, qui
s'empressaient pour voir celui dont le canon de la Tour de Londres
annonça la mort il y a plus d'un an. Il a serré la main à plusieurs
soldats, qui avaient fait sous lui les campagnes d'Italie. Il était en
redingote, sans uniforme. Il portait un cimeterre attaché avec un
cordon de soie. Il a adopté les cheveux courts. Le climat sous lequel
il a vécu pendant plus d'une année, a donné plus de ton à sa figure,
qui était naturellement pâle. En sortant du Directoire, il est allé
visiter plusieurs ministres, entre autres celui de la justice. »

Et puis :

« *Lucien Bonaparte est élu président du conseil des Cinq-Cents* ; les
secrétaires sont : Dillon, Fabry, Barra (des Ardennes) et Desprez (de
l'Orne). »

Et puis :

« Le général Bonaparte a dîné avant-hier chez Gohier, président
du Directoire. On a remarqué qu'il questionnait plus qu'il ne parlait
lui-même. On lui a demandé ce qui avait le plus frappé les

Égyptiens, de toutes les inventions que nous leur avions apportées ; il a répondu que c'était de nous voir boire et manger à la fois. »

Ainsi de suite du 22 vendémiaire au 18 brumaire. Et durant ce temps il n'était plus question ni de Masséna, ni de Souvaroff, ni d'Anglo-Russes ; tous les journaux étaient pleins, du haut en bas, des victoires de Chebreiss, des Pyramides, de Sédiman, de Thèbes, de Beyrouth, du Mont-Thabor, de l'expédition de Syrie, de la dernière bataille d'Aboukir, des proclamations de Bonaparte, membre de l'Institut national, général en chef..., etc, etc !

Tout cela nous avait rapporté grand-chose.

Mais de la destruction de notre flotte, de l'horrible pillage de Jaffa, du massacre des prisonniers et des habitants de cette malheureuse ville ; de l'épuisement de notre armée, de la peste qui la décimait, des dangers qui la menaçaient du côté de la mer et du désert, pas un mot. Que voulez-vous ? la comédie, toujours la comédie ! Et puis l'ignorance, la bêtise épouvantable du peuple ; la bassesse des écrivains qui se vendent pour flagorner et glorifier ceux qui leur graissent la patte ; la lâcheté de la foule, qui ne peut vivre sans maître ; l'égoïsme de ceux qui veulent avoir part au gâteau ; qu'on appelle cela chance, bonheur, génie, comme on voudra, tout cela réuni fait que les nations deviennent la proie des êtres rusés et cruels, qui les méprisent et les traitent à coups de botte et de cravache.

Enfin l'enthousiasme du peuple grandissait, quand, juste un mois après le retour de Bonaparte, on lut dans le *Moniteur :*

Bonaparte, général en chef, aux citoyens composant la garde sédentaire de Paris

« Du 18 brumaire an VIII de la République une et indivisible.

» Citoyens,

» Le conseil des Anciens, dépositaire de la sagesse nationale, vient de rendre le décret ci-joint. Il y est autorisé par les articles 102 et 103 de l'acte constitutionnel.

» Art. 1er. Le Corps législatif est transféré dans la commune de Saint-Cloud ; les deux conseils y siégeront dans les deux ailes du palais.

» Art. 2. Ils y seront rendus demain 19 brumaire, à midi. Toute continuation de fonctions, de délibération est interdite ailleurs et avant ce terme.

» Art. 3. Le général Bonaparte est chargé de l'exécution du présent décret. Il prendra toutes les mesures nécessaires pour la sûreté de la représentation nationale. Le général commandant la 17e division militaire (c'était alors Lefèvre), la garde du Corps législatif, les gardes nationales sédentaires, les troupes de ligne qui se trouvent dans la commune de Paris, dans l'arrondissement constitutionnel, et dans toute l'étendue de la 17e division, sont mis immédiatement sous ses ordres et tenus de le reconnaître en cette qualité. Tous les citoyens lui prêteront main-forte à sa première réquisition.

» Art. 4. Le général Bonaparte est appelé dans le sein du conseil, pour y recevoir une expédition du présent décret et prêter serment. (À quoi ?) Il se concertera avec les commissions des inspecteurs des deux conseils.

» Art. 5. Le présent décret sera de suite transmis par un message au conseil des Cinq-Cents et au Directoire exécutif ; il sera imprimé, affiché, promulgué, et envoyé dans toutes les communes de la République par des courriers extraordinaires. »

Bonaparte continuait :

« Le conseil des Anciens me charge de prendre les mesures pour la sûreté de la représentation nationale ; sa translation est nécessaire et momentanée. Le Corps législatif se trouvera à même de tirer la représentation du danger imminent, où la désorganisation de toutes les parties de l'administration nous conduit. Il a besoin, dans cette circonstance essentielle, de l'union et de la confiance des patriotes. Ralliez-vous autour de lui ; c'est le seul moyen d'asseoir la République sur les bases de la liberté civile, du bonheur intérieur, de la victoire et de la paix.

» *Vive la République !*

» BONAPARTE. »

» Pour copie conforme,

» ALEXANDRE BERTHIER. »

Ensuite arrivait une proclamation de Bonaparte aux soldats :

« Soldats,

» Le décret extraordinaire du conseil des Anciens est conforme aux articles 102 et 103 de l'acte constitutionnel. *Il m'a remis le commandement de la ville et de l'armée.*

» Je l'ai accepté, pour seconder les mesures qu'il va prendre, *et qui sont tout entières en faveur du peuple.*

» La République est mal gouvernée depuis deux ans. Vous avez espéré que mon retour mettrait un terme à tant de maux ; vous l'avez célébré avec une union qui m'impose des devoirs que je remplis. Vous remplirez les vôtres, et vous seconderez votre général avec l'énergie, la fermeté et la confiance que j'ai toujours vues en vous. La liberté, la victoire et la paix replaceront la République au rang qu'elle occupait en Europe, et que l'ineptie ou la trahison ont pu seule lui faire perdre.

» *Vive la République !*

» BONAPARTE. »

L'étonnement des gens, en lisant ces proclamations, ne peut pas se figurer. Nous étions tranquilles, la république venait de remporter deux grandes victoires à Zurich et à Kastrikum, en Hollande ; nos ennemis étaient abattus, et voilà que tout à coup, sans aucune raison, Bonaparte déclarait que la république avait perdu son rang en Europe, et qu'il allait la rétablir dans son éclat. C'était tellement faux, que les plus bornés voyaient le mensonge. Et puis ce transport des deux conseils au village de Saint-Cloud, pour les mettre sous la main des soldats, sans aucune défense, paraissait une véritable trahison ; c'est là ce qui faisait pousser des cris d'indignation aux patriotes ; ils croyaient tous que le peuple de Paris allait se soulever ; ils entraient l'un après l'autre à la bibliothèque, en criant :

– Eh bien ! ça chauffe maintenant à Paris !

Et Chauvel, qui se promenait de long en large, la tête penchée, leur répondait avec un sourire amer :

– Paris est bien tranquille. Paris regarde défiler les états-majors

167/208

de Bonaparte. Pourquoi le peuple de Paris se soulèverait-il, quand nous sommes ici bien paisibles à rêvasser, et qu'on crie dehors : « Vive Bonaparte ! » Pour qui et pour quoi se ferait-il casser les os ? Pour conserver cette constitution de l'an III, qui le destitue de ses droits politiques ? Pour maintenir une poignée d'intrigants dans les places qu'ils se sont adjugées eux-mêmes ? Non ! je vais vous expliquer clairement la chose : *l'affaire présente est entre les bourgeois et les soldats.* Je la voyais venir depuis longtemps ; elle avait commencé au 13 vendémiaire, elle avait continué au 18 fructidor. L'armée, dans le fond, sera toujours pour le peuple, elle sort du peuple, ceux qui soutiennent les intérêts du peuple ont toujours l'armée ; voilà pourquoi la Convention, malgré les nécessités terribles du temps, a toujours pu compter sur les soldats, même contre leurs généraux. Aucun général n'aurait pu entraîner les soldats contre la république, car la république alors c'était eux-mêmes, leurs familles, leurs parents, leurs amis, la nation tout entière. Mais les anciens girondins et leurs amis de la plaine s'étant entendus pour faire le 9 thermidor, la séparation des intérêts du peuple et de la bourgeoisie a commencé ; la constitution de l'an III l'a confirmée ; depuis, de jour en jour elle s'est étendue. La république n'est plus une, indivisible, elle est partagée : la bourgeoisie a ses intérêts, le peuple a les siens ; entre les deux se trouve l'armée ; c'est elle qui va faire la loi. Il lui fallait une occasion, notre directeur Sieyès vient de la trouver ; depuis six mois il invente une conspiration des jacobins contre la république. Cet homme, le plus vaniteux que je connaisse, déteste le peuple, parce que le peuple veut des idées claires et qu'il ne comprend pas les idées creuses de l'abbé Sieyès ; il a laissé l'abbé Sieyès dans son marais, sans s'inquiéter de lui, sans demander comme les bourgeois de la Constituante : « Que faut-il faire, monsieur l'abbé ? Que pensez-vous de notre conduite, monsieur l'abbé ? Si vous ne parlez pas, monsieur l'abbé, nous allons être bien embarrassés ! » Le peuple et ses représentants l'ont tranquillement laissé rêver. Ils ont fait de grandes choses sans lui, malgré lui, car à sa mine on voyait que cet homme trouvait tout mauvais, mais il avait la prudence de se taire.

» Plus tard il a retrouvé ses amis au conseil des Anciens ; ils avaient eu peur ensemble, ils avaient tremblé dans leur peau plus d'une fois, cela les rendait en quelque sorte frères. La constitution de l'an III ne leur paraissait pas encore assez monarchique, et les directeurs Lareveillère, Rewbell, Barras, etc., assez bourgeois ; ils ont fait leur coup de prairial, Sieyès est devenu directeur ; les journaux patriotes ont été saisis, leurs propriétaires, directeurs et rédacteurs déportés à Oléron, les clubs ont été fermés, les jacobins poursuivis ! Depuis six mois on ne parle que de terreur, de conspiration contre la république, pour avoir un prétexte d'arrêter les gens que l'on craint. Cela ne suffit pas. Sieyès a la constitution définitive de notre république dans sa poche ; et, comme elle ne cadre pas avec les idées de tout le monde, comme le peuple pourrait bien la repousser, il faut un général à Sieyès pour mettre le peuple à la raison, s'il se soulève. Il a tâté Moreau, Bernadotte ; il a choisi Joubert, mais Joubert est mort à Novi. Maintenant Bonaparte est revenu d'Égypte ; Bonaparte embrasse la constitution de Sieyès ; il la défend envers et contre tous ; Sieyès et ses amis du conseil des Cinq-Cents n'en demandent pas plus ; ils livrent les deux Conseils à Bonaparte, en les transportant à Saint-Cloud ; ils donnent à Bonaparte le commandement des troupes, malgré la constitution. Demain nous verrons le reste. Je pense que, si l'affaire réussit, Bonaparte et les soldats voudront avoir aussi leur petite part dans le gouvernement ; les bourgeois n'auront pas tout. »

Chauvel clignait de l'œil, indigné de ce tour qu'il prévoyait, mais qui venait dans un moment où la république se portait si bien, qu'on aurait cru de pareilles gueuseries impossibles. Je crois encore aujourd'hui que, sans l'abbé Sieyès, Bonaparte, malgré son audace, n'aurait jamais osé faire le coup. Sieyès l'avait préparé, Bonaparte l'exécuta.

Le lendemain, on se précipitait dans notre boutique pour demander les journaux ; en quelques minutes ils étaient tous enlevés. Nous, dans notre bibliothèque, à dix ou douze amis et gens de la famille, nous lisions cette fameuse séance des Cinq-Cents, du 19 brumaire, à l'orangerie de Saint-Cloud, sous la présidence de Lucien Bonaparte. C'est moi qui lisais :

« La séance est ouverte à une heure et demie, dans l'orangerie de Saint-Cloud, aile gauche du palais, par la lecture du procès-verbal de la séance précédente.

» GAUDIN : Citoyens, un décret du conseil des Anciens a transféré les séances du Corps législatif dans cette commune.

» Cette mesure extraordinaire doit être motivée sur des dangers imminents. En effet, on a déclaré que des factions puissantes menaçaient de nous déchirer ; qu'il fallait leur arracher l'espoir de renverser la république, et rendre la paix à la France, etc.

» Gaudin continuait ainsi, et finissait par demander qu'une commission fût nommée, pour faire son rapport sur la situation de la république et les mesures de salut public à prendre dans les circonstances. Il était interrompu.

» DELBREL : La constitution d'abord.

» GRANDMAISON : Je réclame la parole.

» DELBREL : La constitution ou la mort ! Les baïonnettes ne nous effrayent pas ; nous sommes libres ici.

« PLUSIEURS VOIX : Point de dictature !... À bas les dictateurs !

» Les cris de « Vive la constitution ! » s'élèvent.

» DELBREL : Je demande qu'on renouvelle le serment à la constitution !

» Les acclamations se renouvellent. Une foule de membres se portent au bureau. Les cris : « À bas les dictateurs ! » recommencent.

» LE PRÉSIDENT LUCIEN BONAPARTE : Je sens trop la dignité du Conseil, pour souffrir plus longtemps les menaces insolentes d'une partie des orateurs. Je les rappelle à l'ordre.

» GRANDMAISON : Représentants, la France ne verra pas sans étonnement que la représentation nationale et le conseil des Cinq-Cents, cédant au décret constitutionnel du conseil des Anciens, se sont rendus dans cette nouvelle enceinte, sans être instruits du danger, imminent sans doute, qui nous menace. On parle de former une commission pour proposer des mesures à prendre, pour savoir ce qu'il y a à faire. Il faudrait plutôt en proposer une pour savoir ce qui a été fait.

» Il finissait par s'écrier :

» – Le sang français coule depuis dix ans pour la liberté, et je demande que nous fassions le serment de nous opposer au rétablissement de toute espèce de tyrannie.

» UNE FOULE DE VOIX : Appuyé ! appuyé ! Vive la république ! Vive la constitution !

» Ce serment était prêté, et Bigonnet disait :

» – Le serment que vous venez de renouveler occupera sa place dans les fastes de l'histoire, il pourra être comparé à ce serment célèbre que l'Assemblée constituante prêta au jeu de paume, avec cette différence qu'alors la représentation nationale cherchait un asile contre les baïonnettes de l'autorité royale, et qu'ici les armes qui ont servi la liberté sont entre des mains républicaines.

» UNE FOULE DE VOIX : Oui !... oui !...

» BIGONNET : Mais le serment serait illusoire, si nous n'envoyions pas un message au conseil des Anciens, pour nous instruire des motifs de la convocation extraordinaire qui nous réunit ici. »

La séance continuait au milieu de l'agitation, on envoyait un message au Directoire, puis arrivait la lettre de Barras, qui donnait sa démission de directeur. Ce misérable disait :

« Citoyens représentants,

» Engagé dans les affaires publiques uniquement par ma passion pour la liberté, je n'ai consenti à accepter la première magistrature de l'État, que pour la soutenir dans le péril, etc. La gloire qui accompagne le retour du général illustre auquel j'ai eu le bonheur d'ouvrir le chemin de la gloire, les marques éclatantes de confiance que lui donne le Corps législatif, et le décret de la représentation nationale, m'ont convaincu que, quel que soit le poste où m'appelle désormais l'intérêt public, les périls de la liberté sont surmontés et les intérêts des armées garantis, etc. »

Ce filou avait l'air de se moquer des malheureux représentants, entourés de sabres et de canons, loin de tout secours.

Il paraît que ces longues délibérations fatiguaient Bonaparte ; il avait sans doute des espions dans la salle, qui lui rapportaient ce qu'on y disait, car, au moment où le représentant Grandmaison faisait entendre que la démission de Barras ne lui paraissait pas naturelle, qu'elle pouvait avoir été forcée, tout à coup un grand mouvement avait eu lieu, tous les regards s'étaient tournés vers la grande porte, où le général Bonaparte entrait, quatre grenadiers de la représentation derrière lui, et des officiers d'état-major plus loin, attentifs. Alors l'assemblée tout entière, indignée de voir ce soldat violer l'enceinte nationale, s'était levée en criant :

– Qu'est-ce que cela ?... Qu'est-ce que cela ? Des sabres ici... des hommes armés !...

Beaucoup de membres s'étaient précipités de leur banc ; ils tenaient Bonaparte au collet et le poussaient dehors. Une foule de membres criaient, debout sur leurs sièges :

– Hors la loi !... hors la loi !...

Ce cri terrible, qui avait fait trembler Robespierre, fit pâlir aussi cet homme. On l'a dit, il tomba même en faiblesse entre les bras de ses officiers. Mais le grand Lefèvre, que j'ai vu plus tard, un vrai troupier, natif de Rouffach, en Alsace, et qui ne connaissait que la consigne, s'était précipité dans la salle, à la tête de ses grenadiers, en criant : « Sauvons le général ! » Et il l'avait emporté.

Qu'on se figure le tumulte après cela. Le président Lucien Bonaparte, qui réclame le silence et crie épouvanté, parce qu'il sentait l'infamie de son frère :

– Le mouvement qui vient d'avoir lieu au sein du conseil, prouve ce que tout le monde a dans le cœur et ce que moi-même j'ai dans le mien. Il était cependant naturel de croire que la démarche du général n'avait pour objet que de rendre compte de la situation des affaires ou de quelque objet intéressant la chose publique. Mais je crois qu'en tout cas nul de vous ne peut soupçonner...

» UN MEMBRE : Aujourd'hui Bonaparte a terni sa gloire.

» UN AUTRE : Bonaparte s'est conduit en roi.

» UN AUTRE : Je demande que le général Bonaparte soit traduit à la barre, pour y rendre compte de sa conduite.

» LUCIEN BONAPARTE : Je demande à quitter le fauteuil.

» Chazal occupe le fauteuil.

» DIGNEFFE : Quand le conseil des Anciens a usé du droit constitutionnel du Corps législatif, il a eu sans doute de puissants motifs. Je demande qu'on déclare quels sont les chefs et les agents de la conspiration qui nous menace. Avant tout je demande que vous preniez des mesures pour votre sûreté ; que vous déterminiez sur quels endroits s'étendra la police de votre enceinte.

» UNE FOULE DE VOIX : Appuyé.

» BERTRAND (DU CALVADOS) : Lorsque le conseil des Anciens a ordonné la translation du Corps législatif en cette commune, il en avait le droit constitutionnel ; quand il a nommé un général, commandant en chef, il a usé d'un droit qu'il n'avait pas. Je

172/208

demande que vous commenciez par décréter que le général Bonaparte n'a pas le commandement des grenadiers qui composent votre garde.

» UNE FOULE DE VOIX : Appuyé !

» TALOT : Le conseil des Anciens n'avait pas le droit de nommer un général ; Bonaparte n'a pas eu le droit de pénétrer dans cette enceinte sans y être mandé. Quant à vous, vous ne pouvez rester plus longtemps dans une telle position ; vous devez retourner à Paris. Marchez-y revêtus de votre costume, et votre retour y sera protégé par les citoyens et les soldats ; vous reconnaîtrez à l'attitude des militaires qu'ils sont les défenseurs de la patrie. Je demande qu'à l'instant vous décrétiez que les troupes qui sont actuellement dans cette commune fassent partie de votre garde. Je demande que vous adressiez un message au conseil des Anciens, pour l'inviter à rendre un décret qui vous ramène à Paris.

» DESTREM : J'appuie l'avis de Talot.

» BLIN : Six mille hommes sont autour de vous ; déclarez qu'ils font partie de la garde du Corps législatif.

» DELBREL : À l'exception de la garde du Directoire. Marche, président, mets aux voix cette proposition.

» On demande à grand cris le vote.

» LUCIEN BONAPARTE : Je ne m'oppose point à la proposition ; mais je dois faire observer qu'ici les soupçons paraissent s'élever avec bien de la rapidité et peu de fondement. Un mouvement, même irrégulier, aurait-il déjà fait oublier tant de services rendus à la liberté ?

» UNE FOULE DE VOIX : Non, non, on ne les oubliera pas !

» LUCIEN BONAPARTE : Je demande qu'avant de prendre une mesure, vous appeliez le général.

» BEAUCOUP DE VOIX : Nous ne le reconnaissons pas.

» LUCIEN BONAPARTE : Je n'insisterai pas davantage. Quand le calme sera rétabli dans cette enceinte ; quand l'inconvenance extraordinaire qui s'est manifestée sera calmée, vous rendrez justice à qui elle est due, dans le silence des passions.

» UNE FOULE DE VOIX : Au fait !... au fait !...

» Lucien Bonaparte : Je dois renoncer à être entendu ; et, n'en ayant plus le moyen, je déclare déposer sur la tribune les marques de la magistrature populaire.

» Lucien Bonaparte, dépouillé de son costume, descend de la tribune. Un peloton de grenadiers du Corps législatif entre. Un officier du Corps des grenadiers est à sa tête. Le piquet, arrivé à la tribune enlève Lucien Bonaparte et l'emmène dans ses rangs hors de la salle. »

Voilà le guet-apens bien réussi ; quand la ruse et le mensonge ne suffisent pas, quand les gens ne se laissent pas tromper, on emploie la force !

« Le tumulte éclate, les cris de fureur et d'indignation. Le pas de charge se fait entendre dans les escaliers qui conduisent à la salle. Les spectateurs s'élancent aux fenêtres. Les représentants du peuple sont debout et crient : « Vive la république ! » Des grenadiers, l'arme au bras, envahissent le temple des lois, le général Leclerc à leur tête.

» Le général Leclerc élevant la voix :

– Citoyens représentants, on ne répond plus de la sûreté du conseil. Je vous invite à vous retirer.

» Les cris de « Vive la république ! » recommencent. Un officier des grenadiers du Corps législatif monte au bureau du président :

» – Représentants, s'écrie-t-il, retirez-vous, le général a donné des ordres.

» Le tumulte le plus violent continue. Les représentants restent en place. Un officier s'écrie : « Grenadiers, en avant ! » Le tambour bat la charge. Le corps des grenadiers s'établit au milieu de la salle. L'ordre de faire évacuer la salle est donné par le général Leclerc, et s'exécute au bruit d'un roulement de tambours, pour couvrir les cris d'indignation et les protestations des députés. »

Je connais des écrivains qui dans le temps ont glorifié cela, et que d'autres Bonaparte ont fait empoigner et conduire en prison la nuit, comme des voleurs. Franchement ils l'avaient bien mérité. Quand on enseigne au peuple le respect et l'admiration de la ruse et de la violence ; quand on n'a pas un cri pour relever le cœur des honnêtes gens et flétrir le crime, eh bien, il faut vous appliquer vos leçons ; cela raffermit la morale de ceux qui pensent que la justice est éternelle et qu'elle s'exécute même quelquefois en ce monde.

Quant au reste de ce 19 Brumaire, vous savez déjà que la majorité des Anciens, gagnée par Sieyès, était du complot. Ils tremblaient dans l'aile droite du palais. Le matin même, avant d'aller au Cinq-Cents, Bonaparte était venu leur faire un discours, comme il en faisait à ses soldats, criant qu'il existait une conspiration, que le conseil des Cinq-Cents voulait rétablir la Convention et les échafauds, que les directeurs Barras et Moulin avaient été jusqu'à lui proposer de renverser le gouvernement. On lui demandait des preuves. Il n'en n'avait pas ; il bégayait, il se fâchait, il se tournait vers ses soldats, debout à la porte, et leur criait :

– C'est sur vous, mes braves soldats, que je me repose... Je vois d'ici vos bonnets et vos baïonnettes. Vous ne m'abandonnerez pas, mes braves amis, que j'ai conduits à la victoire...

Ainsi de suite. Ah ! que les Anciens devaient se repentir d'avoir livré les deux Conseils et la nation à ce malheureux ! Il était trop tard !

Pendant que les Cinq-Cents, repoussés de leur salle, couraient à Paris pour réveiller le peuple, s'il était possible, vingt-cinq ou vingt-six traîtres, restés en arrière, rentrèrent à la nuit dans la salle, sous la présidence de Lucien Bonaparte, complice de l'autre, et rendirent ce fameux décret qu'on attendait et par lequel le Directoire était supprimé, soixante et un des Cinq-Cents expulsés des conseils, le pouvoir exécutif confié à Sieyès, Roger-Ducos et Bonaparte, *le général,* sous le nom de Consuls, le Corps législatif ajourné à trois mois, et deux commissions législatives de vingt-cinq membres, chargées de veiller à la police et de réviser la constitution.

Les Anciens restés en permanence, approuvèrent tout, cela va sans dire ; et comme Chauvel l'avait prévu, le peuple n'ayant pas bougé parce qu'il n'avait aucun intérêt à garder la constitution de l'an III, la nation fut dans le sac pour seize ans. Elle y serait peut-être encore sans les Allemands, les Anglais et les Russes ! Oui, il faut enfin avoir le courage de le dire : si l'Europe tout entière, qu'il pillait et rançonnait, ne s'était pas levée contre cet homme, l'ancien régime, rétabli dans toute sa force au profit de la famille Bonaparte, avec son clergé, sa noblesse, ses majorats, ses privilèges et son despotisme abominable, écraserait encore notre malheureux pays.

Les bourgeois, s'il leur restait un peu de bon sens, durent alors comprendre que l'esprit de finasserie et d'égoïsme ne fait pas tout, et qu'avec un peu plus de justice, en faisant une part honnête au peuple dans leur constitution, elle aurait trouvé des milliers de défenseurs. Mais quand on veut tout happer et garder pour soi seul, il faut aussi tout défendre ; Bonaparte, en criant « *qu'il venait rétablir les droits du peuple* » et jeter les avocats à la rivière, devait avoir le peuple pour lui, cela tombe sous le sens commun ; chacun pour soi, Dieu pour tous ! Les bourgeois en avaient donné l'exemple, le peuple le suivit.

Nous allions donc apprendre à connaître le gouvernement des soldats !

XVI

Tous les généraux présents à Paris avaient trempé dans le coup d'État ; Moreau s'était même abaissé jusqu'à garder prisonniers, au palais du Luxembourg, les deux seuls hommes de cœur du Directoire, Gohier et Moulin, qui n'avaient pas voulu donner leur démission, et qui se retirèrent, en protestant avec force contre ces infamies.

Le lendemain, Bonaparte quitta la petite maison de la rue de la Victoire avec son épouse, pour aller se loger au Luxembourg. Les consuls firent une proclamation à la nation et Bonaparte à l'armée ; les soldats reçurent du vin, ils chantèrent, ils crièrent : « Vive Bonaparte ! » Le peuple, à Phalsbourg, s'en mêla, et l'on consomma plus de bière et de cervelas en ce jour, que durant plusieurs mois. Les patriotes ne bougèrent pas ; quand le peuple et les soldats sont d'accord, il faut rester bien tranquille. Les autorités civiles et militaires avaient reçu des ordres, et dans une petite ville comme la nôtre, le maire, les adjoints, le secrétaire de la mairie, le brigadier de la gendarmerie, viennent vous avertir en secret. Nous avions reçu cet avis, le père Chauvel n'en avait pas besoin, il connaissait Bonaparte.

Les gazettes étaient pleines d'adhésions, de compliments, de félicitations, d'assurances de dévouement ; Brune lui-même, un ancien ami de Danton, et qui lui devait ses premiers grades, le vainqueur du duc d'York en Hollande, écrivit au grand homme pour se soumettre. Masséna ne disait rien ; il avait semé, l'autre récoltait : l'ingratitude du peuple devait l'indigner. Bonaparte, pour ne l'avoir pas si près de Paris, à la tête des vainqueurs de Zurich, l'envoya commander en Italie ; Bernadotte, ayant vu le coup réussir à fond, se taisait ; Championnet criait victoire ; Augereau n'avait jamais tant aimé Bonaparte.

Mais ce qui fit frémir les honnêtes gens, ce fut la liste de ceux qu'on envoyait à Cayenne et dans l'île de Ré, cette liste où les brigands, les assassins signalés depuis longtemps, se trouvaient mêlés avec les représentants des Cinq-Cents, et des patriotes comme Jourdan, le sauveur de la France à Fleurus et à Wattignies. Alors on reconnut l'esprit d'abaissement de Bonaparte. Il paraît que lui-même apprit l'horreur de la foule, et qu'il comprit qu'en dépassant un certain point, la canaille elle-même pourrait se révolter ; car on vit aussitôt dans les gazettes qu'il ne s'agissait pas de Jean-Baptiste Jourdan, le général, mais de Mathieu Jourdan, dit Coupe-Tête, le massacreur de la Guillotière, mort depuis des années. Cette humiliation d'un des plus vertueux citoyens fit de la peine à tout le monde.

Les deux commissions poursuivaient leur ouvrage à Paris ; celle des Cinq-Cents, sous Lucien Bonaparte, celle des Anciens, sous Lebrun. Elles abolirent la loi des otages, elles établirent une taxe de guerre de vingt-cinq centimes par franc, à la place de l'emprunt forcé ; elle proclamèrent l'étalon définitif des poids et mesures, ce qui fut un bien pour le commerce ; elles mirent en ordre les lois déjà rendues pour notre code civil, et finalement elles nommèrent chacune leur commission *chargée d'arrêter un projet de constitution.*

C'est ce qu'on attendait avec impatience, car nous ne pouvions vivre dans l'état où nous étions, sous le genou d'un seul homme ; nous aurions été plus malheureux que des serfs. Nous croyions que la nouvelle constitution allait nous rendre des droits, puisque tous étaient abolis, même ceux de la constitution de l'an III. Le père Chauvel seul riait, quand on lui parlait de nouvelles constitutions ; il levait les épaules : cela signifiait bien des choses et vous mettait la mort dans l'âme.

Alors on connut enfin cette magnifique constitution, que Sieyès trimballait dans sa tête depuis cinq ans. Des images de Mirecourt, dont nous avons vendu beaucoup en ce temps la représentaient sous la figure d'une pyramide d'Égypte. En haut était assis dans un fauteuil le grand électeur à vie, nommé par le sénat assis au bas de la pyramide. Ce grand électeur devait recevoir six millions par an ; il devait avoir une garde de trois mille hommes et vivre au palais de Versailles, comme Louis XVI. C'était la pièce principale de cette constitution. Le grand électeur ne devait avoir pour seule fonction que de nommer deux consuls, l'un de la paix et l'autre de la guerre, et puis de regarder d'en haut ce qui se passerait. À droite de la pyramide était assis le Corps législatif, à gauche le tribunat, et, en face du grand électeur, le conseil d'État. Le tribunat et le conseil d'État se disputaient ensemble sur les lois, le Corps législatif les écoutait, il prononçait son jugement.

Quant au peuple, il était représenté sous la figure d'un maire qui dresse des listes, d'un commissionnaire qui les porte et d'un paysan qui les met dans une boîte.

Cette image faisait mourir de rire tous ceux qui la voyaient. On contait que Bonaparte lui-même s'en était fait du bon sang et qu'il avait dit à Sieyès :

– Ah ça ! croyez-vous que la nation verrait avec plaisir un cochon dépenser six millions à Versailles sans rien faire ? Et puis, connaissez-vous un homme assez bas, pour accepter une position pareille ?

M. l'abbé n'avait su quoi répondre ; il connaissait très bien ce grand électeur !

Il paraît que Bonaparte trouva pourtant que la constitution de Sieyès avait du bon, car, le 13 décembre 1799, la nouvelle constitution ayant été publiée, nous vîmes que le Sénat, le Corps législatif, le tribunat, le conseil d'État et même le grand électeur étaient conservés ; seulement ce grand électeur, au lieu de ne rien faire, faisait tout ; il s'appelait premier consul, et s'était donné deux camarades pour la forme :

« Le gouvernement est confié à trois consuls, nommés pour dix ans et indéfiniment rééligibles. La constitution nomme premier consul le citoyen Bonaparte, ex-consul provisoire ; deuxième consul, le citoyen Cambacérès, ex-ministre de la justice ; troisième consul, le citoyen Lebrun, ex-membre de la commission des Anciens.

» Le premier consul a des fonctions et des attributions particulières, dans lesquelles il est momentanément suppléé, quand il y a lieu, par un de ses collègues.

» Le premier consul promulgue les lois ; il nomme et révoque à volonté les membres du conseil d'État, les ministres, les ambassadeurs et autres agents extérieurs en chef ; les officiers de l'armée de terre et de mer, les membres des administrations locales et les commissaires du gouvernement près les tribunaux ; il nomme les juges criminels et civils autres que les juges de paix et les juges de cassation, sans pouvoir les révoquer.

» Le gouvernement propose les lois et fait les règlements nécessaires pour les exécuter ; il dirige les recettes et les dépenses de l'État ; il surveille la fabrication des monnaies. S'il est informé qu'il se trame quelque conspiration contre l'État, il peut décerner des mandats d'amener et des mandats d'arrêt. Il pourvoit à la sûreté intérieure et à la défense extérieure de l'État ; il distribue les forces de terre et de mer et en règle la direction. Il entretient des relations politiques au dehors, conduit les négociations, fait les stipulations préliminaires, signe, fait signer et conclut les traités de paix, d'alliance, de trêve, de neutralité, de commerce et autres conventions. Sous la direction des consuls, le conseil d'État est chargé de rédiger les projets de loi et les règlements d'administration publique, et de résoudre les difficultés qui s'élèvent en matière d'administration. »

Enfin, qu'est-ce qui restait aux autres, je le demande, et quelles garanties avions-nous ? Qui pouvait s'opposer à la volonté du premier consul, qui ? Il avait tout fait, tout nommé du haut en bas : sénateurs, pour maintenir ou annuler les actes inconstitutionnels ; conseillers d'État, pour défendre les projets de loi ; tribuns pour les attaquer ; et par sa constitution il voulait continuer de tout faire, tout nommer et tout décider, car son Corps législatif était une vraie farce. Écoutez un peu :

« Les citoyens de chaque arrondissement communal désigneront ceux d'entre eux qu'ils croiront les plus propres à gérer les affaires publiques (un sur dix). Les citoyens compris dans ces listes communales désigneront également un dixième d'entre eux ; il en résultera une seconde liste départementale. Les citoyens portés sur la liste départementale désigneront pareillement un dixième d'entre eux, il en résultera une troisième liste. »

Vous croyez peut-être que ceux-ci vont enfin nommer les députés, pas du tout : « Ceux-là sont propres aux fonctions publiques nationales. »

« Toutes les listes faites dans les départements en vertu de l'article 9 (les dernières), seront adressées au sénat ; le sénat élit sur ces listes les législateurs, les tribuns, les consuls, les juges de cassation et les commissaires de la comptabilité. »

Et le sénat, qui l'avait nommé ? Les consuls ! – Je ne veux pas aller plus loin, cela suffit pour vous montrer dans quel état nous étions tombés : le premier consul faisait tout et la nation rien ! Quant aux discussions entre le conseil d'État et le tribunat dans la présentation des lois, c'était une espèce de mécanique montée pour faire croire que nous avions un gouvernement et que nous débattions nos intérêts ; les uns attaquaient toujours le projet et les autres le défendaient toujours, comme Polichinelle à la foire donne toujours les coups de pied, et Jocrisse les reçoit toujours, en faisant des grimaces ; on finit par rire malgré soi, tant la chose vous semble bête. Il paraît pourtant que le premier consul était jaloux de son théâtre, car plusieurs journaux s'étant permis d'exécuter les farces du tribunat et du conseil d'État, et de se disputer entre eux sur les projets, on vit un beau matin, au *Moniteur* :

« Arrêté du 27 nivôse. – Les consuls de la République, considérant qu'une partie des journaux qui s'impriment dans le département de la Seine sont des instruments dans les mains des ennemis de la République ; que le gouvernement est chargé spécialement par le peuple français de veiller à sa sûreté, arrêtent ce qui suit :

» Art. Ier. Le ministre de la police ne laissera, *pendant toute la guerre,* imprimer, publier et distribuer que les journaux ci-après désignés : le *Moniteur universel,* le *Journal des débats et des décrets,* le *Journal de Paris,* le *Bien informé, l'Ami des lois,* la *Clef des Cabinets,* le *Citoyen français,* la *Gazette de France,* le *Journal des hommes libres,* le *Journal du soir,* le *Journal des défenseurs de la patrie,* la *Décade philosophique.* »

En tout treize journaux. Et, comme nous avions toujours la guerre, cela ne devait jamais finir. Après cela, chacun peut se figurer à quel degré d'abaissement, de stupidité et d'ignorance la nation fut bientôt réduite ; d'autant plus que, pendant tout son règne, Bonaparte ne donna pas un centime pour l'instruction primaire, et ne s'inquiéta que des lycées et des hautes écoles pour la bourgeoisie et la noblesse. Mais en revanche, bien des gens oubliés revinrent sur l'eau ; jamais on ne se fera l'idée de l'enthousiasme d'une foule d'anciens gentilshommes, de ci-devant écuyers, seigneurs, comtes, vicomtes, grandes dames, valets de cour, employés de faisanderie ou de la cuisine, d'avoir enfin un homme devant qui se prosterner. Cela leur manquait depuis longtemps. Ce n'était pas le roi légitime, hélas, non ! C'était même un assez rude personnage, un soldat de fortune très insolent, mais c'était le maître ! Et l'on se précipitait dans ses antichambres ; on avait besoin de servir : il est si doux de servir !

Bonaparte aimait cette espèce de gens ; il les recevait bien et disait que la vieille noblesse se reconnaît toujours à ses belles manières ; qu'il faut être élevé là-dedans de père en fils, pour s'en tirer aussi bien. Mais il n'était pas encore aux Tuileries, et c'est aux Tuileries qu'il voulait les recevoir.

En attendant, comme l'amour d'un homme ne remplace pas tout à fait l'amour de la patrie, et qu'il faut encourager ceux qui sont dans le bon chemin, en les marquant d'un signe, les consuls de la république arrêtèrent qu'il serait donné aux individus qui se distingueraient par une action d'éclat : 1° aux grenadiers et soldats des fusils garnis d'argent ; 2° aux tambours, des baguettes d'honneur garnies en argent ; 3° aux militaires de troupes à cheval, des mousquetons d'honneur garnis en argent ; 4° aux trompettes, des trompettes d'honneur en argent ; 5° que les canonniers pointeurs les plus adroits, qui dans une bataille rendraient le plus de services, recevraient des grenades d'or qu'ils porteraient sur le parement de leurs habits, et que tout militaire qui aurait obtenu une de ces récompenses jouirait de cinq centimes de haute paye par jour.

Ainsi tout se payait comme dans notre boutique ; la livre de sucre, tant ; l'once de cannelle, tant ; le litre de vinaigre, tant ; le dévouement du soldat, tant ! du lieutenant, tant ! du capitaine, tant ! Tu courais le risque de perdre la vie, tant pour les risques, et nous sommes quittes ! Quant à ton dévouement, à tes sacrifices, ne m'en parle pas. Tout ce qui se paye et s'achète est de la marchandise ; laissons donc de côté la gloire. La gloire existait sous la république, quand les Jourdan, les Hoche, les Kléber, les Marceau se sacrifiaient avec des milliers d'autres pour la liberté, l'égalité et la fraternité ; oui, la gloire était leur seule récompense ; ils ne voulaient ni titres, ni décorations, ni grosses pensions, ni gratifications ! Mais chaque fois qu'on me parle de la gloire avec de gros profits, l'idée me vient de proposer au conseil municipal de m'élever une statue sur la place d'armes de Phalsbourg, pour avoir pendant quinze ans fourni mes compatriotes, contre beaux deniers comptants, de poivre, de gingembre, de clous de girofle et autres denrées coloniales. Les gens m'ont payé, c'est vrai ; je me suis fait épicier dans mon intérêt, c'est encore vrai ; mais du moment que l'état militaire rapporte autant et plus de bénéfices en tous genres que l'épicerie, je ne vois pas pourquoi Michel Bastien, premier épicier de la commune, n'aurait pas sa statue aussi bien que Georges Mouton.

Tout cela, vous le voyez bien, c'est une plaisanterie : la gloire vient du dévouement ! Et Bonaparte comptait si peu sur le dévouement, qu'il n'avait jamais parlé que d'intérêt à ses soldats : « Soldats, je vais vous conduire dans les plus fertiles plaines du monde ! » – « Soldats, au retour de cette expédition, chacun de vous aura de quoi acheter six arpents de terre. » Maintenant ils n'avaient besoin de rien acheter, ils étaient dans les plus fertiles plaines du monde : la France ! riche en grains, riche en fourrages, riche en fruits, riche en bons vins, riche en denrées de toute sorte, et surtout riche en conscrits. Ils avaient gagné tous les droits que la nation avait perdus.

Après avoir joué contre nous, Bonaparte allait jouer contre l'Europe, pour donner des trônes à ses frères, la nation allait être forcée de lui fournir tous les enjeux, mais comme il avait promis la paix au pays, et que cette promesse avait fait deux fois son élévation, il écrivit familièrement au roi d'Angleterre George III, que les Anglais et les Français pourraient fort bien s'entendre, dans l'intérêt de leur commerce, de leur prospérité intérieure et du bonheur des familles ; et qu'il s'adressait tout bonnement à lui, sans s'inquiéter de ses ministres, ni de ses chambres, ni de ses autres conseillers, parce que ces choses-là se traitent beaucoup mieux de camarade à camarade, comme on s'offre une prise de tabac.

Le roi George fut très étonné de voir un petit gentilhomme corse lui frapper sur l'épaule. Il refusa de répondre, disant que la Constitution anglaise s'y opposait. Mais son premier ministre Pitt, qui nous avait déjà fait tant de mal, en payant les deux premières coalitions contre nous et débarquant des armées entières sur nos côtes, comprit très bien que Bonaparte voulait rire, en flattant le peuple français de cette paix ; seulement, lui-même désirait la continuation de la guerre ; il répondit donc par une note, qui fut affichée dans les derniers villages : « Que notre révolution attaquait tout l'univers ; qu'elle était contraire aux propriétés, à la liberté des personnes, à l'ordre social et à la liberté de la religion ; que Sa Majesté George III ne pouvait avoir confiance dans nos traités de paix et nos promesses ; qu'il lui fallait d'autres garanties ; et que la meilleure garantie pour lui, serait le rétablissement de cette race de princes qui, durant tant de siècles, avaient su maintenir au-dedans la prospérité de la nation française, et lui assurer de la considération et du respect au-dehors ; qu'un tel événement écarterait à l'instant et dans tous les temps les obstacles qui s'opposaient aux négociations de paix ; qu'il assurerait à la France la jouissance incontestée de son ancien territoire, et donnerait à toutes les autres nations de l'Europe, par des moyens tranquilles et paisibles, la sécurité qu'elles étaient actuellement forcées de chercher par d'autres moyens, etc., etc. »

Cela signifiait que le roi George et son ministre regardaient l'existence de notre république, comme le plus grand danger que pussent courir toutes les familles de nobles, de princes et de rois, qui subsistent aux dépens des peuples en Europe. Ils s'étaient dit :

« Cette république périra, ou nous périrons ! La souveraineté d'un peuple ne peut exister à côté du droit divin des autres. »

Et c'était vrai. Bonaparte le savait bien ; – si les rois avaient voulu le recevoir dans leur famille, la paix et la fin de notre république ne se seraient pas fait attendre longtemps ; mais ni le roi George, ni François II, ni l'empereur Paul ne voulaient de lui ; la guerre était donc inévitable.

La république avait repoussé toutes les attaques des rois et tendu la main aux peuples ; elle avait répandu la connaissance des droits de l'homme jusqu'en Russie et fait trembler les despotes chez eux. Je suis sûr que les peuples auraient fini par la comprendre et l'aimer. Nos dernières victoires, pendant que notre meilleure armée et presque tous nos meilleurs généraux étaient en Égypte, prouvaient que nous avions de la force encore pour vingt ans, et dans ces vingt ans l'esprit de liberté, de justice et de dévouement au genre humain aurait marché toujours.

Depuis l'arrivée de Bonaparte, l'intérêt seul avait pris le dessus ; il voulait une place parmi les rois, et c'est nous qui devions la gagner. La guerre devint alors forcée. Seulement, comme Bonaparte était un homme très fin, il sentait que la lutte serait longue, et voulut d'abord tout préparer, mettre de l'ordre non seulement dans ses troupes, mais encore dans le pays, pour avoir tout sous la main, tirer ses ressources sans encombre des moindres hameaux, ne rencontrer d'obstacles et de résistance nulle part, et pouvoir pomper l'argent, le sang, la vie, jusque sur le roc vif de la nation. C'est de là que nous est venue la fameuse organisation territoriale du 28 pluviôse an VIII (11 février 1800), et l'établissement des préfectures et sous-préfectures, que tant d'écrivains ont admirés, sachant bien pourtant qu'ils ne peuvent s'accorder avec la justice et la liberté de notre pays.

Avant la révolution, nous avions eu les assemblées provinciales, composées de prêtres et de nobles, pour régler les intérêts de la province et les impôts de chacun ; plus tard sous la Constituante et la Convention, nous avions eu des assemblées municipales, nommées par tous les citoyens sans exception, pour régler les affaires de la commune, et des assemblées primaires au chef-lieu du district, pour l'élection des députés, des juges, des administrateurs, etc. Tout le monde était content ; on vivait, on prenait part aux affaires de son canton, de sa ville, de son village, du département et du pays tout entier. Les citoyens pauvres recevaient même une indemnité pour se rendre aux assemblées de district.

Ensuite, par la constitution de l'an III, nous avions eu des assemblées primaires composées seulement de tous ceux qui payaient des contributions directes ! Mais c'est égal, on était toujours attaché aux intérêts de son pays, et puis on avait des affaires municipales ; c'est dans les assemblées municipales qu'on apprenait à défendre ses intérêts ; tous ceux qui se trouvaient nommés de ces assemblées, soit comme simples membres, soit comme officiers municipaux chargés de fonctions particulières, pouvaient dire : « Je représente mes concitoyens. Ce que je fais, c'est pour moi-même, mes amis, ma ville, mon village. » Nul étranger n'avait le droit de se mêler des affaires municipales ou commmunales. Robespierre, le premier, avait envoyé des agents municipaux dans les chefs-lieux de département, des surveillants, mais pas de gens ayant mission de se mêler de ce qui ne les regardait pas ; pourvu que la république eût son compte en argent et en hommes, il n'en demandait pas davantage.

Eh bien, cela ne suffisait pas à Bonaparte : il trouvait que les gens étaient encore trop libres ; qu'il n'étaient pas assez sous sa poigne ; qu'ils s'occupaient encore trop de leurs propres affaires ; que leur propre commune les regardait moins que lui, et qu'il devait leur nommer, non seulement un surveillant, mais un maire chargé de tout faire chez eux à leur place, de recevoir ses ordres et de forcer les citoyens à les remplir. On continuait de nommer des conseillers municipaux, mais quand le conseil municipal ne s'accordait pas avec le maire, représentant du premier consul, le conseil municipal était dissous et le maire avait raison quand même.

C'est ce que la nouvelle organisation appelait « l'administration proprement dite ». Au-dessus du maire était le sous-préfet, au chef-lieu d'arrondissement, car l'organisation territoriale créait trois cent quatre-vingt-dix-huit arrondissements, au-dessus des six à sept mille cantons de la république ; et au-dessus du sous-préfet était le préfet, au chef-lieu du département, tous chargés de procurer l'exécution de ce que voulait le premier consul, d'être les premiers consuls de la commune, de l'arrondissement et du département : de nommer à toutes les fonctions, qui bon leur semblait, et de plier quiconque résisterait.

Quand un citoyen avait à se plaindre du dernier de leurs agents, il ne pouvait pas lui demander réparation en justice (article 75 de la constitution de l'an VIII) et devait s'adresser d'abord au conseil d'État, pour en obtenir l'autorisation ; et comme le premier consul nommait aussi les préfets, les sous-préfets et les maires, lesquels nommaient, eux, leurs agents de police, leurs gardes champêtres, etc., le conseil d'État, nommé par le premier consul, ne donnait jamais ou presque jamais l'autorisation de les poursuivre ; de sorte qu'il fallait rester chez soi, ne pas bouger, et, quand on sortait, tirer le chapeau jusqu'au dernier mouchard, dans la crainte perpétuelle de recevoir des soufflets, et d'aller en prison si l'on avait le malheur d'y répondre, sans aucun espoir d'obtenir réparation.

Tout le reste de cette organisation, que des écrivains célèbrent comme le chef-d'œuvre de l'esprit humain, était dans le même genre. Tout revenait au premier consul ; il avait la gloire et la responsabilité de tout, et sa responsabilité devait se réclamer au conseil d'État, dont chaque membre était nommé par lui et révocable à volonté.

La nation n'existait plus donc que pour fournir des soldats et de l'argent à Bonaparte. Jamais aucun peuple n'était tombé plus bas.

XVII

Après avoir établi cette magnifique organisation, balayé quelques poignées de Bretons révoltés et fusillé leurs chefs, Bonaparte, tranquille sur ses derrières, donna le commandement des armées du Danube et du Rhin à Moreau.

Il rassemblait en même temps près de Dijon une armée dans le plus grand secret. Les Autrichiens, alors maîtres de l'Italie, assiégeaient Gênes, près de nos frontières ; et tout à coup le premier consul, ayant assez réuni de troupes, courut se mettre à leur tête et passa les Alpes, comme Souvaroff l'année d'avant, mais avec beaucoup moins de peine, parce que le Saint-Gothard était défendu, qu'il avait fallu l'enlever de force, et que le passage du Saint-Bernard était libre ; il coupa la retraite des Autrichiens et perdit contre Mélas la bataille de Marengo, qui fut regagnée aussitôt par Desaix et Kellermann.

Pendant ce temps Moreau battait l'ennemi, les 5, 6, 7 et 8 mai à Engen, à Stokach, à Mœskirsch, et lui faisait dix mille prisonniers ; il s'emparait de Memmingen, culbutait les Autrichiens à Biberach le 9, et passait le Danube seulement le 22 juin, parce qu'il avait ordre du premier consul de ne pas s'avancer trop vite, pour lui laisser le temps de descendre en Italie et de tomber sur les derrières des Autrichiens. Moreau suivit son ordre. Ensuite il battit Kray à Hochstaedt, Neresheim et Nordlingen, tandis que Lecourbe commandant son aile droite, envahissait le Vorarlberg, et se rendait maître de Feldkirch et de toute la haute montagne jusqu'en Valteline ; mais toutes ces victoires furent encore arrêtées par la nouvelle des préliminaires d'Alexandrie, comme les succès de Hoche en 97, par la nouvelle des préliminaires de Léoben. Bonaparte, le seul grand homme de France, le seul général hors ligne, revint en triomphe. Tout ce qu'on avait vu jusqu'alors d'adoration, de ravissement et d'enthousiasme, de platitude, soit en actions, soit en paroles, pour flagorner un homme et pour exalter son orgueil, n'était pas même comparable à ce que l'on fit, à ce que l'on vit, à ce qu'on lut dans les gazettes.

Eh bien, tout cela ne suffisait plus au premier consul. En voyant les hommes se courber à ses pieds et chercher tous les moyens de se rendre méprisables, l'idée des anciens chambellans, des anciens maîtres de cérémonies, des dames d'honneur pour son épouse, des costumes brodés d'or, des valets en rouge, en bleu, en vert, avec des galons, toute cette mascarade lui parut convenable ; d'ailleurs il avait les émigrés sous la main, – le peuple qui travaille et sue ne sent pas toujours bon ; – mais ces émigrés, pressés dans les corridors et les antichambres, sentaient bon ; ils avaient rapporté de leurs voyages l'eau de Cologne de Jean-Joseph Farina tout exprès. Il fit rayer de la liste par milliers ces gens qui n'avaient pas cessé de combattre la patrie ; il fit aussi rayer les prêtres réfractaires, et ne se gêna plus de dire, même en plein conseil d'État :

– Avec mes préfets, mes gendarmes et mes prêtres, je ferai tout ce que je voudrai.

C'était juste, il pouvait tout faire !

Mais ces choses ne me regardent plus ; l'égoïsme d'un homme qui tue toutes les grandes idées de liberté, d'égalité, d'humanité ; qui pompe le sang de ma patrie, pour se grandir lui et sa famille sur les ossements de deux millions cinq cent mille Français ; qui veut faire rétablir chez nous les coutumes et les distinctions barbares d'il y a mille ans ; qui veut faire reculer le progrès et qui finit par nous attirer deux fois l'invasion des Cosaques, des Anglais et des Allemands, la vie et la gloire de cet homme n'est pas un sujet qui me plaise ; j'en détourne les yeux avec tristesse, et s'il m'arrive d'en parler encore par la suite, ce sera malgré moi.

Chauvel avait vu ces choses froidement ; il se penchait, ses lèvres se tiraient ; il regardait presque toujours à terre, comme dans un mauvais rêve. Quelquefois il criait :

– Ah ! quel malheur de vivre trop longtemps !... Si j'avais pu mourir à Landau, quand le canon tonnait et que l'on chantait : « Allons, enfants de la patrie ! »

Il se plaisait aussi dans ces derniers temps à porter les enfants ; nous en avions alors trois, Jean-Pierre, Annette et Michel. C'était sa joie d'interroger Jean-Pierre sur les droits de l'homme.

– Qu'est-ce que l'homme, Jean-Pierre ?

– Un être libre et raisonnable fait pour la vertu.

– C'est cela ; viens que je t'embrasse.

Il se penchait et puis reprenait sa marche rêveuse.

Ma femme souffrait de voir son père malade. La plus grande souffrance humaine c'est de se demander :

« Est-ce que Dieu existe ? »

Eh bien, nous pensions à cela. Pendant quinze ans tous les honnêtes gens ont pu se demander : « Est-ce que Dieu existe ? » d'autant plus que le clergé, le pape, tous ceux qu'on disait établis depuis le Christ, pour garder et défendre la justice contre la barbarie, venaient s'agenouiller devant Bonaparte. Il avait rétabli leur culte : ils se prosternaient devant César !

Ainsi les peuples ont vu de mon temps ce que c'était qu'un César, et ce que c'était qu'une religion représentée par des prêtres qui ne songent qu'aux biens de la terre, et leur sacrifient sans pudeur jusqu'aux apparences de la foi.

Mais l'Être suprême est toujours là. Comme le soleil nous éclaire toujours, l'Être suprême regarde toujours ses enfants ; il leur sourit en disant :

« N'ayez pas peur... Que ces choses ne vous effrayent pas... Je suis l'Éternel ; la liberté, l'égalité, la fraternité sont ma loi, et même quand vos os seront tombés en poussière, mon souffle vous rendra la vie. Ne craignez donc rien, ceux qui vous font peur expieront bientôt leurs crimes ; je les vois, je les juge, et c'est fini de leur toute-puissance. »

Tout le monde désirait la paix, les Autrichiens peut-être encore plus que nous, car nos avant-postes s'étendaient jusqu'à Lintz, et rien ne pouvait plus empêcher Moreau de marcher sur Vienne, c'est là qu'il aurait dicté la paix aux ennemis, mais l'entrée de Moreau à Vienne, aurait effacé la gloire de Marengo : le premier consul signa les préliminaires le 28 juillet. Il s'était trop dépêché ; l'empereur François II avait un traité secret de subsides avec l'Angleterre, et, malgré le danger de sa position, il ne voulut pas ratifier les préliminaires et désavoua même son agent à Paris, comme ayant dépassé ses pouvoirs.

Nos généraux reçurent aussitôt l'ordre de dénoncer l'armistice et la guerre allait recommencer, quand les Autrichiens demandèrent une prolongation de quarante-cinq jours, ce qui leur fut accordé, moyennant la cession d'Ingolstadt, d'Ulm et de Philipsbourg. En même temps la France et l'Autriche envoyèrent à Lunéville leurs plénipotentiaires, Cobentzel et Joseph Bonaparte, pour tâcher de s'entendre et d'arrêter le traité définitif. Quelques Anglais s'y trouvaient aussi, mais seulement pour écouter.

Cela fit rouler le commerce dans nos environs, car cette espèce de gens vivent bien ; ils ont bonne table, chevaux, valets, et ne se refusent rien dans aucun genre de contentement et de satisfaction.

Ce congrès traîna pendant tout le mois de septembre, celui d'octobre et la meilleure partie de novembre. On ne savait ce qui s'y passait. C'est là qu'on envoyait les plus belles truites de nos rivières, le gibier, le meilleur vin d'Alsace, jusqu'au moment où les Autrichiens eurent refait leurs armées. Alors les Anglais s'en allèrent ; Cobentzel, Joseph Bonaparte et leurs gens restèrent seuls, et l'on apprit que nous étions encore une fois en campagne : Macdonald dans les Grisons, Brune en Italie, Augereau sur le Mein, Moreau en Bavière.

Il faisait un froid extraordinaire, un temps de neige qui me rappelait la Vendée et notre marche de Savenay en 93. C'était en novembre ; quinze jours après, l'archiduc Jean et Moreau se rencontraient à Hohenlinden, aux sources de l'Isaar, dans les Alpes tyroliennes, au milieu des tourbillons de neige chassés par le vent. Sôme s'y trouvait ; il m'écrivit quelques jours après une lettre que j'ai perdue, mais qui nous représenta ce pays et cette bataille comme si nous les avions eus sous les yeux.

Moreau tourna l'ennemi dans une immense forêt de hêtres et de sapins ; il le prit en tête et en queue, et l'anéantit. C'est la dernière grande victoire de la république gagnée par des républicains, et celle peut-être où le génie de la guerre se montra le mieux dans son horrible grandeur. Bonaparte en était tellement jaloux, qu'il a toujours dit que Moreau ne savait pas ce qu'il faisait ; qu'il n'avait pas donné l'ordre à Richepanse de tourner l'ennemi et que tout était arrivé par hasard. Si le hasard gagne les batailles, son génie à lui était bien peu de chose, car il n'a jamais montré que celui-là. Ses découvertes ne l'ont pas fait nommer à l'Institut, je pense ; son idée de nous ramener au temps de Charlemagne et à la monarchie universelle n'avait pas le sens commun, ni ses inventions de comtes, de ducs, de barons, de chambellans, de majorats : toutes ces vieilleries, contraires à l'égalité, – qu'il voulait donner pour du neuf, et que les flagorneurs nous représentent comme des inventions sublimes, – sont tombés à plat aussitôt que ses sabres et ses baïonnettes n'étaient plus là pour les soutenir.

Enfin tout cela ne l'empêcha pas de s'attirer le bénéfice de la victoire, comme à l'ordinaire.

Après ce coup terrible, Moreau passa l'Inn, la Salza, l'Ens, ramassant les canons, les caissons, les drapeaux et les traînards par milliers ; il fit quatre-vingts lieues en douze jours, et se trouvait aux portes de Vienne, lorsque l'archiduc Charles, qui remplaçait au commandement son pauvre frère Jean, demanda un armistice. Moreau ne parlait pas sans cesse des malheurs du genre humain, mais il avait des entrailles pour ses soldats ; il ne mettait pas son orgueil, – que les imbéciles appellent la gloire, – avant tout ; il ne pensait pas à poser le pied sur la gorge d'un prince ou d'un empereur, pour lui faire crier grâce. Sa campagne était complète ; elle dégageait tout le monde, en Italie, dans les Alpes, en Allemagne. Au lieu d'entrer à Vienne, il accorda l'armistice, qui fut signé le 25 décembre à Steyer, à condition que l'Autriche traiterait séparément de l'Angleterre, que les places du Tyrol et de la Bavière seraient livrées aux Français ; et c'est de Moreau que nous eûmes la paix, cette paix tant promise !... que ni les ronflantes batailles d'Italie, ni le passage du Saint-Bernard, ni la victoire de Marengo, racontée de vingt manières différentes par Bonaparte, n'avaient pu nous assurer. Moreau montra que les batailles décisives frappent l'ennemi sur son propre terrain, comme un coup de tonnerre dans sa maison, et non pas au loin, derrière des fleuves et des lignes de montagnes qui lui permettent de se remettre, de se réunir et de recevoir des secours.

Hohenlinden est le modèle de toutes les grandes batailles qu'on a vues depuis ; je ne dis pas dans les détails mais dans le plan général, dans l'ensemble, dans la première idée, et c'est le principal. Moreau faisait la grande guerre, que d'autres ont voulu pousser jusqu'à Moscou ; mais dans les meilleures choses il faut toujours conserver une certaine mesure ; la vraie règle du génie, sa limite, c'est le bon sens ; quand on la dépasse, il ne peut arriver que des malheurs.

Après Hohenlinden, Cobentzel et Joseph Bonaparte, restés à Lunéville, n'avaient plus grand-chose à se dire ; le premier consul leur signifia que la France garderait la rive gauche du Rhin ; que l'Autriche conserverait l'Adige ; qu'elle renoncerait pour toujours à la Toscane, et qu'elle indemniserait les princes dépossédés sur la rive gauche, aux dépens des princes ecclésiastiques d'Allemagne.

Quand on est le plus faible, on plie les épaules, c'est ce que fit Cobentzel ; d'autant plus que l'empereur Paul Ier venait de se déclarer pour Bonaparte, qui lui rendait son île de Malte, et que ce dangereux maniaque pouvait tomber sur l'Autriche d'un moment à l'autre.

Mais il faut que je vous raconte maintenant une chose épouvantable, qui me touche, moi, ma famille et mes amis, plus que toutes ces vieilles histoires de guerres et de traités, dont il ne reste plus même l'ombre en ce monde ; une chose dont on trouve à peine quelques exemples chez les peuples des temps barbares où le droit, la justice, les tribunaux, les juges, n'existaient pas même encore en rêve.

Depuis le 18 brumaire et la proclamation de la constitution de l'an VIII, qui donnait au premier consul toutes les forces et tous les droits de la nation, Chauvel, voyant la république perdue, restait tranquille. Nous vivions entre nous sans parler de politique ; notre petit commerce allait très bien et nous occupait tous, en nous détournant des tristes pensées. Maître Jean s'était déclaré pour la nouvelle constitution ; il disait que du moment qu'on garantissait au peuple les biens nationaux, nous n'avions plus rien à réclamer ; qu'il fallait d'abord rétablir l'ordre après cette terrible révolution ; que les Droits de l'homme viendraient ensuite. Il se faisait vieux ! Et comme Chauvel s'était permis un soir dans notre bibliothèque de lui lancer quelques traits mordants sur les satisfaits, il ne venait plus nous voir.

– Je n'en veux pas à ton beau-père, me disait-il quelquefois, en me rencontrant dehors, sur le chemin des Baraques ou dans les champs, mais c'est un homme avec lequel on ne peut plus causer ; il devient aigre et ne se gêne pas pour vous faire de la peine.

Je pensais :

– Non ; il vous a dit vos vérités, cela ne plaît pas aux gens qui n'ont rien à lui répondre.

Mon père venait toujours les dimanches dîner avec nous ; mais le pauvre homme, lui, trouvait tout bien du moment que ses enfants étaient heureux. Chauvel l'aimait et l'estimait beaucoup, sans lui parler jamais de politique. Étienne était employé depuis quelques mois dans la maison de Simonis, à Strasbourg. Nous vivions donc seuls, occupés de notre commerce ; nos anciens amis du club de l'Égalité ne venaient même plus causer à la nuit derrière notre petit poêle ; chacun se tenait dans son coin ; les plus hardis, comme Élof Collin, se montraient encore plus prudents que les autres.

Et, dans le temps même où nous recevions la lettre de Sôme, était arrivée la nouvelle de cette fameuse machine infernale, qui manqua de faire sauter Bonaparte le 24 décembre 1800, à huit heures du soir, dans la rue Saint-Nicaise. Le premier consul allait des Tuileries à l'Opéra ; une charrette chargée d'un tonneau s'était rencontrée sur son passage, et le cocher venait à peine de l'éviter au tournant de la rue, que le tonneau, plein de poudre, éclatait, tuant et blessant cinquante-deux personnes.

Tous les treize journaux criaient ensemble que les jacobins avaient fait le coup, et l'on pense bien que c'était une raison de plus pour se tenir tranquille.

Un soir, le 17 janvier, oui, c'est bien ce jour-là... comme tout vous revient quand on a souffert : ces choses se sont passées depuis soixante-huit ans et je les ai encore sous les yeux !... C'était au temps des grandes neiges. Après le travail de la journée, nous étions occupés de nos petits ouvrages dans la bibliothèque. Marguerite avait porté les deux enfants Annette et Michel dans leur lit, et le petit Jean-Pierre dormait sur sa chaise, car il voulait entendre causer et finissait toujours par dormir, sa grosse joue rouge sur la table. Il faisait grand vent dehors ; c'est à peine si de temps en temps le bruit de la sonnette nous éveillait de nos rêveries, en forçant l'un ou l'autre d'aller servir deux sous d'huile, une chopine d'eau-de-vie, une chandelle de six liards. Le père Chauvel collait le papier, Marguerite et moi nous faisions les cornets, et les minutes se suivaient lentement. Sur le coup de dix heures, Marguerite, craignant de voir l'enfant tomber de sa chaise, le prit et l'emporta, la tête sur son épaule ; il dormait comme un bienheureux.

À peine était-elle montée, que la porte de la boutique s'ouvrit au large, et que plusieurs individus se précipitèrent de notre côté. Nous les voyions par les petites vitres, c'étaient des étrangers, de grands gaillards en demi-manteau et chapeau à cornes, selon le temps : de mauvaises figures. Nous étions tout saisis, l'un d'entre eux, le chef (il avait des moustaches et portait l'épée) entra, et, montrant Chauvel, il dit aux autres :

– Voilà notre homme... je le reconnais... Qu'on l'arrête !

Chauvel, tout pâle, mais ferme, lui dit :

– Qu'on m'arrête ! Pourquoi ? Vous avez votre mandat d'amener ? Vous connaissez l'article 76 de la constitution, l'article 81...

– Hé ! cria l'autre en levant les épaules, assez d'avocasseries, le temps des avocasseries est passé ! Qu'on l'empoigne et en route !

Et comme je me réveillais de ma surprise, comme j'allais sauter sur mon sabre, pendu au mur, il le vit et me dit :

– Toi, mon garçon, tâche de rester tranquille, ou bien il t'arrivera malheur. Canez, enlevez ce sabre ! Les clefs, voyons les clefs ! procédons vivement !

Deux de ces brigands m'empoignèrent ; pendant que je les soulevais, un troisième me prit par derrière à la gorge, et j'entendis dehors Chauvel, qu'on entraînait, me crier :

– Michel, ne te défends pas, ils te tueraient !

Ce sont les dernières paroles de ce brave homme que j'ai entendues. On me tordait les bras, on me donnait des coups de genoux dans les reins, on me fouillait, et l'on finit par m'écraser dans le vieux fauteuil.

– C'est bien, je tiens les clefs, dit l'officier de police, qu'on le laisse. – Mais, si tu bouges, gare !...

Alors j'étais comme brisé, je n'entendais plus rien ; je voyais qu'ils ouvraient les tiroirs du bureau, de l'armoire ; qu'ils répandaient les papiers, qu'ils les choisissaient. Le chef, sur notre propre table, écrivait ; deux autres ouvraient les lettres, les lisaient et les lui passaient. Les portes de la bibliothèque et de la boutique étaient restées ouvertes, la chaleur s'en allait, il faisait froid. Ces gens travaillaient toujours. Dehors, dans la boutique, on allait, on venait, on bouleversait tout. Je vomissais le sang, mes crachements m'avaient repris : la rage, la douleur, le chagrin, le désespoir m'étouffaient. Je ne pensais à rien, j'étais abruti. L'officier parlait et donnait ses ordres comme chez lui :

– Voyez cette caisse... Ouvrez ce tiroir... Fermez cette porte... Il ne reste plus de feu au poêle... Non... Tant pis !... Allons, continuons... Oui, je crois que c'est tout.

Les misérables avaient pris une bouteille d'eau-de-vie et des verres dans l'armoire ; ils buvaient en travaillant ; ils prenaient du tabac dans la tabatière de Chauvel, restée sur la table... Que voulez-vous ? Schinderhannnes ! la bande de Schinderhannnes, sans foi ni loi, sans cœur ni honneur.

Tout à coup ils partirent, me laissant là. Il pouvait être une heure du matin. J'essayai de me lever, mes genoux tremblaient ; je me levai pourtant, et, comme j'arrivais à la porte de la bibliothèque, je vis le plancher de la boutique tout blanc de neige, l'autre porte ouverte sur la rue. En trébuchant, je sentis quelque chose contre mes pieds ; je me baissai... C'était Marguerite ! Je la crus morte, et toutes mes forces me revinrent.

Je la levai en poussant un gémissement terrible, et je la portai dans notre lit. Elle avait entendu le cri de son père. Elle m'a toujours dit depuis :

– Je l'ai entendu crier : « Adieu !... adieu, mes enfants ! » et puis la voiture rouler ; alors je suis tombée.

Voilà ce qu'elle m'a dit plus tard, car longtemps ma femme est restée comme folle, entre la vie et la mort. Le docteur, que je courus chercher la même nuit, en la voyant hochait la tête et disait :

– Ah ! quel malheur, mon pauvre Bastien, quel malheur ! Ce sont des scélérats !

Il était pourtant maire de la ville, mais la force de la conscience l'emportait ! Oui, c'étaient de vrais scélérats !

Enfin c'est tout ce que j'avais à vous dire ; depuis, je n'ai jamais entendu parler de Chauvel : c'était fini pour toujours.

Les enfants criaient et pleuraient cette nuit-là ; et les gens, le matin, les bonnes femmes venaient nous voir comme on va dans une maison mortuaire, consoler les survivants ; mais personne n'osait parler du sort de Chauvel, tout le monde frémissait. On avait raison, car Bonaparte avait dit en son conseil d'État, où l'on parlait de tribunal et de justice, et même de tribunal spécial, il avait dit :

« L'action du tribunal serait trop lente, trop circonscrite. Il faut une vengeance plus éclatante pour un crime aussi atroce ; il faut qu'elle soit rapide comme la foudre ! il faut du sang ; il faut fusiller autant de coupables qu'il y a eu de victimes, quinze ou vingt, en déporter deux cents, et profiter de cette circonstance pour purger la république.

» Cet attentat est l'œuvre d'une bande de scélérats, de septembriseurs, qu'on retrouve dans tous les crimes de la révolution. Lorsque le parti verra son quartier général frappé et que la fortune abandonne ses chefs, tout rentrera dans l'ordre, les ouvriers reprendront leurs travaux, et dix mille hommes qui dans la France tiennent à ce parti et sont susceptibles de repentir, l'abandonneront entièrement. Je serais indigne de la grande tâche que j'ai entreprise et de ma mission, si je ne me montrais pas sévère dans une telle occurrence. La France et l'Europe se moqueraient d'un gouvernement qui laisserait impunément miner un quartier de Paris, ou qui ne ferait de ce crime qu'un procès ordinaire. Il faut conduire cette affaire en hommes d'État ; je suis tellement convaincu de la nécessité d'un grand exemple, que je suis prêt à faire comparaître devant moi les scélérats, à les juger, et à signer leur condamnation. »

Ainsi Bonaparte nous traitait de scélérats, de brigands, nous qu'il savait innocents de la machine infernale, puisqu'il fit bientôt après condamner les vrais coupables, qui étaient tous des royalistes à la solde de l'Angleterre. Chauvel était le scélérat et Bonaparte l'honnête homme ! Il l'avait dit aussi des Cinq-Cents, du Directoire et de tous ceux dont il voulait se débarrasser : c'étaient tous des scélérats qui conspiraient contre la république ; lui seul voulait la sauver. Il le dit aussi plus tard du duc d'Enghien : le duc d'Enghien, en Allemagne, voulait l'assassiner !

Cent trente-trois patriotes disparurent en vertu du sénatus-consulte de l'an IX, *le premier du consulat !* Bonaparte disait plus tard, en riant que ce sénatus-consulte avait sauvé la république, que personne depuis n'avait plus bougé ! Non, personne n'a plus bougé, même quand les Russes, les Allemands, les Anglais marchaient sur Paris. – Tout ce qui fait une nation, l'amour de la justice, de la liberté, de la patrie, était mort.

Mais il est temps que je finisse cette longue histoire.

Je passe sur la paix d'Amiens, qui ne fut qu'une suspension d'armes, comme toutes les paix de Bonaparte ; sur le concordat, où le premier consul rétablit chez nous les évêques, les ordres religieux, les impôts pour l'Église, tout ce que la révolution avait aboli, ce qui lui valut le bonheur d'être couronné par Pie VII, à Paris. Alors il se crut Charlemagne ! Je ne vous parlerai pas non plus de cette lutte terrible de la France contre l'Angleterre, où Bonaparte, voulant ruiner les Anglais, nous réduisit tous, nous et nos alliés, à la plus grande misère ; ni des batailles qui se suivaient de semaine en semaine, de mois en mois, sans jamais rien finir ; ni des *Te Deum* pour Austerlitz, Iéna, Wagram, la Moskowa, etc. Napoléon Bonaparte était le maître, il prenait des deux, des trois cent mille hommes tous les ans ; il revenait sur les anciennes conscriptions ; il établissait les impôts, les monopoles, il faisait des proclamations, nous appelant « ses peuples ! » Il écrivait les articles des gazettes, lançait des décrets du fond de la Russie, pour organiser le Théâtre-Français ; enfin, la comédie, toujours la comédie !...

Ces torrents d'hommes qu'il levait, passaient chez nous. Il fallait les voir, les entendre, après leurs batailles, leurs campagnes ; quels héros !... Comme ils vous traitaient les bourgeois ! On aurait dit qu'ils étaient d'une autre race, qu'ils nous avaient conquis ; le dernier d'entre eux se regardait comme bien au-dessus d'un ouvrier, d'un paysan, ou d'un marchand qui vivaient de leur travail. Ces vainqueurs des vainqueurs, ces bourreaux des crânes, à force de rouler le monde, de batailler, de marauder, de piller, en Italie, en Espagne, en Allemagne, en Pologne, n'avaient pour ainsi dire plus de patrie ; cela ne connaissait plus sa province, son village ; cela vous regardait père et mère, frères et sœurs d'un œil farouche, et ne pensait plus qu'à l'avancement, à son petit verre, à son tabac et à l'empereur.

Je pourrais vous dire comment il fallait se battre, s'empoigner tous les jours, *s'allonger des coups de torchon* avec ces défenseurs de la patrie. À chaque instant, dans notre boutique, malgré ma patience et les recommandations de ma femme, j'avais des affaires désagréables ; il fallait décrocher le sabre et faire un tour au fond de Fiquet, pour montrer à cette race insolente que ceux de 92 ne tremblaient pas devant ceux de 1808. J'en conserve encore deux petites balafres que j'ai bien rendues ! Quant à réclamer chez les supérieurs, il vous riaient au nez, et vous répondaient en clignant de l'œil :

– Ah ! c'est encore un tour de la Fougère ou de La Tulipe ; il n'en fera pas d'autre !

Voilà tout.

Ceux qui survivent de mon temps, vous répéteront ces choses honteuses pour une nation comme la nôtre. Les barbares de la Russie, les cosaques du Don, que nous avons vus arriver à leurs trousses, n'étaient pas aussi effrontés envers les honnêtes femmes, aussi insolents avec les bourgeois paisibles. On avait commencé par le pillage, on continuait par le pillage. On n'avait parlé que de bien boire, de bien manger, de happer des richesses, et cinq ou six ans après les campagnes d'Italie, quand la bonne semence avait levé, quand elle s'était étendue, figurez-vous ce que cela devait être.

Ce qui m'a toujours fait de la peine, c'est la facilité du peuple à suivre le mauvais exemple. La France est un pays riche en vins, en grains, en produits de toute sorte, grand par son commerce, par ses fabrications, par sa marine. Rien ne nous manque ; avec le travail et l'économie, nous pouvons être la plus heureuse nation du monde. Eh bien, cela ne suffisait plus, on voulait dépouiller les autres, on ne parlait que de bonnes prises. À l'ouverture de chaque campagne, on calculait d'avance ce que cela rapporterait, les grandes villes où l'on passerait, les contributions forcées que l'on frapperait.

Pendant que Bonaparte trafiquait des provinces, donnait à celui-ci la Toscane, à celui-là le royaume de Naples ou la Hollande, ou la Westphalie ; qu'il promettait et se rétractait ; qu'il ajoutait, retranchait, retenait ; qu'il se faisait nommer protecteur des uns, roi des autres, et puis adjugeait des couronnes à ses frères, à ses beaux-frères ; attirait les gens sur notre territoire, sous prétexte d'amitié, pour arranger leurs affaires, comme ce malheureux roi d'Espagne, et les empoignait ensuite au collet et les jetait en prison, ou bien demandait des armées à ses alliés, et puis les faisait prisonnières, en se déclarant ennemi ! Quand il se livrait à ces abominations, les inférieurs du haut en bas, riaient, se réjouissaient, trouvaient que c'était bien joué, et s'adjugeaient des tableaux, des candélabres, des saints-sacrements, etc.

Les fourgons défilaient et l'on disait :

« Ce sont les fourgons de tel maréchal, de tel général, de tel diplomate ; c'est sacré ! »

Les soldats arrivaient ensuite, leurs poches pleines de frédérics, de souverains, de ducats ; l'or roulait !... Oh ! le triste souvenir ! Après avoir tant parlé de justice et de vertu, nous finissions comme des bandits.

Aussi vous connaissez la vraie fin de tout cela ; vous savez que les peuples, indignés d'être au pillage, tombèrent sur nous tous ensemble, Russes, Allemands, Anglais, Suédois, Italiens, Espagnols, et qu'il fallut rendre tableaux, provinces, couronnes, avec une indemnité d'un milliard, ce qui fait mille millions. Ces peuples mirent garnison chez nous, ils restèrent dans nos places fortes, jusqu'à ce qu'on leur eût remboursé le dernier centime ; ils nous reprirent aussi les conquêtes de la république, de vraies conquêtes celles-là : l'Autriche et la Prusse nous avaient attaqués injustement, nous les avions vaincues, et les possessions de l'Autriche dans les Pays-Bas, toute la rive gauche du Rhin, étaient devenues françaises par les traités. Eh bien, ils nous reprirent aussi ces conquêtes, les meilleures : *c'est ce que nous a valu le génie de Bonaparte.*

Mais une fois sur ce chapitre, on n'en finit plus. Revenons à mon histoire.

Je n'ai pas besoin de vous dire ce que Marguerite et moi nous pensions du premier consul après l'enlèvement de notre père, ni ce que nous en disions à nos enfants, le soir entre nous, en leur rappelant le brave homme qui les avait tant aimés ! Ces douleurs-là, chacun peut s'en faire une idée ; ma femme en resta pâle et souffrante pendant quinze ans, jusqu'à la fin de l'empire.

Alors elle fut un peu consolée, sachant Bonaparte à Sainte-Hélène, sur un rocher sans mousse ni verdure, au milieu de l'Océan, avec sir Hudson Lowe. Elle reprit un peu de couleurs ; mais en attendant quel chagrin ! Et malheureusement ce n'était pas le seul ; malgré la prospérité de notre commerce, nous recevions chaque jour de nouveaux coups.

En 1802, l'ancien conventionnel Jean-Bon-Saint-André, ci-devant membre du Comité de Salut public, fut envoyé par Bonaparte à Mayence, pour arrêter, juger et vivement expédier une quantité prodigieuse de bandits, qui désolaient les deux rives du Rhin. Il avait l'habitude de ces choses, et bientôt une liste de soixante à soixante-dix coquins, leur capitaine Schinderhannes en tête, fut affichée à la porte de notre mairie, avec leur signalement. Dans le nombre se trouvait Nicolas Bastien ! Pour mon compte, cela m'était bien égal ; j'ai toujours pensé que chacun n'est responsable que de ses propres actions, et j'ai vu cent fois que dans les mêmes familles se trouvent d'honnêtes gens et de mauvais gueux, des êtres intelligents et des crétins, des hommes sobres et des ivrognes ; cela se voit plus souvent que le contraire.

J'étais donc tout consolé et ma femme aussi.

Mais mon pauvre père en reçut un coup terrible ; dès le premier moment, il fut obligé de se coucher, et chaque fois que j'allais le voir aux Baraques il me répétait :

– Ah ! mon bon Michel, que Dieu lui pardonne ! mais cette fois Nicolas ne m'a pas manqué !

Il pleurait comme un enfant et mourut tout à coup en 1803. Ma mère alors, au lieu de venir chez nous vivre tranquillement avec ses petits-enfants, se mit en route, et ne cessa plus de faire des pèlerinages pour l'âme de Nicolas, soit à Marienthal, soit ailleurs. Quelques mois après une vieille Alsacienne de sa société vint nous dire, en récitant son chapelet, que ma mère s'était éteinte à Sainte-Odile, sur une botte de paille ; que le curé l'avait enterrée chrétiennement, et que les cierges et l'eau bénite n'avaient pas manqué. Je payai les cierges et l'eau bénite, bien désolé d'une mort si triste, car ma mère aurait pu vivre encore dix ans, en suivant mes conseils.

Ainsi la famille se resserrait de plus en plus, et les amis aussi s'en allaient. Après Hohenlinden nous ne reçûmes plus aucune nouvelle de mon vieux camarade Sôme ; il était sans doute mort des fatigues de la campagne. Longtemps nous attendîmes une lettre de lui ; mais au bout de cinq ou six ans, n'ayant rien reçu, nous comprîmes que c'était aussi fini de ce côté. Marescot et Lisbeth, élevés dans les honneurs, ne pensaient plus à nous ; ils étaient devenus plus bonapartistes que Bonaparte, et nous étions restés républicains. De temps en temps les gazettes nous donnaient de leurs nouvelles : « Madame la baronne Marescot avait fait des achats dans tel magasin !... Elle avait assisté au bal de la cour, avec M. le baron Marescot... Ils étaient partis pour l'Espagne, etc. » Enfin, ils étaient du grand monde.

Maître Jean nous restait encore en 1809. Il avait abandonné depuis longtemps sa petite forge des Baraques, et demeurait à sa belle ferme de Pickeholtz, avec dame Catherine, Nicole, mon frère

Claude et ma sœur Mathurine. Tous les jours de marché il arrivait sur son char-à-bancs, faire chez nous ses provisions de sucre, d'huile, de vinaigre, après la vente des grains. L'enlèvement de Chauvel l'avait d'autant plus frappé, qu'il s'était d'abord déclaré pour Bonaparte, à cause de son amour de l'ordre et de la garantie des biens nationaux. Il n'était plus venu nous voir. Mais, à la nouvelle du malheur, malgré sa grande prudence, c'est lui que nous avions vu le premier accourir, en gémissant. Il n'osait parler de Chauvel devant Marguerite, mais chaque fois qu'elle sortait, il me disait :

– Et pas de nouvelles ? toujours pas de nouvelles ?

– Non !

– Ah ! mon Dieu ! quel malheur pour moi de n'avoir pas cru ton beau-père, lorsqu'il criait contre ce despote !

Maître Jean aimait nos enfants, et nous demandait chaque fois de lui en laisser un. Comme alors nous avions trois garçons et deux filles, dans l'intérêt de l'enfant nous étions presque décidés, sachant que maître Jean l'élèverait bien, qu'il l'instruirait et nous en ferait un bon cultivateur.

– Eh bien, me dit un jour Marguerite, qu'il prenne Michel, c'est le plus fort.

Mais je lui répondis :

– Ce n'est pas celui-là qu'il voudrait ; sans qu'il me l'ait dit, je suis sûr qu'il voudrait Jean-Pierre.

– Pourquoi ?

– Parce qu'il ressemble à ton père.

Marguerite, pour cette raison, aurait aussi voulu le conserver ; elle pleura, mais finit pourtant par se décider. Alors tous les mardis maître Jean nous amenait Jean-Pierre en char-à-bancs ; nous dînions ensemble et nous faisions en quelque sorte une seule famille. Marguerite allait aussi quelquefois à Pickeholtz.

En 1809, maître Jean tomba malade sur la fin de l'automne ; Jean-Pierre lui-même, alors âgé de quatorze ans, vint me chercher de grand matin, disant que maître Jean voulait me parler ; qu'il était bien malade. Je partis aussitôt. En arrivant à Pickeholtz, je trouvai mon ancien maître dans l'alcôve à grands rideaux de serge, et du premier coup d'œil je compris qu'il était très mal, et même qu'il y avait danger de mort. Le médecin de Sarrebourg, M. Bouregard, était venu cinq fois. C'était le troisième jour de la maladie ; et voyant dame Catherine pleurer, je compris ce que le médecin avait dit.

Maître Jean ne pouvait plus parler ; en me voyant, il me montra le tiroir de sa table de nuit :

– Ouvre ! dit-il des lèvres.

J'ouvris. Dans le tiroir se trouvait un papier écrit tout entier de sa main :

– Pour les petits-enfants de Chauvel, fit-il avec effort.

Et je vis que des larmes lui coulaient sur les joues. Il n'avait plus la force de respirer et voulut encore dire quelque chose, mais il ne put que me serrer la main. J'étais dans le plus grand trouble, et comme sa respiration allait toujours plus vite, en s'embarrassant, je compris que l'agonie commençait. Il m'avait attendu, chose qui se présente très souvent. Il se retourna ; dix minutes après, comme je m'étais assis près du lit, n'entendant plus rien, je l'appelai :

– Maître Jean !

Mais il ne répondit pas ; ses bonnes grosses joues commençaient à pâlir, et ses lèvres se relevaient tout doucement en souriant ; on aurait cru le voir à la petite forge, lorsque Valentin disait une bêtise, et qu'il le regardait de haut en bas, en levant les épaules.

Ai-je besoin de vous peindre notre désolation ? Non ! ces choses-là sont trop ordinaires dans la vie ; que chacun se rappelle la mort de ceux qu'il a le plus aimés ! Pour moi c'étaient tous mes souvenirs de jeunesse, représentés par mon second père, qui s'en allaient ; pour dame Catherine, c'était le meilleur des hommes, cinquante ans de paix intérieure et d'amour ; pour toute la ferme, c'était un bon maître, un ami de la justice et de l'humanité.

Je m'arrête... Ici finit mon histoire ; bientôt mon tour viendra ; je dois un peu me reposer et me recueillir, avant d'aller rejoindre tous ces anciens dont je vous ai parlé.

Maître Jean Leroux nous léguait à Marguerite et à moi, « pour les petits-enfants de son ami Chauvel », sa ferme de Pickeholtz, à la condition de regarder dame Catherine comme notre mère, de garder Nicole, Claude et Mathurine jusqu'à la fin de leurs jours, et de penser quelquefois à lui.

Ces conditions n'étaient pas difficiles à remplir : elles étaient écrites d'avance dans notre cœur.

Peu de temps après, Marguerite, nos enfants et moi, nous allâmes vivre à la ferme, après avoir cédé notre commerce à mon frère Étienne. Depuis, je n'ai pas cessé de cultiver nos champs, d'en acheter de nouveaux et de prospérer. Voyez ce que j'ai dit au premier chapitre.

Et sur ce, je prie Dieu de nous accorder à tous encore quelques années de calme et de santé. Si nous avions les Droits de l'homme en plus, je mourrais content.

Sénatus-consulte

qui autorise l'acquisition en France de biens destinés à remplacer la principauté de Guastalla, cédée au royaume d'Italie par la princesse Pauline et le prince Borghèse, son époux

(Du *14 août 1806*)

NAPOLÉON, par la grâce de Dieu et les Constitutions de la République, empereur des Français, à tous présents et à venir, salut.

Le Sénat, après avoir entendu les orateurs du Conseil d'État, a décrété, et nous ordonnons ce qui suit :

ART. 1er. La principauté de Guastalla ayant été, avec l'autorisation de S. M. l'Empereur et Roi, cédée au royaume d'Italie, il sera acquis, du produit de cette cession et en remplacement, des biens dans le territoire de l'empire français.

2. Ces biens seront possédés par S. A. I. la princesse Pauline, le prince Borghèse son époux, et les descendants nés de leur mariage, de mâle en mâle, quant à l'hérédité et à la réversibilité, quittes de toutes charges, de la même manière que devait l'être ladite principauté, et aux mêmes charges et conditions, conformément à l'acte du 30 mars dernier.

3. Dans le cas où Sa Majesté viendrait à autoriser l'échange ou l'aliénation des biens composant la dotation des duchés relevant de l'empire français, érigés par les actes du même jour 30 mars dernier, ou de la dotation de tous nouveaux duchés ou autres titres que Sa Majesté pourra ériger à l'avenir, il sera acquis des biens en

remplacement, sur le territoire de l'empire français, avec le prix des aliénations.

4. Les biens pris en échange ou acquis seront possédés, quant à l'hérédité et à la réversibilité, quittes de toutes charges, conformément aux actes de création desdits duchés ou autres titres, et aux charges et conditions y énoncées.

5. Quand Sa Majesté le jugera convenable, soit pour récompenser de grands services, soit pour exciter une noble émulation, soit pour concourir à l'éclat du trône, elle pourra autoriser un chef de famille à substituer ses biens libres, pour former la dotation d'un titre héréditaire que Sa Majesté érigerait en sa faveur, réversible à son fils aîné, né ou à naître, et à ses descendants en ligne directe de mâle en mâle, par ordre de primogéniture.

6. Les propriétés ainsi possédées sur le territoire français, conformément aux articles précédents, n'auront et ne conféreront aucun droit ou privilège relativement aux autres sujets français de Sa Majesté et à leur propriété.

7. Les actes par lesquels Sa Majesté autoriserait un chef de famille à substituer ses biens libres, ainsi qu'il est dit à l'article précédent, ou permettrait le remplacement en France des dotations des duchés relevant de l'empire, ou autres titres que Sa Majesté érigerait à l'avenir, seront donnés en communication au Sénat et transcrits sur ses registres.

8. Il sera pourvu, par des règlements d'administration publique, à l'exécution du présent sénatus-consulte, et notamment en ce qui touche la jouissance et conservation tant des propriétés réversibles à la couronne, que des propriétés substituées en vertu de l'article 5.

Premier statut impérial

NAPOLÉON, etc. ; vu le sénatus-consulte du 14 août 1806, nous avons décrété et décrétons ce qui suit :

ART. 1er. Les titulaires des grandes dignités de l'empire porteront le titre de prince et d'altesse sérénissime.

2. Les fils aînés des grands dignitaires auront de droit le titre de duc de l'empire, lorsque leur père aura institué en leur faveur un majorat produisant 200 000 fr. de revenus.

Ce titre et ce majorat seront transmissibles à leur descendance directe et légitime, naturelle ou adoptive, de mâle en mâle, et par ordre de primogéniture.

3. Les grands dignitaires pourront instituer, pour leur fils aîné ou puîné, des majorats sur lesquels seront attachés des titres de comte ou de baron, suivant les conditions déterminées ci-après :

4. Nos ministres, les sénateurs, nos conseillers d'État à vie, les présidents du Corps législatif, les archevêques, porteront pendant leur vie le titre de comte.

Il leur sera, à cet effet, délivré des lettres-patentes scellées de notre grand sceau.

5. Ce titre sera transmissible à la descendance directe et légitime, naturelle ou adoptive, de mâle en mâle, par ordre de primogéniture, de celui qui en aura été revêtu ; et, pour les archevêques, à celui de leurs neveux qu'ils auront choisi, en se présentant devant le prince archichancelier de l'empire, afin d'obtenir à cet effet nos lettres-patentes, et en outre aux conditions suivantes :

6. Le titulaire justifiera, dans les formes que nous nous réservons de déterminer, d'un revenu net de 30 000 fr. en biens de la nature de ceux qui devront entrer dans la formation des majorats.

Un tiers desdits biens sera affecté à la dotation du titre mentionné dans l'article 4, et passera avec lui sur toutes les têtes ou ce titre se fixera.

7. Les titulaires mentionnés en l'article 4 pourront instituer, en faveur de leur fils aîné ou puîné, un majorat auquel sera attaché le titre de baron, suivant les conditions déterminées ci-après :

8. Les présidents de nos collèges électoraux de département, le premier président et le procureur général de notre Cour de cassation, le premier président et le procureur général de notre Cour des comptes, les premiers présidents et les procureurs généraux de nos Cours d'appel, les évêques, les maires des trente-sept bonnes villes qui ont droit d'assister à notre couronnement, porteront pendant leur vie le titre de baron, savoir : les présidents des collèges électoraux lorsqu'ils auront présidé le collège pendant trois sessions, les premiers présidents, procureurs généraux et maires, lorsqu'ils auront dix ans d'exercice, et que les uns et les autres auront rempli leurs fonctions à notre satisfaction.

9. Les dispositions des articles 5 et 6 seront applicables à ceux qui

porteront pendant leur vie le titre de baron ; néanmoins, ils ne seront tenus de justifier que d'un revenu de 15 000 fr., dont le tiers sera affecté à la dotation de leur titre, et passera avec lui sur toutes les têtes où ce titre se fixera.

10. Les membres de nos collèges électoraux de département qui auront assisté à trois sessions des collèges, et qui auront rempli leurs fonctions à notre satisfaction, pourront se présenter devant l'archichancelier de l'empire, pour demander qu'il nous plaise de leur accorder le titre de baron ; mais ce titre ne pourra être transmissible à leur descendance directe et légitime, naturelle ou adoptive, de mâle en mâle, et par ordre de primogéniture, qu'autant qu'ils justifieront d'un revenu de 15 000 fr. de rente, dont le tiers, lorsqu'ils auront obtenu nos lettres-patentes, demeurera affecté à la dotation de leur titre, et passera avec lui sur toutes les têtes où il se fixera.

11. Les membres de la Légion d'honneur, et ceux qui à l'avenir obtiendront cette distinction, porteront le titre de chevalier.

12. Ce titre sera transmissible à la descendance directe et légitime, naturelle ou adoptive, de mâle en mâle, par ordre de primogéniture, de celui qui en aura été revêtu, en se présentant devant l'archichancelier de l'empire, afin d'obtenir à cet effet nos lettres-patentes, et en justifiant d'un revenu net de 3000 fr. au moins.

13. Nous nous réservons d'accorder les titres que nous jugerons convenables aux généraux, préfets, officiers civils et militaires, et autres de nos sujets qui se seront distingués par les services rendus à l'État.

14. Ceux de nos sujets à qui nous aurons conféré des titres, ne pourront porter d'autres armoiries ni avoir d'autres livrées que celles qui seront énoncées dans les lettres-patentes de création.

15. Défendons à tous nos sujets de s'arroger des titres et qualifications que nous ne leur aurions pas conférés, et aux officiers de l'état civil, notaires et autres, de les leur donner ; renouvelant, autant que besoin serait, contre les contrevenants, les lois actuellement en vigueur.

En notre palais des Tuileries, le 1er mars 1808.

Signé : NAPOLÉON.

Le second statut impérial, daté du même jour, prescrivait les règles de l'institution et de la composition des majorats, et déterminait leurs effets quant aux personnes et quant aux biens. En voici le préambule :

« NAPOLÉON, etc. ; Nos décrets du 30 mars 1806, et le sénatus-consulte du 14 août de la même année, ont établi des titres héréditaires avec tranmissions des biens auxquels ils sont affectés.

» L'objet de cette institution a été non seulement d'entourer notre trône de la splendeur qui convient à sa dignité, mais encore de nourrir au cœur de nos sujets une louable émulation, en perpétuant d'illustres souvenirs et en conservant aux âges futurs l'image toujours présente des récompenses qui, sous un gouvernement juste, suivent les grand services rendus à l'État.

» Désirant de ne pas différer plus longtemps les avantages assurés par cette grande institution, nous avons résolu de régler par ces présentes les moyens d'exécution propres à l'établir et à garantir sa durée.

» La nécessité de conserver dans les familles les biens affectés au maintien des titres, impose l'obligation de les excepter du droit commun, et de les assujettir à des règles particulières qui, en même temps qu'elles en empêcheront l'aliénation ou le démembrement, préviendront les abus, en donnant connaissance à tous nos sujets de la condition dans laquelle ces biens sont placés.

» En conséquence, et comme l'article 8 du sénatus-consulte du 14 août 1806 porte qu'il sera pourvu par des règlements d'administration publique à l'exécution dudit acte, et notamment en ce qui touche la jouissance et la conservation tant des propriétés réversibles à la couronne que des propriétés substituées en vertu de l'article ci-dessus mentionné, nous avons résolu de déterminer les principes de la formation des majorats, soit qu'elle ait lieu à raison des titres que nous aurons conférés, soit qu'elle ait pour objet des titres dont notre munificence aurait, en tout ou en partie, composé la dotation.

» Nous avons voulu aussi établir les exceptions qui distinguent les majorats, des biens régis par le Code Napoléon (autrefois le Code civil), les conditions de leur institution dans les familles, et les devoirs imposés à ceux qui en jouissent.

» À ces causes, vu nos décrets du 30 mars et le sénatus-consulte du 14 août 1806, notre conseil d'État entendu, nous avons décrété et ordonné, décrétons et ordonnons ce qui suit, etc. »

FIN

Milton Keynes UK
Ingram Content Group UK Ltd.
UKHW050821040923
428018UK00009B/681